Danz, F.

Allgemeine medizinische Zeichenlehre

Danz, F.

Allgemeine medizinische Zeichenlehre

Inktank publishing, 2018

www.inktank-publishing.com

ISBN/EAN: 9783747786482

Allgemeine

medizinische Zeichenlehre

von

D. F. G. Danz,
weiland Professor in Giesen,

---

für angehende Aerzte

neu bearbeitet

und

mit einer Anleitung zur psychischen Semiotik vermehrt

von

D. Johann Christian August Heinroth,
Professor der psychischen Therapie und Arzt am Arbeitshause für Freywillige zu Leipzig.

Leipzig 1812.
bey Friedrich Christian Wilhelm Vogel.

Vorrede

des Verfassers dieser Umarbeitung.

Der Herr Verleger der Zeichenlehre des sel. D. Danz *) wünschte bey einer neuen Herausgabe dieses Buchs dasselbe auf eine Art verändert erscheinen zu lassen, welche die seit der ersten Erscheinung desselben mehr vorgeschrittene Ausbildung der Medizin zu verlangen schien. Die Aufgabe welche dadurch für den Verfasser dieser Umarbeitung entstand, hatte manche Schwierigkeiten, theils in Rücksicht auf das was bleiben, theils auf das was geändert werden sollte. Er glaubt von diesen Schwierigkei-

*) Das Werk erschien 1793, Leipzig, bey Siegfried Lebrecht Crusius, unter dem Titel: Semiotik, oder Handbuch der allgemeinen Zeichenlehre, zum Gebrauche für angehende Wundärzte. Von D. Ferdinand Georg Danz, Professor zu Giesen.

ten und ihrer Beseitigung einige Rechenschaft geben zu müssen; hält es aber zuerst für nöthig sich üb.. die Eingriffe in ein fremdes Geistes-Product zu rechtfertigen, und den Zweck dieser Umarbeitung deutlich darzustellen. Ueber den ersten Punkt bedarf es nur eines Wortes. Die Arbeit des sel. Danz gehörte seinem Verleger, und dieser hatte das Recht Abänderungen, die nach einer Reihe von Jahren nöthig wurden, von Andern besorgen zu lassen, da der Verfasser des Buchs selbst nicht mehr am Leben war. Und daß es solcher nöthiger Abänderungen gar viele gibt, lehrt eine, auch nur flüchtige, Uebersicht des Buchs. Denn es enthält, bey aller innern Güte und Brauchbarkeit, dennoch vieles Ueberflüssige, und zugleich wieder manches Mangelhafte, in der Materie; und was die Form und Anordnung der Theile, wie des Ganzen, betrifft, so ist sie durchaus zweckwidrig, und der heutigen Einrichtung der Disciplinen nicht mehr angemessen. Inzwischen theilt Danz diesen Fehler mit mehreren in diesem Fache berühmten Schriftstellern. Was die Fehler der ersten Art betrifft, so finden sich hier viele Untersuchungen und Darstellungen, die in die Klinik und Pathologie, aber nicht in die Semiotik gehören. Beyspiele sind: die Lehre vom Krankenexamen, in der Einleitung; die Lehre von den Nebenumständen am Krankenbette, die das lange erste Kapitel einnimmt, und die vermöge ihres pathologisch-klinischen Inhalts nicht in die Semiotik selbst gehört; die Lehre von den Kakochymien, von der Natur des Eyters, im dritten Kapitel; die Lehre von den Kräften, von der Reizbarkeit und Empfindlichkeit, im vierten; die Lehre von der Erkenntniß der Jungfrauschaft, Schwangerschaft und Geburt, welche nicht in eine allgemeine, sondern in die geburtshülfliche Semiotik gehören, im fünften; die Lehre von den Krisen, (nicht: von den kritischen Zeichen,) welche die Pathologie abhandeln muß, im sechsten. Was die Fehler der zweyten Art anbelangt, so gehört hierher die Betrachtung der Zeichen nach der alten Eintheilung der Functionen, deren unlogische Ansicht längst erwiesen ist, und wo z. B. die thierische Wärme, die Stimme und Sprache, das Niesen, Lachen, Schluchzen, Gähnen unter den Lebensverrichtungen, die Kraft, die Schwäche unter den thierischen Verrichtungen ihren Platz findet. Nicht zu erwähnen daß viele nothwendige semiotische Momente in dieser Eintheilung ihren Platz nicht finden, und außer dem Zusammenhange des Ganzen einzeln und untergeordnet betrachtet werden müssen; wie z. B. Krisen und Rückfälle, äußere Leibesbeschaffenheit, Lage des Kranken, und die Zeichen des Todes. Aus allem diesem entsteht der Nachtheil, daß wir kein Ganzes vor uns haben, welches sich mit logischem Blicke umfassen läßt; wodurch die Uebersicht und Auffassung des Inhalts gar sehr gefährdet wird. Denn der Schüler der Semiotik soll ja kein Wörterbuch vor sich haben, welches er beliebig nachschlägt, sondern er soll seinen Blick üben, die Zeichen der kranken Natur stufenweise und Schritt vor Schritt zu verfolgen; kurz: sich zum Semiotiker zu bilden. Dieser Zweck wird aber auf keinen Fall erreicht, wenn die Menge der Zeichen, wie die Bilder einer Laterna magica in bunter Unordnung dem Auge vorüberziehen. Und dieser Zweck vorzüglich ist es, den der Verf. dieser Umarbeitung der Danzischen Semiotik verfolgt hat. Die Bildung des Arztes darf so wenig, wie die des bildenden Künstlers, dem Zufalle überlassen werden, sondern der künftige Meister muß sich gewöhnen ein Ganzes durch die Theile, und die Theile hinwiederum durch das Ganze auffassen zu lernen; und wo kann er diese Uebung besser erhalten, als in der Schule der Zeichenlehre? Sie ist es, die ihn die große Kunst, die Kunst zu beobachten, lehren soll; und sie kann dieß nicht, wenn sie ihn nicht auf den organischen Zusammenhang der Erscheinungen aufmerksam macht, wenn sie ihn nicht lehrt, die wahren Gegensätze der organischen Geschäfte zu unterscheiden und fest zu halten, und aus der oberflächlichen Erscheinung dieser Geschäfte stufenweise in ihre Tiefe einzudringen. So liegt denn also unserer neuen Eintheilung der Semiotik eine wahrhaft organische Idee zum Grunde, welche zu verfolgen keinen Schüler dieser Disciplin, dem es um Ordnung und Uebersicht der Erkenntniß zu thun ist, gereuen wird. Glücklicher Weise kam uns hier Danz durch seine Unordnung selbst zu Hülfe, und durch die Verbannung dieser glaubt der Umarbeiter dem Geiste der Schrift nicht geschadet zu haben. Die Hauptschwierigkeit, welche hier zu besiegen war, war die, mit der Form nicht zugleich den Inhalt zu zerstören. Und dieß ist denn auch nicht geschehen. Denn wiewohl manches vom Inhalte, als hier unbrauchbar, und nicht in die Semiotik gehörig, nach der obigen Angabe, ausgemerzt werden mußte: so ist doch das Wesentliche des Inhalts ganz verschont geblieben, weil es reine Semiotik war. Ueberhaupt muß man dem wackern Danz die Gerechtigkeit widerfahren lassen, daß er ein wahrhaft praktischer Semiotiker ist, gleich entfernt vom gelehrten Zusammentragen und vom spitzfündigen Abstrahiren, überall der Einfachheit, der Natur und der Wahrheit getreu; und, die zweckwidrigen Abschweifungen abgerechnet, ist nur die Form an seinen Darstellungen das Tadelnswerche. Eine andere Schwierigkeit war die der Gränzen, welche das Buch in seiner neuen Gestalt zu halten hatte. Seit der Zeit, wo Danz schrieb, hat die Semiotik manche Bereicherung erhalten, und die Pathologie, welche die Zeichen zu erklären sucht, manche Umänderung erfahren. Sollten diese neuen Erwerbnisse der Wissenschaft auf die Danzische Zeichenlehre übergetragen werden? Wenn man bedenkt, daß dieses Buch nur für angehende Aerzte bestimmt ist *), denen nicht sowohl das Neue, Sel-

*) Danz hat, durch einen sonderbaren Mißgriff, seine Semiotik, wie der Titel zeigt, angehenden Wundärzten gewidmet, so daß diese vielleicht verleitet werden könnten, hier eine chirurgische Semiotik zu suchen, wo sie sich aber gewaltig getäuscht finden würden. Danz will nur auch Chirurgen medizinisch-semiotischer Kenntnisse theilhaftig machen. Allein dieses Buch und sein Inhalt gehört in den Cyclus der medizinischen Disciplinen, und hat keinen chirurgischen, sondern medizinischen Zweck; folglich ist der, welcher es studirt, als Arzt zu betrachten, auch wenn er seiner Profession nach Wundarzt wäre. Uebrigens, würde auch der angehende Wundarzt, der sich nicht bis zur Bildung für die Medizin erhoben hat, wenig Gewinn von diesem Werke erhalten, welches ohne medizinische Vorbegriffe unverständlich und ungenießbar ist. Es ist darum jetzt der Titel auch in dieser Beziehung abgeändert worden.

tene, und Subtile (lauter Erzeugnisse unserer Zeit) als vielmehr das Alte und Bewährte, das täglich Vorkommende, Nächste und Nothwendigste, am Herzen liegen muß; wenn man ferner bedenkt, daß Erklärungen, die in der Pathologie an ihrem Orte sind, nicht in die reine Semiotik gehören, welche die Verhältnisse der Zeichen zu den kranken Zuständen nur darzustellen, aber nicht zu deduciren und zu construiren hat: so wird man leicht den Schluß machen, daß in dieser Hinsicht der frühern Zeichenlehre nichts neues zugesetzt werden darf. Nur da, wo die frühere Arbeit in ihrem Kreise lükkenhaft oder unvollständig war, bedurfte sie der Ergänzung und Vervollständigung. Und diese zu geben ist durch Benutzung der besten Schriftsteller in diesem Fache hoffentlich das Nöthige geschehen. Vorzüglich sind hier Gruner und Sprengel mit Dank zu nennen, aus deren klassischen Handbüchern der Semiotik hier und da Notizen entlehnt und an ihrem Orte der Danzischen Darstellung einverleibt worden sind. Uebrigens glaubt der Verf. dieser Umarbeitung etwas nicht ganz unverdienstliches zur Vervollständigung des Danzischen Werkes dadurch gethan zu haben, daß er eine besondere Einleitung als Propädevtik der Zeichenlehre vorangeschickt, und in einem Anhange, (welcher für den zweyten Theil des Werkes gelten kann, wenn er auch mit dem Umfange des ersten in keinem gleichen Verhältnisse steht,) die Grundlinien einer Semiotik der psychischen Krankheiten mitgetheilt hat. Beyde Zusätze schienen ihm für die Vollständigkeit einer allgemeinen medizinischen Semiotik eben so wesentlich zu seyn, als sie neu sind, und sich noch keine Darstellungen dieser Art in den bisherigen Handbüchern der Semiotik befinden. Was die Propädevtik betrifft, so war sie schon darum erforderlich, weil Danz viele scientifische und technische Belehrungen für den angehenden Semiotiker in sein Werk selbst verwebt hatte, wohin sie nicht gehören, indem sie das eigentliche Geschäft der Semiotik unterbrechen; aber auch die Pflicht des Lehrers, den jungen Arzt über den Standpunkt, Begriff, Inhalt der Semiotik, vor allen aber, über die Methode ihres Studiums nicht im Dunkeln zu lassen, machte eine solche ausgedehntere Einleitung nothwendig; und sie ist gleichsam, wenn sie anders gelungen, als ein Canon für diese Wissenschaft selbst anzusehen. Was aber die Semiotik der psychischen Krankheiten anbelangt, so sieht man es täglich mehr ein, theils, daß der Arzt ohne sich auf diesen Zweig der Medizin zu verstehen, auch die körperlichen Krankheiten in vielen Fällen nur sehr unvollständig begreift und behandelt, weil die psychischen Einflüsse auf den Körper von der mannigfaltigsten und eindringendsten Beschaffenheit sind; theils, daß die Erkenntniß und Behandlung der psychischen Krankheiten selbst einen wesentlichen Theil des ärztlichen Geschäftes ausmachen, wenn gleich die Gelegenheit demselben Genüge zu leisten nicht jeden Tag eintritt. In dieser Hinsicht also schien einem wesentlichen Bedürfnisse der Semiotik abgeholfen zu werden, wenn man ihr Gebiet auf diese Seite hin zu erweitern suchte. Allein dieser Platz ist noch ganz unbearbeitet, die Materialien sind theils sehr zerstreut, theils noch sehr unvollständig, theils bedürfen sie überhaupt noch großer Prüfung; und was die Form einer solchen Semiotik anbelangt, so ist an sie auch noch nicht einmal gedacht worden. Indessen einmal muß doch der erste Schritt zu diesem Geschäfte geschehen; und so sey es denn gewagt den Grundriß zu dem neuen Gebäude zu entwerfen, dessen Vollendung der Zeit und reicherer Beobachtung überlassen bleibt.

Die Rechtfertigung der Wahl eines neuen Titels für das umgearbeitete Werk, so wie die Erklärung desselben, gibt die Einleitung. Der Grund, warum der Zusatz des alten Titels: für angehende Wundärzte abgeändert worden, ist aus einer

Note in dieser Vorrede selbst bekannt. Und so bleibt nun nichts übrig als diesem Buche in seiner neuen Gestalt dieselbe Aufnahme zu wünschen, die es in seiner frühern gefunden hat.

Inhaltsanzeige
zur ersten Abtheilung.

Allgemeine medizinische

m i o t i k.

A

Einleitung,

oder

semiologische Propädevtik.

I.

Standpunkt der Semiotik in dem Cyclus der medizinischen Disciplinen.

§. 1.

Nur diejenigen Kenntnisse können als Theile einer Wissenschaft angesehen werden, welche sich wesentlich auf ihren Zweck beziehen, und mit ihrem Begriffe in nothwendigem und bestimmten Zusammenhange stehen. Der Zweck der Heilkunst ist: Krankheiten zu heben oder zu verhüten; die für diese Kunst nothwendige Wissenschaft ist demnach: Kenntniß der Krankheiten selbst, Kenntniß der Gegenstände und Einflüsse, welche die Krankheiten erzeugen und heben, und endlich Kenntniß der Art und Weise, wie jene Gegenstände und Einflüsse zur Verhütung und Hebung der Krankheiten benutzt werden müssen. Hieraus ergeben sich also drei wesentliche Disciplinen der Medizin, welche, so zu sagen, den Körper derselben bilden: Krankheitslehre, Materia medica, (wozu auch die Materia diätetica gehört,) und Therapie. Diejenigen Kenntnisse, welche außer dem Umfange dieser Disciplinen liegen, sind der Medizin außerwesentlich und gehören nicht zu ihrem Kreise,

A 2

sondern zu den Vorbereitungs- und Hülfswissenschaften, von denen einige der eigentlichen medizinischen Wissenschaft und Kunst näher, andere entfernter liegen. Die nächsten sind: Anatomie, Physiologie und Chemie; die entferntern: Naturbeschreibung und Naturlehre. Mathematik und Philosophie gehören zu den allgemeinen Bedingungen der Cultur und kommen hier nicht in besondere Betrachtung.

§. 2.

Die Krankheitslehre zeigt, nach Anleitung der Kenntniß von den Bedingungen des physischen menschlichen Lebens, oder der Physiologie, und nach einer geordneten und geläuterten Sammlung von Beobachtungen der mannigfaltigen Arten von Beschränkung, welche jenes Leben durch äußere und innere widernatürliche Einflüsse und Thätigkeiten erfährt, die mannigfaltigen Producte jener Störungen in der Gestalt von widernatürlichen Lebenserscheinungen oder Krankheitsformen, so wie dieselben die mancherley Sphären des Organismus mit ihren Systemen und Organen erfüllen, und in einer Reihe von Entwickelungen entweder die Genesung, d. h. die Rückkehr zur natürlichen Lebensthätigkeit, oder die Auflösung des Organismus, d. h. den Tod, herbeyführen.

§. 3.

Die Krankheitslehre würde als ein todtes Gebäude daliegen, und nicht einmal als ein Zweig der Naturwissenschaft brauchbar seyn, wenn sie nicht durch ein Medium eigener Art in das Leben eingeführt und dadurch ein brauchbares Werkzeug des handelnden Arztes würde. Jenes Medium aber ist die Semiotik. Alle Krankheitsformen nehmlich offenbaren sich in ihren einzelnen Theilen und in deren Zusammenhange, in ihrem Entstehen, wie in ihrer Ausbildung, ihrem Verlaufe und ihren Ausgängen, durch eine Reihe von Erscheinungen, welche man, wiefern sie nothwendige Erzeugnisse der Krankheitsformen, ja nichts anders als die Theile der äußerlich gewordenen Krankheitsformen selbst sind, Symptome, und wiefern sie, als solche, äußere Verräther der Krankheiten sind, Zeichen derselben nennt. Diese Zeichen, einzeln aufgefaßt, geordnet, und in ihren bestimmten Beziehungen auf innere organische Verhältnisse betrachtet, stellt die Semiotik, als besonderer Zweig der Krankheitslehre, auf, und verbindet auf diese Weise das innere Wirken der Natur mit der äußern Thätigkeit des Arztes.

§. 4.

Die Zeichenlehre steht folglich zwischen denjenigen Zweigen der Medizin, welche dem Arzte die Maßregeln und die Werkzeuge seines Wirkens darbieten, oder zwischen der allgemeinen Therapie nebst der Heilmittellehre, auf der einen Seite, und auf der andern, zwischen dem construirenden Theile der Krankheitslehre, in der Mitte, und macht also gewissermaßen den Centralpunkt der Medizin aus: denn sie allein belehrt den Arzt von den Veränderungen, welche die Krankheiten, sowohl bey ihrer Entstehung und Ausbildung, als bey ihrem allmählichen Verschwinden im Organismus hervorbringen. Ohne die Zeichenlehre ist keine Ausübung der Medizin denkbar; sie ist die Basis derselben. Denn das Handeln des Arztes ist allemal ein bestimmtes, individuelles, die Construction der Krankheiten und des Heilverfahrens bleibt aber so lange allgemein, und folglich bloß ein theoretisches Geschäft, bis die Semiotik, welche gleichsam die einzelnen Strahlen einer bestimmten Krankheit in ein Centrum sammlet, dadurch unmittelbar auf die Erkenntniß dieser bestimmten Krankheit und mittelbar auf das ihr angemessene Heilverfahren leitet.

§. 5.

Das ganze Geschäft des Arztes ist also einem Syllogismus zu vergleichen, in welchem die Construction der Krankheiten überhaupt und des ihnen entgegenstehenden Heilverfahrens den major ausmacht. Die Semiotik, an welche sich die Diagnostik (Unterscheidungslehre) anschließt, stellt den minor dar, oder die Subsumtion des Besonderen unter das Allgemeine; und sie ist die Bedingung, unter welcher allein es zu einer Conclusion kommen kann, welche die Vorschriften der speciellen Therapie in sich befaßt. Hieraus ergibt sich die Stelle, welche die Semiotik in dem Cyclus der medizinischen Disciplinen einnimmt, so wie die Bedeutung und der Werth der Semiotik. Sie ist ein wesentliches, und zwar das mittlere Glied in dem Organismus der Medizin, und fordert mit Recht ein eben so genaues und strenges Studium als der construirende Theil der Krankheitslehre und die Therapie.

II.

Vollständiger Begriff der Semiotik.

§. 6.

Mit der vorläufigen Betrachtung des Geschäftes der Semiotik in der Reihe medizinischer Disciplinen, ist der vollständige Begriff dieser Lehre bey weiten noch nicht erschöpft. Zu diesem Behufe muß der ihrem Zwecke entsprechende Inhalt und Umfang genau angegeben werden. Die Semiotik darf von nichts Anderem handeln als von Zeichen; aber sie muß die Zeichen als das darstellen, was sie sind, nehmlich als Verräther der innern organischen Veränderungen, deren Ausdruck sie sind.

Die organischen Veränderungen, von welchen in einer medizinischen Semiotik die Rede seyn kann, sind allein diejenigen, welche den Begriff von Krankheit umfassen;

denn um diesen, als ihren Centralbegriff, dreht sich das ganze Geschäft der Medizin, wenn wir sie als eine in sich selbst abgeschlossene Wissenschaft betrachten. Die echte medizinische Zeichenlehre ist folglich rein pathologisch. Sie stellt einzig und ausschlüßlich die Zeichen dar, aus welchen man die verschiedenen Zustände des kranken Organismus erkennen kann. Und so ist mit ihrem Inhalte zugleich ihr Umfang angegeben.

§. 7.

Allein die Zustände, mit deren Erkenntniß sich die medizinische Zeichenlehre beschäftiget, können in zwey verschiedenen Beziehungen betrachtet werden, welche aus entgegengesetzten Richtungen der Thätigkeit des Arztes bey Betrachtung der Krankheits-Erscheinungen entspringen. Entweder nehmlich der Arzt verfährt auffassend, und sammelt die überall verbreiteten einzelnen Zeichen als Materialien zur Erkenntniß der verschiedenartigen Krankheitsformen zusammen; oder er verfährt unterscheidend, und sondert die ungleichartigen Krankheitsphänomene zu besondern Gruppen und bringt dadurch jene Erkenntniß wirklich zu Stande. Das erstere Geschäft gibt allgemeine Erkenntniß, das zweyte, besondere. Man kann also füglich die Zeichenlehre, wenn sie die erstere Richtung nimmt, die allgemeine, und wenn sie der zweyten folgt, die besondere nennen. Jene muß dieser vorhergehen und sie vorbereiten; diese kann ohne jene nicht zu Stande kommen.

Die besondere Semiotik, weil sie die Krankheitsformen nach ihren charakteristischen Zeichen unterscheiden lehrt, hat mit Recht den Namen Diagnostik erhalten. Man muß beyde Zweige der Semiotik, der Natur der Sache nach, gesondert betrachten. Und die Darstellung des ersteren Zweiges, nehmlich der allgemeinen Semiotik, ist es, womit sich unser Werk befaßt.

§. 8.

Da sich die Medizin selbst, vermöge ihres großen Umfanges und ihrer untergeordneten Zwecke, in mehrere Zweige gespalten hat, deren jeder, wenn er hinlänglich cultivirt werden soll, seinen eigenen Mann erfordert: so ist es nicht zu verwundern, wenn sich die Semiotik in eben so viele Zweige spaltet als die Medizin selbst. Es wird also eine chirurgische, eine geburtshülfliche, eine gerichtliche, und eine eigentlich medizinische Zeichenlehre, im strengeren Sinne des Worts, geben, zu welcher letztern, wenn sie vollständig seyn soll, auch die psychische Zeichenlehre gerechnet werden muß, da die körperlichen und psychischen Krankheiten auf das innigste mit einander verschmolzen sind. Wir haben daher auch den Versuch gewagt, in einem Anhange zur medizinischen Zeichenlehre die psychische an sie anzuknüpfen, und dadurch gesucht einem sehr wesentlichen Mangel der erstern abzuhelfen. Was die geburtshülfliche, die chirurgische überhaupt, und die gerichtliche Semiotik anbetrift, so folgen sie zwar nothwendig dem angegebenen Princip der Zeichenlehre überhaupt, sind aber zu viel umfassend, und als getrennte Glieder der eigentlichen Medizin von dieser zu sehr entfernt, als daß wir uns hier mit ihnen beschäftigen könnten, ohne in ein unendliches Feld von Darstellungen zu gerathen, die besser ein Eigenthum jedes besondern Zweiges der allgemeinen Medizin verbleiben.

§. 9.

Was die Eintheilung der Zeichenlehre in physiologische und pathologische anbelangt, so ist sie zweckwidrig und unstatthaft, weil die Zeichen der Gesundheit den Arzt in seinem Geschäfte nur in so fern interessiren, als sie Beweise wiederkehrender Genesung sind, folglich, wiefern sie sich an die pathologischen Zeichen anschließen, und in die Reihe der prognostischen gehören. Wiefern dieß aber nicht der Fall ist, gehören sie mehr für den gerichtlichen Arzt, der namentlich über die Kennzeichen des Lebens und Todes ausführlich abzusprechen hat, und bleiben also in ihrem Detail besser ein Gegenstand der gerichtlichen Semiotik.

§. 10.

Eben so ist die Eintheilung der allgemeinen Zeichenlehre in Anamnestik, Diagnostik und Prognostik, d. h. in eine solche, die uns vergangene pathologische Zustände bekannt machen, in eine solche, die uns über die gegenwärtige Krankheit, und in eine solche, die uns über ihren Ausgang belehren soll, nicht wesentlich, und kann sogar zu Mißverständnissen Veranlassung geben: denn diese drey bestimmten Richtungen der Untersuchung haben am Ende doch nur vollständige Erkenntniß der Krankheiten durch Zeichen in ihren mannigfaltigen Beziehungen zum Zweck, und foglich nur Einen Beziehungspunkt. Dazu kommt, daß unter dem Namen Diagnostik, eine ganz von der allgemeinen Semiotik getrennte, ihr geradezu in der Richtung entgegengesetzte besondere Disciplin postulirt wird; wie oben (§. 7.) angegeben worden.

§. 11.

Auf gleiche Weise ist es fehlerhaft, wenn man in früheren Zeiten das Wesen der Semiotik in der Prognostik, in der Kunst den Ausgang der Krankheiten vorher zu sagen, suchte, indem erstlich dieser Zweig der Semiotik, wenn man einen solchen mit Recht annehmen könnte, schon die Erkenntniß der gegenwärtigen Krankheit durch bestimmte Zeichen voraussetzt, und zweytens die Zeichen des Ausganges der Krankheiten bey weiten noch nicht die möglichen Zeichen des kranken Zustandes erschöpfen, sondern nur ein integrirender Theil der Krankheitserkenntniß sind.

§. 12.

Man hat endlich, ebenfalls in frühern Zeiten, die Zeichenreihe aus einzelnen Phänomenen im kranken Zustande, und namentlich aus dem Harn und dem Pulse, nicht blos zu besondern Zweigen der Semiotik erhoben, sondern sogar bald in die Harnlehre (Uroscopie), bald in die Pulslehre (ars sphygmica), das Wesen der Semiotik gesetzt. Die Einseitigkeit und folglich Falschheit dieser Ansichten bedarf heutzutage, wo man die Bedeutung und Wichtigkeit so vieler anderer Zeichen, außer denen des Pulses und Harns, kennt und zu schätzen weiß, keiner Widerlegung.

§. 13.

Aus allem diesem ergibt sich der Begriff der Zeichenlehre vollständig. Sie ist die auf Beobachtung der Symptome, als Produkte abnormer organischer Zustände, gegründete, zwischen der Krankheitslehre und Therapie, oder zwischen dem Erkennen und Handeln des Arztes mitten inne stehende Wissenschaft, deren eigenthümliches und doppeltes Geschäft es ist die mannigfaltigen Zeichen mannigfaltiger Krankheitszustände, theils als Materialien zu der Vorstellung gesammter Krankheitsformen zu sammeln, theils den gesammelten Stoff durch Vergleichung und Unterscheidung an besondere Krankheitsformen zu vertheilen. In der ersteren Hinsicht, weil sie hier blos allgemeine Erkenntniß gibt, ist sie allgemeine Semiotik, (oder Semiotik schlechthin), in der zweyten, weil sie hier auf specielle Erkenntniß ausgeht, ist sie besondere Semiotik oder Diagnostik, welche nur erst in neuerer Zeit als besondere Disciplin anerkannt, bearbeitet und von der ersteren gesondert worden, bey weitem aber noch nicht vollendet ist.

§. 14.

Von der Unterabtheilung der allgemeinen Semiotik, nach den verschiedenen Zweigen der Medizin, in die eigentlich medizinische, in die chirurgische, von welcher die geburtshülfliche ein Sprößling ist, und in die gerichtliche, welche einem fremden, außer dem Gebiet des Arztes liegenden Zwecke dient, aber nichts destoweniger nur von dem Arzte gewußt und gehandhabt werden kann, ist schon gesprochen worden, und wir erwähnen diese Branchen der allgemeinen Semiotik hier blos darum, um nochmals zu erinnern, daß in diesem Buche von der allgemeinen Semiotik gehandelt wird, wiefern sie nicht chirurgisch, nicht geburtshülflich, nicht gerichtlich, sondern medizinische Semiotik im strengeren Sinne ist, von welcher wir nun noch den bestimmteren Begriff aufzustellen haben.

III.

Begriff der allgemeinen medizinischen Semiotik.

§. 15.

Man theilt mit Recht die gesammten Krankheitserscheinungen in mechanische, chemische und dynamische ein, je nachdem entweder Abnormität (Beschränkung) der Form, oder der Mischung, oder der Kräfte des Organismus den Grund jener Erscheinungen enthalten *). Unter den Abnormitäten der Kräfte oder den dynamischen Krankheitserscheinungen werden alle diejenigen verstanden, bey welchen sich der ganze Organismus, als ein Inbegriff organischer Thätigkeiten (Functionen) leidend zeigt; also: die ganze Summe der sogenannten acuten und chronischen Krankheiten. Nicht als ob bey diesen Krankheiten Form

*) Diese Eintheilung, welche auf die natürlichen Verhältnisse des Organismus gegründet ist, ist bekanntlich von mehreren neuern Aerzten aufgestellt und in Anwendung gebracht worden. Ihre ausführliche Darstellung und Begründung findet sich in meinen Beyträgen zur Krankheitslehre. Gotha, b. Perthes. 1810.

und Mischung ganz außer Anfrage käme, sondern nur, weil beyde nicht den Hauptcharakter dieser Krankheiten ausmachen, werden die dynamischen von den mechanischen und chemischen Krankheits-Erscheinungen unterschieden. Man könnte in dieser Hinsicht die letztern auch partielle, die erstern allgemeine Abweichungen vom gesunden organischen Zustande nennen, indem die chemischen und mechanischen Störungen, als solche, nicht den ganzen Organismus betreffen. Diese Storungen der Form und Mischung nun hat sich die Chirurgie vindicirt, und die Zeichen derselben gehören in ihr Gebiet. Es bleiben folglich für die eigentliche Medizin nur die Zeichen der dynamischen Störungen übrig, die aber gleichwohl immer noch eine so bedentende Masse ausmachen, daß man es der Chirurgie verdanken muß, wenn sie der Medizin, durch Hinwegnahme einer Reihe von Krankheitszeichen, Gelegenheit gibt sich in ihrem Gebiete nur destomehr auszubreiten. Bey genauer Betrachtung nehmlich ergibt sich, daß, wenn von der organischen Einheit des Menschen die Rede ist, in die Summe der Thätigkeiten, welche dieselbe ausmachen, nothwendig auch die psychischen Erscheinungen gezogen werden müssen, da sie es sind, welche dem ganzen Organismus erst Beziehung, Rundung und Haltung geben, da sie es sind, welche, sie mögen sich nun als Gefühle, Vorstellungen oder Triebe aussprechen, in so vielen Fällen als Zeichen körperlicher Abnormitäten dienen, da sie es endlich sind, in welchen der dynamische Charakter des Organismus ganz rein ausgedrückt ist, welche, so wie sie Theil an so vielen organischen Veränderungen nehmen, und durch diese gleichfalls krankhaft umgestimmt werden, hinwiederum auf ihrer Seite so mächtig auf den körperlichen Organismus einwirken, und seine krankhaften Veränderungen bestimmen helfen. Es ist in der That zu verwundern, daß man bis jetzt so wenig daran gedacht hat den Zeichen der psychischen Abnormitäten in der Semiotik eine Stelle einzuräumen; und wir machen es uns zur Pflicht, diese Lücke, so weit es in unsern Kräften steht, zu ergänzen.

§. 16.

Dieser Ansicht zu Folge zerfällt die allgemeine medizinische Semiotik in zwey Theile, wovon der eine die Zeichen der körperlich-dynamischen Affectionen darstellt, wobey auch diejenigen nicht ausgeschlossen werden, die sich, als solche, in der Psyche offenbaren, der zweyte aber die Zeichen der psychischen Krankheiten entfaltet, auch wiefern diese sich in körperlich-dynamischen Veränderungen offenbaren. Nur auf diese Weise kommt Einheit und Vollendung in diese dem Arzte unentbehrliche Wissenschaft.

§. 17.

Es ist oben (§. 6.) gesagt worden, daß die Semiotik es mit nichts anderem als mit den Zeichen der Krankheiten zu thun habe, und daß die Darstellung derselben ihr Zweck und ihr Inhalt sey. Der Begriff des Zeichens schließt blos die Beziehung einer Erscheinung auf etwas nicht erscheinendes in sich. Hieraus folgt, daß die Erklärung der Zeichen gar nicht in das Gebiet der Zeichenlehre gehöre: denn erklärt können die Zeichen nur dadurch werden, daß gezeigt wird, wie sie entstehen, welches nur durch eine Construction der Krankheiten selbst möglich ist: und dieß ist nicht die Sache der Semiotik, sondern desjenigen Theiles der Krankheitslehre, der vorzugsweise den Namen der Pathogenie erhalten hat. Wir können daher die Vorschläge einiger Neuern, namentlich Hecker's *) und Wolfarts **) nicht billigen,

*) Annalen der gesammten Medizin als Wissenschaft und Kunst. Bd. III. Heft 1. 2.

**) Ueber die Bedeutung der Zeichenlehre, in der Heilkunde, eine Einladungsschrift bey Eröffnung der K. Berl. Univer-

welche dadurch der Semiotik Festigkeit und Vollendung zu geben glauben, daß sie die Zeichen construiren; ein Geschäft, welches überhaupt Schwierigkeiten haben möchte, die nur am Ziele der Kunst zu lösen wären.

§. 18.

Für diesen Verlust inzwischen (wenn anders die Hinweglassung fremdartiger Ingredienzien, durch welche eine einfache Lehre nur zweckwidrig verworren wird, Verlust zu nennen ist) wird die Semiotik hinlänglich entschädigt, theils durch die einfache Klarheit, welche aus der reinen Beziehung der Zeichen auf das Bezeichnete entsteht, theils durch die Wahrheit der Verhältnisse beyder, indem die bloße Aufstellung reiner, durch die Zeiten geprüfter und bestätigter Beobachtungen, es der construirenden Hypothese unmöglich macht, in so mancherley Zeichen Bedeutungen hineinzulegen, die sie nicht haben, die ihnen aber leicht durch unreife, einseitige Construction angedichtet werden können.

§. 19.

Da der Zweck, wie der Semiotik überhaupt, so auch der allgemeinen medizinischen Zeichenlehre insbesondere, Erkenntniß der Krankheiten durch ihre Zeichen ist: so versteht es sich von selbst, (wie auch schon §. 10. erinnert worden,) daß die Eintheilung dieser Zeichen in anamnestische, diagnostische (dieser aber in Zeichen der Roheit, der Kochung und der Krisen), und prognostische, nur Nebensache ist, indem alle diese Unterschiede nur einzelne Momente und Bedingungen der Krankheiterkenntniß durch Zeichen aussagen, wo jede Beziehung für sich allein immer nur etwas unvollständiges bleibt. Ganz verwerflich ist

versität, zu seinen Wintervorlesungen, vom Prof. D. Wolfart. Berlin 1810, bey C. Salfeld.

aber die Unterscheidung der Zeichen in natürliche, künstliche und willkührliche *): denn alle Zeichen der Krankheiten sind natürlich, d. h. sie gehen aus der Natur der Krankheiten hervor. Etwas künstliches gibt es in der Natur eben so wenig, als etwas willkürliches; und die Gefühle der Kranken, welche von Einigen zu der letztern Art gerechnet werden, gehören eben so sehr der Natur an, als alle andere Zeichen. Daher haben auch alle Zeichen, wenn sie nur sonst aus treuer Beobachtung geschöpft sind, gleichen Werth; und diejenigen, bey welchen dieß nicht der Fall ist, sind nicht sowohl von geringerem, als vielmehr von gar keinem Werthe. Weßwegen denn auch zum Behuf der Eintheilung der Zeichenlehre, der Unterschied zwischen pathognomonischen oder wesentlichen, und zweydeutigen Zeichen (S. aequivoca) nicht zu beachten ist **), indem die Natur niemals zweydeutig oder schwankend ist, unsichere Kennzeichen aber, wenn es deren gäbe, auch nicht in die Zeichenlehre aufgenommen werden sollten, weil nicht Ungewißheit, sondern Gewißheit das Ziel der Semiotik ist. Ein Anderes ist die Berücksichtigung solcher Unterschiede für die verschiedenen Arten und Grade der Erkenntniß. Hier müssen ihrer mehrere der angeführten angenommen werden, sie begründen aber keine Eintheilung der Semiotik. Hiervon S. §. 50.

§. 20.

Die Zeichen hängen keinesweges mit den Krankheiten selbst zusammen, wie die Wirkungen mit den Ursachen, was Sprengel behauptet ***); sondern vielmehr wie das Aeußere mit dem Innern, welche sich nicht verhalten wie

*) S. Sprengel's Semiotik. S. 5. u. ff.

**) s. Metzger's Semiotik. S. 5.

***) ebendas. S. 6. u. ff.

Ursache und Wirkung, sondern wie Substanz und Accidens. Wäre das erstere der Fall, so müßte die Krankheit selbst früher Statt finden als ihre Zeichen oder wenigstens in einem Verhältnisse von Trennung mit ihnen stehen; welches widersinnig ist. Was äußerlich erscheint, die Gesammtheit der Zeichen, ist gar nichts anders als die Krankheit selbst *), die mit ihren Symptomen eins und dasselbe ist. Man nehme die Symptome von der Krankheit hinweg, und es bleibt nichts von der Krankheit übrig. Die Symptome aber und die Zeichen sind eines und dasselbe; und daher kommt es, daß wir in den Zeichen, und nur in ihnen, die Krankheiten erkennen. Wir schließen durch die Zeichen auf die Krankheit: nicht als ob die Krankheit etwas von den Zeichen verschiedenes wäre, worauf wir erst durch Schlüsse kommen müßten, sondern weil wir uns nichts Aeußeres denken können, das nicht zugleich etwas Inneres sey; welches wir jedoch nicht weiter kennen, außer wie weit es uns als Aeußeres erscheint. Daher die Sicherheit und die Nothwendigkeit der Zeichenlehre; daher ihre Selbstständigkeit, die keiner Constructionen, keiner anderen Beweise bedarf, als welche eine unverfälschte Beobachtung an die Hand gibt.

§. 21.

Und so ergibt sich denn aus allem bisher Gesagten, daß die allgemeine medizinische Semiotik eine äußerst einfache, lediglich auf Beobachtung ruhende Lehre ist: die einzige, die sich ihrem Geiste und Sinne nach an das reine Verfahren der Alten anschließt, und die, wenn sie mit Treue bearbeitet wird, mit Sicherheit das practische Verfahren gründet. Der Arzt ohne Semiotik ist ein Blinder ohne Stab.

*) Morbus est complexus Symptomatum. Gaubius.

IV.

Geschichte und Literatur der allgemeinen medizinischen Semiotik.

§. 22.

Da in diesem Werke nur die allgemeine medizinische Semiotik abgehandelt wird, so würde es uns zu weit führen, wenn wir hier die Geschichte und Literatur auch der chirurgischen, geburtshülflichen, gerichtlichen Zeichenlehre und der Diagnostik κατ' ἐξοχην, verfolgen wollten. Wir schränken uns demnach auf den Gegenstand ein, der uns zunächst angeht, und der zugleich die Grundlage aller übrigen Zweige der Semiotik ist. Bey diesem werden wir uns aber bemühen so viel als möglich vollständig zu seyn, da es nicht in dem ursprünglichen Plane des Werks liegt, eine gelehrte Darstellung der Semiotik zu geben, und da gleichwohl eine Kenntniß der Quellen wenigstens, aus denen sich eine solche Darstellung schöpfen läßt, auch für Studirende, oder vielmehr für die Zöglinge medizinischer Wissenschaft und Kunst, denen zunächst dieses Werk gewidmet war, unerlaßlich ist *). Ueberhaupt bleibt man in jeder Wissenschaft um so fremder, je weniger man ihre Geschichte und die Quellen ihrer Bearbeitung kennt.

§. 23.

Die allgemeine medizinische Zeichenlehre ist der am frühesten cultivirte Zweig der Semiotik, und so alt als die Medizin selbst. Zu allererst bildete sich jedoch der Theil derselben aus, welcher die Vorhersagung in Krankheiten be-

*) Wer über diese Quellen sich auf das speciellste unterrichten will, auch in Hinsicht auf akademische Schriften über alle mögliche Gegenstände der Semiotik, darf Gruner's Zeichenlehre, die bekanntlich auf mehr als eine Weise, besonders aber für die Literatur, classisch ist, nicht aus den Händen legen

trifft: also die Prognostik. Die Weihtafeln (tabulae votivae) in den Tempeln gaben den ersten Stoff für die Semiotik her. Ihr Ursprung deutet auch zugleich den Weg an, den die Semiotik gehen muß, wenn sie mit Glück verfahren will.

§. 24.

Die Asklepiaden, besonders die Familie der Hippocrates, waren die ersten Sammler semiotischer Bemerkungen. Besonders zeichnete sich hier Hippocrates, Sohn des Heraclides, aus; wiewohl man bekanntlich diesem großen Beobachter Vieles zugeschrieben hat, was auf Rechnung anderer, späterer, und nicht so sorgfältiger Sammler und Beobachter kommt. Was wir noch heut zu Tage unter diesem Namen besitzen, nebst den Commentarien darüber, ist im Folgenden enthalten:

Ἱπποκρατους κωακαι προγνωσεις. In Hippocr. et Galen. ed. Charter. Tom. VII. (c. commentar. Jac. Hollerii. Lugd. 1576.); sodann: Lud. Dureti interpretationes et enarrationes in Hippocratis coacas praenotiones. Lugd. 1585. u. J. G. Brendel: praelectiones de coacis praenotionibus. Berol. 1795. endlich: Prosp. Martiani annotationum in coacas praenotiones synopsis, curante R. Schromberg. Lond. 1751.

Ἱπποκρατους προγνωστικον, και τα εις αυτο Γαληνου ὑπομνηματα. in Hipp. et Galen. ed. Charter. Tom. VIII.

Ἱπποκρατους προῤῥητικων βιβλια β. και Γαληνου εις τον πρωτον ὑπομνηματα. in Hipp. et Galen. ed. Charter. Tom. VIII.

Nosomantica Hippocratica, siue Hippocratis prognoſtica cuncta, ex omnibus ipsius scriptis methodice digeſta, Th. Mouſeti opera. Francof. 1588.

Freind, Comment. in libr. epidem. in Opp. 4. Paris. 1735.

Demonstratio medico-practica prognosticorum Hippocratis, cet. ab Henr. Cope. Dublin. 1736. (ed. C. G. Baldinger. Jen. 1772.)

Aubry, Commentar über das erste und dritte Buch der Volkskrankheiten. A. d. Franz. Leipz. 1787.

le Roy, Vorherverkündigung in hitzigen Krankheiten. A. d. Franz. Leipz. 1787.

Die Hauptsumme dieser Hippocratischen Schriften bezieht sich auf die Prognosis in acuten Krankheiten. Uebrigens galten diese Schriften zwey tausend Jahre lang für den Canon der Semiotik; und was während dieser Zeit für die Wissenschaft geschah, bestand meistentheils in Commentaren über diese Schriften.

§. 25.

Unter den Alten zeichneten sich noch als Semiotiker besonders aus:

Caelius Aurelianus, (ed. Almeloveen. Amstelod. 1755.) aus der Secte der Methodiker, welche übrigens die Zeichenkunde gänzlich vernachlässigten, die früherhin von der empirischen Schule eifrig betrieben wurde; nur daß wir davon keine weitere Rechenschaft geben können, da ihre Schriften verloren gegangen sind. Der Scharfsinn und die Unbefangenheit des C. Aurelianus aber hat ein ewiges Muster, besonders in Bezug auf Diagnostik, aufgestellt. Eben dieses Verdienst hat auch:

Aretaeus, aus Kappadocien, (ed. Boerhaave. Lugd. Bat. 1731.) der von jeher für einen der ausgezeichnetesten Beobachter gegolten hat.

Galenus, (Claud. Galeni opp. graec. Basil. 1538. lat. ed. Froben. Basil. 1562.) ist, wie überall ein glänzendes Meteor, so auch in der Semiotik. Seine Bücher über die Pulse u. s. w. verwirren durch ihre spitzfündige Manier mehr, als sie aufklären.

§. 26.

Mit Galen schloß sich die Reihe der alten Semiotiker. Erschlaffung der cultivirten alten, Barbarey der neuen Nationen lähmte den Geist der Wissenschaft bekanntlich in dem Verlaufe des Mittelalters. An die Stelle der Semiotik traten Astrologie und Chiromantie, und unmittelbar um das Schicksal der Krankheiten bekümmerten sich nur die Harnpropheten, deren große Kunst, die Uroscopie, von der Unwissenheit und dem Aberglauben damaliger Zeit die höchste Verehrung erhielt. Nur mit der Wiederbelebung der Wissenschaften im funfzehnten und sechszehnten Jahrhundert erwachte auch das Studium echter Semiotik wieder.

§. 27.

Das Hauptbestreben der Semiotiker dieser Jahrhundert ging zunächst auf Bekämpfung des abergläubischen Wahns, und sodann auf Wiederherstellung der Hippocratischen Semiotik, wie überhaupt der Hippocratischen Medizin, wobey jedoch die ersten Bemühungen mehr auf die Wiederbekanntmachung und Erklärung der alten Lehren, denen man blinden Glauben schenkte, als auf Prüfung und Bereicherung derselben durch neue und eigene Forschungen gerichtet war. Lange Zeit nahm auch jetzt die Prognostik den ersten Rang in der Zeichenlehre ein. Ausgezeichnete Schriftsteller dieser Zeit sind:

Jac. Silvius, de signis omnibus medicis. Paris. 1559.

Celsus Martinengus, de praevidendis morborum eventibus libri III. Venet. 1548.

Nic. Taurellus, medicae praedictionis methodus. Francof. 1581.

Franc. du Port, de signis morborum libr. IV. Paris 1584.

Lud. Lemosius, de optima praedicendi ratione. Libr. VI. Venet. 1592.

Prosper Alpinus, de praesagienda vita et morte aegrotantium libr. VII. Venet. 1601.

Joh. Jessenius, Σημειωτικη, seu nova cognoscendi morbos methodus. Viteb. 1601.

J. Hucherus, de prognosi medica libr. II. Lugd. 1602.

Petr. Holtzemius, prognosis vitae et mortis. Colon. 1605.

P. Forestus, de incerto urinarum judicio. Francof. 1610.

Ant. Constantinus, Opus medicae prognoseos. Lugd. 1613.

Robert Flud, de pulsuum scientia. Oxon. 1249.

Thom. Fienus, Semiotice, sive de signis medicis tractatus. Lugd. 1664.

St. R. Castrensis, Syntaxis praedictionum medicarum. Lugd. 1661.

§. 28.

Das siebzehnte Jahrhundert an seinem Ende, und das achtzehnte in seinem Verlauf waren ebenfalls nicht von Bearbeitungen der Semiotik entblößt, welche immer mehr den Geist des freyern Forschens verkündigten, wiewohl dabey die früheren Quellen nichts weniger als unbenutzt blieben. Schriftsteller, die hier Erwähnung verdienen, sind:

Friedr. Schrader, Exercitationes de signis medicis. Helmst. 1699.

G. W. Wedelius, exercitationes semiotico-pathologicae. Jen. 1700.

J. P. Eysel compendium semiologicum, modernorum dogmatibus accommodatum. Erford. 1701.

C. Vater, semiotica medica. Viteb. 1722.

G. Dethardingius, Fundamenta semiologiae medicae. Havn. 1740.

Jod. Lommius, observationum medicinal. libr. III. Amstel. 1745.

Fried. Hoffmann, Fundamenta semiologiae medicae, tam generalis, quam specialis. Hal. 1749.

Ant. de Haen, aphorismi de diagnosi et prognosi in acutis, et Hippocraticae circa urinas doctrinae compendium. (in de Haen rat. med. P. III.)

Sam. Schaarschmid, Semiotik. Herausgeg. von Nicolai. Berl. 1756.

Rud. Aug. Vogel, Gottingenses praenotiones. Gott. 1763—65.

J. E. Hamberger, semiotische Vorlesungen über Jod. Lommens mediz. Wahrnehmungen, herausgegeben von Gran. Lemgo 1767—68.

J. L. L. Löseke, Semiotik. Dresden 1768.

Malrien, Les presages de la santé, et des maladies, ou histoire universelle des signes prognostics.

Helian, Dictionnaire du Diagnostic. Paris. 1771.

§. 29.

Am strengsten geprüft, am zweckmäßigsten gesammlet und geordnet, am freyesten geforscht hat man ohne Zweifel zu unserer Zeit, gegen das Ende des achtzehnten Jahrhunderts, bis jetzt. Mit reifer Kritik, mit sorgfältigem Fleiße, hat man das Beste was die Alten besaßen, zusammengebracht, und ihm durch die bewährtesten Beobachtungen der neueren klassischen Schriftsteller Zuwachs und Bereicherung verschafft. Aber auch nur treue Beobachtungen sind es, welche die Semiotik wesentlich vermehren und vervollkommen können; denn das Bestreben sie durch Erklärungen und Constructionen auf einen gewissen wissenschaftlichen Gipfel zu heben, kann ihr nur schaden, theils wiefern sich die Semiotik dadurch in ein ihr fremdes Gebiet (§. 17.) einmischen würde, theils wiefern es überhaupt um die Construction von Erscheinungen, deren innere Gesetze und Verhältnisse wir so wenig kennen, wenigstens auf dem jetzigen Standpunkte unserer Wissenschaft, noch ein mißliches Unternehmen ist. Ein Anderes ist, zur Befriedigung der Phantasie und des Verstandes über allgemeine Verhältnisse des Organismus raisonniren, ein Anderes, zum wahren Vortheil der Kunst die individuellen Verhältnisse des Organismus erforschen; welches letztere nur durch strenge Beobachtung geschehen kann. Die Erwähnungswerthen Schriftsteller der allgemeinen medizinischen Semiotik in der neuesten Periode sind:

J. N. Pezold, de prognosi in febribus acutis. Lips. 1771. 1778. (Die Deutsche Uebers. Hamburg 1793.)

C. G. Gruner, Semiotica, physiologicam et pathologicam complectens, in usum praelectionum. Hal. 1775.

C. G. Gruner, physiologische und pathologische Zeichenlehre, zum Gebrauche akademischer Vorlesungen. Jena 1794 und 1801.

Carlo Gandini, gli Elementi dell' Arte sfigmica, o sia la dottrina del Polso. Napoli. 1776.

H. F. Delius, primae lineae semiologiae pathologicae. (nach Boerhaave). Erlang. 1776.

Chr. Vater, de praesagiis vitae et mortis, iterum ed. aux. Tissot. Patav. 1783.

J. Berkenhout, Symptomatology. (eine Semiotik in alphabetischer Ordnung, mit Citaten und Autoritäten des Hippocrates, Galen, Celsus, Morgagni, u. A.) Lond. 1784.

J. D. Metzger, Grundsätze der allgemeinen Semiotik und Therapie. Königsb. 1785.

F. A. Weber, de causis et signis morborum, libri II. Heidelb. et Lips. 1786. 1787.

Thadd. Bayer, Grundriß der allgemeinen Semiotik. Prag und Wien 1787.

N. F. Rougnon, Considerationes pathologico-semioticae de omnibus humani corporis functionibus. fasc. I. II. Vesuntione, 1786 — 88. (Deutsch übers. v. C. G. Kühn. Leipz. 1793.)

J. C. T. Schlegel, thesaurus semiotices pathologicae, coll. et ed. Stendal. Vol. I. 1787. II. 1792.

Bernh. Albinus, causae et signa morborum. Gedan. 1791.

A. G. Weber, (unter dem Namen: F. Buttner,) Critices semiologiae medicinalis rudimenta. Rostock 1791.

F. S. Price, A Treatise on the diagnosis and prognosis of diseases. Lond. 1791.

F. G. Danz, Semiotik, oder Handbuch der allgemeinen Zeichenlehre zum Gebrauche für angehende Wundärzte. Leipz. 1793. (Ueber den Beysatz: für Wundärzte, s. unsere Vorrede zu diesem Werke.)

Evarist. Albites, Ars praesagiendi de exitu aegrotantium, praesertim in acutis. Rom. 1795.

J. L. V. Broussonet, Tableau élémentaire de la Séméiotique. Montpell. An. VI.

(Ungenannt) A Table of symptoms, pointing out such as distinguish one disease from another, as well as those which show the degree of danger in each disease. Lond. 1799.

K. Sprengel, Handbuch der Semiotik. Halle 1801.

§. 30.

Die klassischen Praktiker, welche Sprengel in seiner Semiotik *) anführt, als: Frank, Gilibert, Grant,

*) Einleit. S. 33 ff.

Huxham, Jackson, Kloekhof, Lentin, Richter, Sarkone, Senak, Störk, Stoll, Tissot, Werlhof u. s. w. wiewohl in ihren Schriften reichliche und wichtige, die Semiotik betreffende Data vorkommen, gehören gleichwohl nicht hieher, weil sie nicht eigentlich Schriftsteller über die Semiotik sind. Inzwischen darf eine gute Semiotik das Beste, was diese Männer gegeben haben, nicht unbenutzt lassen; wie sich von selbst versteht. Aus gleichem Grunde, weil nehmlich noch keine psychische Semiotik existirt, haben wir diejenigen Schriftsteller hier übergangen, bey welchen sich brauchbare Beyträge zu diesem nothwendigen Theile der allgemeinen medizinischen Semiotik finden. Es sind dieß meistentheils die Schriftsteller über die sogenannten Geisteszerrüttungen, theils unter den Engländern, Franzosen und Italienern, theils unter den Deutschen *), welche wir zum Behuf der Supplemente dieses Buches nach unserm besten Vermögen benutzt haben.

V.

Form und Methode der allgemeinen medizinischen Semiotik.

§. 31.

Die Gestalt, welche man der Zeichenlehre gegeben hat, und die Art und Weise ihrer Darstellung ist zu verschiedenen Zeiten sehr verschieden gewesen. Die ältesten Semiotiker beobachteten keine bestimmte Anordnung und Aufeinanderfolge der Zeichen, und eben so wenig eine besondere wissenschaftliche Betrachtungsweise derselben. Ihnen genügte es, die Zeichen, so wie sie sich ihnen in Krankhei-

*) Eine vollständige Recension namentlich der Letztern, zugleich mit einem Blick auf die Ersteren, s. in d. neuesten Journal der Erfindungen, Theorien u. Widersprüche in der Medizin. Bd. I. St. 2. 3. 4. u. Bd. II. St. 1. 2. u. ff.

ten verschiedentlich darboten, zu Vorhersagungen des Ausgangs der Krankheiten zu benutzen. So Hippocrates, und die ihm folgten. Späterhin sammelte man die Zeichen unter gewisse Rubriken, aber ohne bestimmten wissenschaftlichen oder innern Zusammenhang, und wandte sie auf die Erkenntniß der Krankheiten selbst an. So verfuhren Cälius Aurelianus, Aretäus, Galenus. Den Begriff einer eigentlichen Semiotik, als eines wissenschaftlichen Ganzen, bildeten erst die neuern Bearbeiter derselben, doch lange Zeit noch ohne eigene Selbstständigkeit, sondern in Verbindung und Abhängigkeit von der Krankheitslehre. So Jodocus Lommius, und noch neuerlich Weber. Diejenigen unter den Neuern, welche die Zeichenlehre nicht nach den Krankheiten, sondern nach den Zeichen selbst ordnen, wenigstens die vorzüglichsten unter diesen Schriftstellern, verfahren fast durchgehends nach einer und derselben Methode und Ordnung. Sie legen die Symptome der verletzten Verrichtungen, der Fehler in den Ausleerungen und der widernatürlichen sinnlichen Eigenschaften des Körpers zum Grunde und theilen die Semiotik nach diesem Unterschiede ein. Was namentlich die verletzten Functionen betrifft, so findet man überall die alte Eintheilung in Lebensverrichtungen, in thierische, natürliche, und Geschlechts-Verrichtungen beybehalten. So bey Gruner, Metzger, Danz, Sprengel. Ueberhaupt nehmen alle semiotische Schriftsteller ohne Ausnahme eine gewisse Dignität der Erscheinungen im Organismus an, nach welcher sie in der Semiotik die einen vorzugsweise vor den andern zu betrachten und abzuhandeln für nöthig finden. Allein unter den Zeichen selbst findet keine solche Verschiedenheit Statt. Diejenigen, welche in einem bestimmten Falle als unwesentlich und als Anhänge gleichsam der übrigen erscheinen, können in einem andern den ersten Rang behaupten. Dazu kommt, daß es etwas ganz anderes ist: an dem Krankenbette nach den bestimmten Zeichen einer Krankheit zu forschen, und sie in einer bestimmten Aufeinanderfolge durch das Krankenexamen aufzusuchen, und wiederum etwas anders: sich mit der Wissenschaft der Semiotik bekannt zu machen. Die Semiotik soll nicht lehren, wie, in welcher Ordnung und Folge, nach welchen Regeln und Cautelen man die Krankheiten zu erforschen habe, (dieß ist die Sache des klinischen Unterrichts;) sondern sie soll ihrem Schüler die ganze Mannigfaltigkeit der Zeichen und ihre Bedeutung auf eine Art bekannt machen, welche die beste und leichteste Uebersicht gewährt, und keine fremdartigen Vorstellungen, welche die reine Zeichenlehre beeinträchtigen, beymischt. Mit einem Worte: die Zeichenlehre soll auf eine wissenschaftliche, d. h. logische und disciplinarische Weise verfahren, so daß der Schüler das Einzelne leicht auffassen, das Ganze leicht übersehen lernt. Dieß geschieht nun keinesweges nach einer Einrichtung, der es an innerer organischer Einheit und Zusammenstimmung fehlt, der man die ungleichartigste Zusammensetzung auf den ersten Blick ansieht, und bey der man eben so wohl das Studium in der Mitte oder am Ende, als von vorn anfangen kann, ohne je eine zweckmäßig fortschreitende Uebersicht hoffen zu dürfen. Und dieß ist der Fall bey der gewöhnlichen Behandlungsweise der Semiotik. Die Eintheilungen nach den gestörten Functionen, nach den Fehlern in den Ausleerungen, nach dem äußern Habitus, sind disparate Elemente. Die alte Eintheilung der Functionen selbst ist eben so unlogisch als unnatürlich. Die ganze Anordnung ist weder nach einem echt physiologischen, noch echt pathologischen Princip gemacht. Allein von irgend einem Prinzip, von irgend einer festen und organischen Beziehung muß doch der Schüler geleitet werden, wenn es ihm möglich werden soll sich die Masse der

Krankheitszeichen nicht blos mit dem Gedächtniß, (und auch dieß ist auf jene Weise kaum ausführbar), sondern auch mit dem Verstande anzueignen, der überall dem Gedächtniß so treulich nachhilft. Die Pathologie gründet sich allerdings auf die Physiologie; und so suche man doch wenigstens richtige physiologische Principien auf, nach denen man die Totalität der Zeichenlehre betrachtet, und bestimme darnach sein Verfahren mit Consequenz. Der gewöhnlichen Form und Methode der Semiotik aber liegt, erwiesener Maßen, weder echt physiologische Ansicht noch Consequenz zum Grunde. Die einzig wahre Methode bey aller Bildung zu Wissenschaft oder Kunst ist die, welche den Zusammenhang des Einzelnen und Ganzen vermittelt, und auf jeder Uebungsstufe, indem sie das erstere festhält, das zweyte nicht aus den Augen verliert. Daher muß die Idee des Organismus, welche allein das Einzelne in Beziehung auf ein Ganzes erblickt, jeder wissenschaftlichen Behandlung desselben zum Grunde liegen, und auch die Semiotik, welche einen Theil der wissenschaftlichen Bildung des Arztes beabsichtigt, darf sich von dieser Ansicht nicht ausschließen. Leichter aber dürfte es fallen für die Semiotik eine wissenschaftliche Form (die ja, wie gesagt, nur in der Festhaltung der Idee des Organismus besteht,) aufzustellen, als in derselben eine wissenschaftliche Methode zu beobachten, deren Wesen bekanntlich die Evidenz ist. Inzwischen gibt auch hierüber die Natur des Gegenstandes einen Fingerzeig der Behandlung her. Nehmlich nur die Beobachtung belehrt uns mit Sicherheit von dem Verhältnisse der Zeichen zu den Krankheitsmomenten. Kein Raisonnement, keine Hypothese verbürgt der Zeichen Gewißheit. Die Zeichen, welche Hippocrates, und solche Männer, die in seinem Geiste beobachteten, aufgestellt haben, erhalten ihre Gewißheit durch die Treue der Beobachtung, und verlieren sie bey Andern in dem Maße wie diese Treue verdächtig wird. Daher ist in der Semiotik die wahrhaft wissenschaftliche Methode die der Aufstellung treuer Beobachtungen, mit Entfernung aller sich selbst so nennenden Erklärungen. Um ein einziges Zeichen vollständig zu erklären, (und eine unvollständige Erklärung ist keine,) müßte man die ganze Krankheit construiren, welcher dieses Zeichen angehört; und gleichwohl würde die Richtigkeit der Construction nur durch das Vorhandenseyn des Zeichens bewährt werden. Es ist also ein Abweg von der semiologisch-richtigen Methode, wenn man der reinen Darstellung der Zeichen sogenannte Erklärungen einwebt, so sehr auch in andern Gebieten die Wissenschaft sich auf Erklärungen gründet, oder wenigstens durch sie zu Stande gebracht wird. Sie gehören nicht in die Semiotik (s. §. 17.) und trüben ihre Lauterkeit und empirische Gewißheit, die in diesem Felde, erwiesener Maßen, die wahrhaft wissenschaftliche ist. Wir haben einen Versuch gemacht, der Semiotik beydes wissenschaftliche Form und Methode angedeihen zu lassen. Ueber die letztere ist vorläufig weiter nichts zu sagen, da sie sich als treue Darstellung treuer Beobachtungen der Zeichen, wiefern sie Verkündiger der Krankheitsverhältnisse sind, deutlich genug charakterisirt. Die erstere aber muß näher bestimmt werden.

§. 32.

Der menschliche Organismus hat bekanntlich eine körperliche, objective, und eine geistige, subjective Seite. Durch jene lebt er im Raume, durch diese in der Zeit. Auf beyden Seiten kann er erkranken, und auf beyden Seiten gibt er sein Erkranktseyn durch Erscheinungen zu erkennen, die wir Krankheitszeichen nennen. Da die beyden organischen Seiten oder Sphären, mit andern Worten: Leib und Seele, eigentlich nur unterschieden sind wie äußeres und inneres einer und derselben Kraft; (welches die Philosophie zu beweisen hat, und hier als entschieden angenommen wird): so müssen die Krankheitszeichen beyder Sphären, vermöge der wechselseitigen Durchdringung beyder, auch in beyden bemerkbar seyn, so daß die körperlichen Krankheiten, außer den Erscheinungen, die sie in ihrem eigenen Gebiete zeigen, sich auch in dem der Seele offenbaren; und umgekehrt. Hieraus ergibt sich die erste Spaltung oder Eintheilung der Zeichenlehre in die somatische und psychische. In der somatischen, als dem ersten Theile der allgemeinen Semiotik, sind theils diejenigen Zeichen körperlicher Krankheiten enthalten, welche am Körper selbst erscheinen, theils diejenigen, welche sich als Affectionen der Seele offenbaren. In der psychischen Zeichenlehre, als dem zweyten Theile der allgemeinen Semiotik, sind erstlich diejenigen Zeichen der Seelenkrankheiten enthalten, welche in der Seele selbst erscheinen, zweytens diejenigen, welche am Körper zu Tage kommen. Dieß wäre denn die ursprüngliche Eintheilung der allgemeinen Semiotik *). Wie aber offenbaren sich die Krankheitszeichen so wohl am Körper als in der Seele? Die Unterschiede dieser Erscheinungen müssen die Unterabtheilungen abgeben. Der körperliche Organismus erscheint im Raume erstens als Gebild, und zweytens als Thätigkeit. Alle Zeichen demnach am körperlichen Organismus, sie mögen nun somatische oder psychische Krankheiten, oder beyde vereint, betreffen, müssen entweder an den Gebilden, als solchen, oder an den Thätigkeiten desselben erscheinen. An den Gebilden kann als Zeichen von Krankheiten dienen: z. B. ihr Umfang, ihre Cohärenz, ihre Farbe, ihre Temperatur, ihr Geruch, ihre Schwere; und zwar entweder des ganzen

*) Man hat bey der bisherigen einseitigen Ansicht der Semiotik die psychischen Phänomene, aber auch nur sehr unvollständig, und blos als Zeichen körperlicher Krankheiten, in die Reihe der letztern beyläufig eingeschaltet.

Körpers, oder einzelner Theile. Die Thätigkeiten der Gebilde werden nach ihrer verschiedenen Bestimmung unterschieden. Diese Bestimmung kann nur von doppelter Art seyn: Erfüllung des Raums oder Gestaltung, und Bewegung im Raume. Zu beyden Zwecken wirken alle Thätigkeiten der Gebilde entweder unmittelbar oder mittelbar. Die Thätigkeiten (Functionen) der Gestaltung zerfallen in Stoff-Aufnahme und Ausscheidung auf verschiedenen Stufen und in verschiedenen Verhältnissen. Hieher gehören demnach die Zeichen aus der Verdauung, der Respiration, dem Kreislaufe, den Ausscheidungen durch Mund, Nase, After, Haut, Nieren, Geschlechtswerkzeuge, wiefern alle diese Geschäfte verstärkt, gehindert, widernatürlich verändert sind. Die Thätigkeiten der Bewegung, d. i. diejenigen, bey welchen die Bewegung des Körpers oder seiner Theile Zweck ist, zerfallen in die des Beugens oder Streckens, von Kopf, Rumpf und Gliedmaßen. Die Zeichen aus diesen sind entweder übermäßige oder gehemmte, oder ungewöhnliche Beugungen und Streckungen des ganzen Körpers oder seiner Theile. Der geistige Organismus erscheint in der Zeit, als Seele, unter der Form des Bewußtseyns, erfüllt und bestimmt durch mannigfaltige Empfindungen, Vorstellungen und Triebe. Diese sämmtlich, widernatürlich verändert, verstärkt, gehemmt, machen die Zeichen aus, durch welche sich Krankheiten in der Seele offenbaren, sie mögen nun dieser selbst, oder dem Körper, oder beyden angehören. Das Bewußtseyn und seine Thätigkeiten stimmen eben so zu einem Zwecke, und zu demselben Zwecke zusammen, wie der körperliche Organismus: beyde bezwecken die Bildung und Erhaltung des Individuums auf verschiedenen Stufen und in verschiedenen Beziehungen, und die Idee einer Kraft, die sich selbst durch ihre Thätigkeiten (des physischen und psychischen Aneignens und Abstoßens nach denselben Gesetzen) erhält, ist die Idee des Organismus. Durch diese Idee werden die fremdartigsten Erscheinungen im Organismus einander verwandt, erhalten gleiche Dignität und die Fähigkeit unter einem gemeinschaftlichen Gesichtspunkte betrachtet zu werden. Die Semiotik, welche sich dieser Identität der organischen Erscheinungen bemächtiget, bringt Einheit in ihr eigenes Wesen, und gründet sich durch jene aufgefaßte Idee auf ein Prinzip, welches ihr überall treu bleibt und als Leitfaden für die Betrachtung aller Zeichen dienen kann, wiefern alle die Beschränkung der Idee des Organismus ausdrücken und so auf der einen Seite das höchste Princip der Physiologie: Freyheit der organischen Thätigkeiten, auf der andern das der Pathologie: Beschränkung dieser Thätigkeiten, berühren. Die angegebenen Unterschiede der Zeichen, als Unterabtheilungen unter die Hauptzweige der allgemeinen Semiotik subsumirt, geben folgende Rubriken, die wir hier in allgemeiner Uebersicht mittheilen wollen. Eine specielle Auseinandersetzung gehört nicht hieher, sondern hat ihren Platz in der Inhaltsanzeige dieses Werkes.

Der erste Theil der allgemeinen medizinischen Semiotik trägt die Zeichen der körperlichen krankhaften Beschaffenheiten vor.

Erster Abschnitt. Zeichen körperlich-krankhafter Zustände an dem objectiven Organismus, (Leib).

a) als Gebild.

Volumen, Cohärenz, Farbe, Temperatur, Geruch, Schwere, u. s. w. des ganzen Körpers, oder des Kopfs mit seinen Theilen, des Rumpfes, und der Extremitäten.

b) als Summe von Thätigkeiten (Functionen.)

α) der Gestaltung.

Functionen der Stoff-Aufnahme und Ausscheidung bey der Verdauung, der Respiration, dem Kreislaufe, den

Ausscheidungen durch Mund, Nase, Ohren, Hautorgan, Harn- und Geschlechtswerkzeuge, After.

β) der (willkührlichen) Bewegung.

Verhältnisse der Beweglichkeit an den Muskeln des Kopfes, Rumpfes, und der Extremitäten, in Beziehung auf Gang, Stellung, Gebehrde, Sprache u. s. w.

Zweyter Abschnitt. Zeichen körperlich-krankhafter Zustände an dem subjectiven Organismus, (Seele).

a) positiv-subjectiver Zustand, oder Wachen.

α) subjective Receptivität.

Gefühle (mannigfaltiger Schmerzen,) und Empfindungen (gestörte Sinnesaffectionen).

β) subjective Spontaneität.

Vorstellungen (krankhafte, besonders des Verstandes und der Phantasie) und Willensacte; beyde Arten entweder unmittelbar durch unwillkürliche Reden und Handlungen der Kranken, oder mittelbar, durch freywillige Mittheilung derselben erkennbar.

b) negativ-subjectiver Zustand, oder Schlaf.

Der zweyte Theil der allgemeinen medizinischen Semiotik handelt von den Zeichen der psychischen krankhaften Beschaffenheiten.

Erster Abschnitt. Zeichen psychisch-krankhafter Zustände (der Gemüths- Geistes- Willens-Störungen,) am psychischen Organismus selbst, durch Rede, Blick, Miene, Stellung, Bewegungen, Handlungen, offenbar.

Zweyter Abschnitt. Zeichen dieser Zustände, nicht durch oder vermittelst des (übrigens gesunden) körperlichen Organismus, sondern an demselben in seinen krankhaften Affectionen.

a) Form, des ganzen Körpers, vorzüglich aber des Schädels.

b) Functionen.

α) Der Gestaltung: Stoff-Aufnahme und Ausscheidung. (Zustand der Verdauung, Respiration, des Kreislaufs, der Haut- und Nierenabsonderung, der Geschlechtsverrichtungen u. s. w)

β) der Bewegung (Lähmung, Krämpfe, Convulsionen, Starrsucht u. s. w.)

VI.

Kunstlehre der allgemeinen medizinischen Semiotik.

§. 33.

Es ist nicht genug, daß man, nach Anleitung der Semiotik, die Krankheitszeichen wissenschaftlich kenne, man muß auch als Arzt die Kunst besitzen sie an den kranken Subjecten aufzufinden und sie in ihren verschiedenen Beziehungen zu würdigen. Hiezu bieten sich auf der einen Seite mancherley Hülfsmittel dar, es stellen sich aber auch auf der andern mancherley Hindernisse in den Weg, die den Gebrauch jener Hülfsmittel erschweren oder unsicher machen. Diese Hindernisse zu beseitigen, jene Hülfsmittel zu benutzen, verlangt einen besondern Unterricht, den man füglich unter dem Namen der semiotischen Kunstlehre befassen kann, weil man nur dann Semiotiker im wahren Sinne des Worts ist, wenn man, im Besitz der Zeichenkenntniß, auch die Kunst versteht sie aufzufinden. Nun ist der Unterricht in dieser Kunst zwar wohl eigentlich die Sache der klinischen Schule: allein erstlich gibt es noch keine wissenschaftliche Klinik, welche ihre Rechte in dieser Hinsicht proclamirt hätte; und zweytens haben die besten neuern Lehrer der Semiotik wie Gruner, Sprengel, und am meisten Danz dieses Amt freywillig über sich genommen, und theils in der Einleitung zur Semiotik, theils in der Semiotik selbst diesen Unterricht ertheilt. Wir finden uns nicht befugt von dieser Methode abzuweichen, und tragen also hier das nöthige vor, wo es, als Schluß der Propädevtik, am rechten Orte steht, weil sich die Semiotik, die nur die Zeichen der krankhaften Zustände darzustellen hat, mit diesen Gegenständen nicht befassen darf. Es ist bey diesem Geschäft nicht nöthig viel an der Ansicht und der Darstellung unseres Danz abzuändern; wir geben größtentheils treu seine eigenen Worte wieder, und nur einige Zusätze sind es, die wir hier und da einzuschalten für nöthig geachtet haben.

§. 34.

Die Hülfsmittel zu Erkenntniß der Krankheitszeichen beruhen zuförderst auf einem genauen Kranken-Examen, sodann auf genauer Beobachtung aller widernatürlichen Erscheinungen, die in die Sinne fallen, endlich auf Berücksichtigung vieler Nebenumstände, die auf die Krankheiten Einfluß haben. (Danz. Einleit. §. 7.) Was die Vergleichung mehrerer aufgefundener Zeichen mit einander betrifft, deren Danz in diesem §. noch erwähnt, so führet sie zur Diagnostik, oder ist vielmehr ihr Grund; weßwegen hier, wo von der Diagnostik nicht die Rede ist, sondern blos von dem Zeichensammeln, dem Geschäft der allgemeinen Semiotik, diese Rubrik übergangen wird.

§. 35.

Bey diesem Geschäft müssen wir folgende Regeln nicht aus der Acht lassen (Danz. Einleit. §. 9.):

1) Müssen wir den Charakter des Kranken studiren, und unser ganzes Betragen am Krankenbette nach demselben, wo möglich, einzurichten suchen.

2) Müssen wir uns das Zutrauen des Kranken zu erwerben bemühen; welches sehr leicht seyn wird, wenn wir den Charakter des Kranken kennen und sonst die Eigenschaften eines guten Arztes, Verstand, Menschenkenntniß,

C 2

Wissenschaft, und wir setzen hinzu, Herzensgüte, besitzen. Ehe wir aber den Charakter des Kranken gehörig kennen, müssen wir in unserm Betragen vorsichtig seyn, hauptsächlich bey dem ersten Eintritte in das Krankenzimmer. Gut ist es daher, früherhin, über alles was den Kranken betrifft, schon so weit als möglich Erkundigungen einzuziehen. In jedem Falle ist ein bescheidenes, anständiges, freundliches Betragen das erste und nothwendigste.

3) Müssen wir den Kranken, oder wenn er nicht dazu vermögend ist, seine Verwandten und Freunde die ganze Krankheitsgeschichte erzählen lassen, und uns einzelne Punkte bemerken, die sie entweder aus Unwissenheit oder mit Willen flüchtig berührt oder übergangen haben; worüber wir sie hernach näher befragen. Die Einrichtung und Einkleidung unserer Fragen muß ganz der Denkungsart und dem Charakter des Kranken gemäß seyn. Wir müssen unsere Fragen bald positiv, bald verneinend einrichten, und in vielen Fällen mit solcher Ueberlegung und Vorsicht zu Werke gehen, wie ein Richter bey einem schlauen Inquisiten.

§. 36.

Das Hauptsächlichste, wonach der Arzt zu fragen hat, reducirt sich auf folgendes. (Danz. Einleit. §. 13. 27. 28—45.).

1) Vorhergegangene Gesundheitsumstände. Ob er von gesunden, oder schwächlichen, kränklichen, zu gewissen Krankheiten, als: Schwindsucht, Scropheln, Gicht, Staar, Nervenkrankheiten, Hämorrhoiden, u. s. w. geneigten Aeltern erzeugt, durch gute oder fehlerhafte Mutter- oder Ammen-Milch, oder ohne Milch, vielleicht durch schlechte Nahrung aufgezogen, späterhin durch Leckereyen, durch zu warmes Verhalten verwöhnt worden sey, u. s. w. Ob er immer dauerhaft gesund gewesen, oder schwächlich, kränklich, geneigt durch leichte Störungen aufgeregt zu werden.

Welchen Einfluß Anstrengung, Ruhe, Gemüthsbewegungen, Diät, Witterung, u. s. w. von jeher auf ihn gehabt haben.

2) Vorhergegangene Krankheiten. (Danz. 1 Kap. §. 43.). Ob er viele hitzige Krankheiten ausgestanden habe und darauf völlig gesund gewesen sey, besonders ob er Pocken, Masern, Scharlach u. s. w. gehabt und glücklich überstanden habe? Ob er venerisch gewesen, öfters von Gicht, Rheumatismen, Catarrhen, Blutflüssen, hauptsächlich Hämorrhoiden geplagt werde, und ob diese lange ausgeblieben seyen? Ob er sehr zu Verstopfungen, Durchfällen, geneigt sey? Ob er rachitisch, scrophulös gewesen sey, und Ausschläge, wie Krätze, Flechten, Grindkopf, Milchschorf u. s. w. gehabt habe? Wie er bey diesen Krankheiten behandelt worden sey? Ob er zu allgemeinen Schweißen, besonders des Nachts, oder zu örtlichen, als am Kopfe, an Händen und Füßen, geneigt sey, und ob sie gegenwärtig fortdauern? Ob er alte Schäden, Fontanelle, Haarseile habe, und wie es sich damit jetzt verhalte? Ob er die gegenwärtige Krankheit mehrmalen gehabt habe,, z. B. örtliche Entzündungen, Geschwülste, Polypen, Scirrhen, Krebs, Geschwüre u. dergl. welche häufig repetiren. Bey dem andern Geschlecht (§. 44.) muß man sich nach der monatlichen Reinigung erkundigen, wann sich dieselbe eingestellt, oder wann sie ausgeblieben sey? Ob sie immer in Ordnung gewesen, stark oder schwach geflossen sey? Ob sie den weißen Fluß haben oder gehabt haben? Ob sie geboren, zu früh, oder zur rechten Zeit, leicht oder schwer? Ob die Nachgeburt leicht und ganz abgegangen, oder mit Gewalt abgeschält worden, oder zurückgeblieben sey? Ob sie viel Blut bey der Niederkunft verloren? Wie sie sich im Wochenbette befunden? Ob sie ihr Kind selbst gesäugt oder nicht? Mit was sie die Milch vertrieben haben? Ob ihre Kinder gesund oder

kränklich seyen? Ob sie öfters Blutflüsse ausgestanden? Ob sie einen Vorfall, oder Umstülpung, oder Zurückbeugung, oder Polypen der Gebärmutter gehabt haben oder noch haben? Bey Kindern (§. 45.) muß man hauptsächlich Rücksicht nehmen: ob sie von Geburt an gesund oder schwächlich gewesen? Ob sie alle Zähne haben und ob die Zahnarbeit leicht oder schwer gewesen? Ob sie Säure, Würmer, Gichter gehabt? Ob sie die Pocken, Masern, überstanden haben, und wie? Ob sie einen Ausschlag haben oder gehabt haben, besonders Grindköpfe, Milchschorf, u. s. w. und wodurch sie geheilt worden sind? Ob sie häufig wund gewesen oder noch sind? Ob sie rachitisch, atrophisch gewesen? Selbst bey Ausschlägen, Geschwüren der Kinder muß man auch schon auf venerisches Gift sein Augenmerk richten, das sie sehr leicht von Aeltern oder Ammen, oder Kinderwärterinnen fangen können.

3) Vorhergeführte Lebensart und Gewohnheiten. (Danz. §. 32—41.). Ob der Kranke gewohnt gewesen viel zu essen, sich oft den Magen zu überladen? Ob er mehr vegetabilische, schlechte, zähe, mehlichte, klebrichte Speisen (Kuchenwerk), oder mehr thierische, fette, stark gesalzene, gewürzte Speisen genossen? Ob er an warme und hitzige Getränke, als Thee, Kaffee, Wein, Branntwein, oder mehr an Wasser, Bier u. s. w. gewöhnt sey. Ob er sich oft in starken Getränken berausche? Ob er häufige Arzneyen brauche, und welche? besonders ob er häufig Brech- und Abführmittel brauche, und in welchen Gaben diese bey ihm wirken? Ob er gewohnt sey, öfters Ader zu lassen, Frühlings- und Brunnenkuren zu brauchen, und wie er sich darauf befinde? Ob er lange und ruhig schläft, oder gewohnt ist tief in die Nacht hinein zu wachen, oder sich früh den Schlaf abzubrechen? Ob er sehr warme Kleider trägt oder nicht? Welche Theile des Körpers er besonders warm hält? Ob er an Sommer-

und Winterkleidung gewöhnt ist, und wann er sie anlegt? Ob er sehr enge Kleider trägt? Ob er ein Freund der Reinlichkeit ist, oder nicht? Ob der Begattungstrieb bey ihm frühzeitig erwacht ist? Ob er ihn früh und häufig befriediget hat, und wie er sich nach dem Beyschlafe befindet? Ob er Onanie getrieben? Ob er häufigen Pollutionen unterworfen? Ob er Wärme oder Kälte liebt? Welche er am besten vertragen kann, und welcher er sich am meisten aussetzt? Ob er sich häufige Bewegung macht, zu welcher Tageszeit, wie stark? Ob er viel reitet, fährt, zu Fuße geht, springt, tanzt? Ob er eine sitzende Lebensart führt, und wie die Richtung seines Körpers dabey ist. Was er für ein Geschäft treibt oder sonst getrieben hat? Landleute, die harte und schwere Arbeiten verrichten müssen, sind Brüchen, die Weiber Muttervorfällen, Rückbeugungen der Gebärmutter, Mutterblutflüssen, schweren und widernatürlichen Geburten ausgesetzt. Reiter bekommen leicht Brüche und Krankheiten der Hoden, als Hydrocele, Sarcocele, u. s. w. Schornsteinfeger, besonders in England, den Hodenkrebs; Leute, die sich unrein halten, Hautausschläge, böse Geschwüre; solche, die bey starker Hitze und hauptsächlich bey Kohlenfeuer arbeiten, und sich dabey schädlichen mineralischen Dämpfen aussetzen, wie Gold- und Silberarbeiter, Schmelzer, Kalkbrenner, Schmiede, Wollkämmer, u. s. w. cachektische Krankheiten. Müller, Bäcker, Haarkräusler, sind, wegen des feinen Staubes, den sie immer einathmen müssen, sehr zur Schwindsucht geneigt. Leute, die lange und stark reden, singen, blasen, bekommen leicht Brüche, Fehler in den Lungen; solche, die ihre Augen zu feinen Arbeiten, oder zum Lesen anstrengen, besonders bey Licht, wie Studirende, Uhrmacher, Mahler, u. s. w. Augenentzündungen, grauen, schwarzen Staar u. s. w. Mahler, die viel mit Bleyfarben zu thun haben, Bergleute, Bleykoliken,

Kachexien, u. s. w. Personen, die viel sitzen, bekommen schwache Mägen, leicht Infarctus, besonders im Pfortadersystem, Hämorrhoiden, Leibesverstopfung oder Durchfälle, Nervenkrankheiten, Skropheln, Steine, Gicht, bösartige Geschwüre, werden leicht cachektisch u. s. w. Dieß trifft besonders Gelehrte. Auch Weibspersonen leiden sehr viel von sitzender Lebensart, und erhalten dadurch Neigung zu Bleichsucht, weißem Flusse, Vorfällen der Mutter und der Scheide, und dem ganzen Heere von Nervenkrankheiten. Kinder, die sehr früh und anhaltend zum Sitzen und Lernen angehalten werden, werden kränklich, schwächlich, leicht rachitisch, scrophulös; bey ihnen erwacht der Geschlechtstrieb sehr früh, und sie werden daher leicht Onanisten.

§. 37.

Diejenigen Fragen, welche wegen des gegenwärtigen Zustandes an den Kranken gethan werden müssen, um aus ihrer Beantwortung einen Theil der zur Krankheitskenntniß gehörigen Zeichen zu sammeln, beziehen sich theils auf die Gefühle und Empfindungen des Kranken, theils auf die psychischen sowohl als physischen Functionen. Wie lange er sich schon krank gefühlt, in welcher Art, in welchem Grade er beschwerliche Empfindungen gehabt, wie jetzt sein Uebelbefinden, dem Sitze, der Aeußerung nach, beschaffen, welche seiner Thätigkeiten der physischen und psychischen am meisten gehemmt oder widernatürlich verändert erscheinen, dieß alles gibt über die Beschaffenheit der Krankheit großen Aufschluß, und die richtigen Antworten auf diese Fragen sind als eben so viele Zeichen der Krankheit selbst anzusehen.

§. 38.

Allein nicht alle Zeichen der Krankheiten lassen sich erfragen. Viele wollen bloß gesehen seyn, sie mögen nun unmittelbar am Kranken beobachtet, oder aus der Beobachtung seiner Umgebungen im engern und weitern Sinne, in näheren oder entfernteren Kreisen, erschlossen werden. Unter die erstere Rubrik gehört, außer der Beobachtung des ganzen Habitus des Kranken, seines Ansehens, seiner Miene, seines Blicks, der Farbe und Beschaffenheit seiner Haut, seiner Augen, seiner Zunge, seiner Ausleerungen, ferner außer dem prüfenden Blicke auf die äußere Beschaffenheit seiner Gebilde überhaupt, besonders des Kopfs, der Brust, des Rückgrats, des Unterleibes, auf die Beschaffenheit der Respiration und Sprache, des Pulses, der Kraft- oder Schwäche-Aeußerungen in den Bewegungsorganen; außer allem diesem, wovon die Zeichenlehre selbst ausführlich handelt, gehört noch hieher: eine genaue Würdigung des Alters, Geschlechts, Temperaments, und der Constitution des Kranken; sodann: seiner unmittelbaren Umgebungen, als: Wohnung, Dürftigkeit, Ueberfluß, ja seiner Familien- und bürgerlichen Verhältnisse. Endlich darf die Rücksicht auf Clima und Lage des Orts, auf epidemische Constitution, Jahreszeit, Tageszeit, nicht vernachlässiget werden. Alle diese Umstände sind mittelbarer Weise eben so viele Hülfsquellen zur Erkenntniß der Krankheiten, als die übrigen Zeichen, und sie verdienen deswegen noch eine besondere Betrachtung. (Danz. §. 16—26. 46—51.).

§. 39.

Zuerst das Alter betreffend, ist zu merken: je jünger ein Mensch ist, desto reizbarer und empfindlicher ist er. Daher gehen Puls, Respiration und alle Absonderungen schon im natürlichen Zustande schneller von Statten, und alle Zufälle sind in Krankheiten junger Personen gewöhnlich heftiger als bey älteren. Daher entstehen so leicht Krämpfe, Convulsionen, Deliria bey jungen

Personen, wo sie, weil ihnen öfters keine sehr stark wirkende Ursache zum Grunde liegt, auch weniger gefährlich sind als bey älteren. Bey jüngern Personen hat man sich auch einen glücklichern Ausgang der Krankheiten und eine vollkommnere Heilung derselben zu versprechen als bey älteren, weil die Lebenskräfte thätiger sind. Doch ist auch nicht zu läugnen, daß nicht selten diese Lebenskräfte schneller zu Zerstörung des Organismus beytragen, wo sie jugendlich ungestüm walten, als wo reiferes Alter sie gemäßigt hat. Bey dem Eintritte der Mannbarkeit, also um das dreyzehnte bis achtzehnte Jahr, hat man Hoffnung hartnäckige chronische Krankheiten, Epilepsie, andere Nervenkrankheiten, Geschwüre, Ausschläge, Geschwülste u. s. w. zuweilen glücklich zu heilen. Im mittleren Alter wird vorzüglich leicht die Brust von Entzündungen, Blutspeyen u. s. w. im höheren der Unterleib von Hämorrhoidal- Stein- Harn-Beschwerden angegriffen.

§. 40.

Was das Geschlecht anbelangt, so ist der Körper der Männer im Allgemeinen stärker, fester, weniger reizbar und empfindlich, als der der Frauen, und ihre Krankheiten und der Gang derselben sind darnach modifizirt. Indessen, da der Männer Lebensart häufig ausschweifender ist als die der Frauen, da sie mehrere und härtere Arbeiten als das weibliche Geschlecht verrichten müssen: so sind sie auch häufigern Krankheiten ausgesetzt, als: der Gicht, der Venusseuche, den Hämorrhoiden, entzündlichen Krankheiten, Steinbeschwerden u. s. w. Vermöge ihrer Geschlechtstheile sind ihnen Wasserbrüche, Anschwellen, Verhärtungen, Krebs der Hoden, Krankheiten des Samenstranges, der Samenbläschen, Verhärtungen und Geschwülste der Vorsteherdrüse, als Ursachen von Harnverhaltungen, besonders eigen. Bey dem weiblichen Geschlecht sind die Muskelfasern und das Zellgewebe schlaffer, nachgiebiger, ausdehnbarer, schwächer, weicher, die Nerven reizbarer, als bey dem männlichen Geschlecht. Deßwegen ist jenes Geschlecht zu Nervenkrankheiten, besonders Hysterie, Melancholie, zu gastrischen Krankheiten, zu Krebsen, hartnäckigen Geschwüren, Wassersuchten, hauptsächlich nach dem Ausbleiben der monatlichen Reinigung, geneigt. Vermöge ihrer Geschlechtsverrichtungen sind die Frauen weit mehreren und von denen der Männer verschiedenen Krankheiten unterworfen, als: dem weissen Flusse, Mutterblutstürzen, Polypen, Mutterkrebs, Scirrhositäten, Polypen im Uterus, Geschwülsten der Eyerstöcke, der Muttertrompeten u. s. w.

§. 41.

Das Temperament der Kranken hat in mannigfaltiger Hinsicht Einfluß auf dieselben. Einige beklagen sich gar nicht, Andere wenig, Andere viel, Andere mit Heftigkeit, Andere wüthen und toben indem sie klagen, je nachdem, bey Verschiedenheit des Temperaments, die gleiche Krankheit verschieden empfunden und beurtheilt wird. Das sanguinische Temperament verräth sich durch eine zarte Beschaffenheit der festen Theile, durch volle Blutgefäße, lebhafte Gesichtsfarbe, geschwinden, vollen, aber nicht starken Puls, durch einen hohen Grad von Reizbarkeit, durch leichte Erregung vorübergehender Affecten und Leidenschaften u. s. w. Sanguinische Personen sind, wegen ihrer großen Reizbarkeit, sehr zu entzündlichen und katarrhalischen Krankheiten geneigt, und können aus eben dieser Ursache nicht wohl körperliche Schmerzen ertragen, und geringe Reize bringen oft große Wirkungen bey ihnen hervor. Ueberhaupt sind sie hitzigen Krankheiten sehr ausgesetzt, und bekommen leicht Convulsionen, Ohnmachten, Deliria u. s. w. Ihre Lebenskräfte wirken in Krankheiten sehr thätig, meistentheils aber zu stark, und sinken daher öfters schnell, indem sie sich aufreiben. Das cholerische Temperament zeichnet sich hauptsächlich durch einen starken Körper, durch feste, reizbare Fasern, durch ein blitzendes, durchdringendes Auge, durch häufigen, schnellen, starken Puls, durch Schnelligkeit und Stärke in den Bewegungen, durch heftige Leidenschaften, hauptsächlich Zorn, aus. Cholerische sind, wegen ihrer starken Lebenskräfte, zu Krankheiten wenig geneigt, wenn sie ihre Leidenschaften gehörig zu bezähmen wissen; widrigenfalls sind sie häufig Gallenkrankheiten ausgesezt. Werden sie von hitzigen Krankheiten befallen, so sind gewöhnlich alle Zufälle heftiger, als Hitze, Frost, Delirien, welche oft zu einem hohen Grade steigen. Sie ertragen aber selbst die heftigsten und gefährlichsten Krankheiten glücklich, und haben immer Muth und Geduld bey den größten Schmerzen. Das melancholische Temperament erkennt man hauptsächlich durch Trockenheit und Magerkeit der Fasern, Rigidität der Haut, trauriges Ansehen, kleine, tief im Kopfe liegende Augen, starren Blick, kleinen, sparsamen Puls, dicke, schwarze Galle, harten Stuhlgang, Unverdrossenheit bey Unternehmung schwerer Arbeiten. Melancholische sind sehr zu Verstopfung im Pfortadersystem, in der Leber, zu Erzeugung von Gallensteinen, zu Hämorrhoiden, hartnäckigen Leibesverstopfungen, Krebs, Drüsenverhärtungen, bösartigen Geschwüren, geneigt. Sie ertragen ihre Leiden mit Geduld, klagen wenig, heften öfters ihre ganze Aufmerksamkeit auf eine Idee. Das phlegmatische Temperament verräth sich durch eine weiche, weisse Haut, schlaffe Fasern, schläfriges Ansehen, Trägheit in allen Bewegungen. Personen dieser Art sind wenig reizbar und empfindlich, wenig zu heftigen Leidenschaften, sehr zum Schlafe geneigt. Sie sind cachektischen Krankheiten, wie: Wassersuchten, Schleimanhäufungen in den ersten Wegen, Würmern, weissem Flusse, Brüchen, Auswüchsen, Polypen, Scropheln, u. s. w. sehr ausgesetzt. Die Zeichen aller dieser Temperamente sind nicht oft rein vorhanden, sondern gewöhnlich sind sie mehr oder weniger mit einander vermischt. Aus folgenden Nebenumständen kann man übrigens muthmaßlich im Allgemeinen auf die Beschaffenheit des Temperaments schließen: 1) aus dem Clima, Himmelsstriche, Wohnorte. Unter einem trüben, neblichten Himmelsstriche, auf sumpfigem Boden, findet man meistentheils Phlegmatiker; wie in Holland. Unter einem gemäßigten, heitern, nicht sehr warmen Himmelsstriche: Cholerische; wie in Deutschland, England. In wärmern Gegenden: Sanguiniker; wie in Frankreich. Unter sehr heißen Himmelsstrichen: Melancholiker; wie in Spanien, Italien. 2) Aus Speise und Trank. Viele und nahrhafte Speisen und Getränke befördern das sanguinische Temperament. Thierische Diät macht cholerisch; viele vegetabilische Nahrung, besonders der häufige Genuß von Kartoffeln, macht phlegmatisch. Der Genuß vieler fetter, trockner Speisen, nebst wenigem Getränke, oder vieles starke, geistige Getränk, besonders starker Branntwein, befördert das melancholische Temperament. 3) Aus der Art der Erziehung und Ausbildung der Geisteskräfte. Je mehr die Thätigkeit aufgeregt wird, desto mehr werden die lebhafteren Temperamente geweckt: das sanguinische mehr durch die Cultur der Receptivität und der Empfindungen, das cholerische mehr durch die der Spontaneität der denkenden und handelnden Kraft. Je mehr die Erweckung der Thätigkeit vernachlässigt oder unterdrückt wird, desto mehr wird den passiven Temperamenten Vorschub geleistet: durch Mangel an Aufregung dem phlegmatischen, durch Unterdrükkung dem Melancholischen. 3) Aus dem Ueberflusse oder Mangel. Der Reichthum der Reize erweckt die lebhaften

Temperamente: das sanguinische zum Genuß, das cholerische zur That. Die Kargheit der excitirenden Mittel unterhält die stumpfern: Flachheit und Leere das phlegmatische, Druck und finstere Umgebung, die Verdruß, Kummer und Sorgen nährt, das melancholische. 5) Aus dem Alter, der Gesellschaft. Die Jugend begünstigt das sanguinische und cholerische, das Alter, das melancholische und phlegmatische Temperament; heitere, rüstige Gesellschaft die ersteren, gleichgültige, finstere, mürrische die letzteren.

§. 42.

Als ein Anhang gleichsam zu den Temperamenten, körperlicher Weise, sind die Idiosynkrasien zu betrachten. Es gibt Leute, die Schnecken u. dergl. leicht verdauen, denen aber Blumenkohl oder der zarteste Vogel den Magen fast abdrückt. Einige können überhaupt kein Geflügel genießen, geschweige vertragen, Andere keine Fische. Es ist bekannt, daß der Genuß von Krebsen bey manchen Personen rothlaufartige Krankheiten erzeugt. Einigen ist der Kaffee ein Brechmittel, Andern die China eine Purganz. Einige verstopft die Jalappe, bey andern bringen Krebsaugen Wirkungen wie Arsenik hervor. Wieder andere purgirt Rosensyrup so heftig, daß Convulsionen darauf erfolgen. Einigen sind Gerüche und Töne, die andere Menschen wohl vertragen können, unerträglich. Einige können keine wollene Binden, keine Pflaster, keine Augenwasser, überhaupt nichts Feuchtes an ihrem Körper vertragen, u. s. w. Oft haben solche Eigenheiten in Nervenverstimmung, in Hypochondrie und Hysterie ihren Grund.

§. 43.

Ueber die körperliche Constitution der Kranken geben die vorhergeführte Lebensart, die vorhergegangenen Gesundheitsumstände, die Art des Fortgangs der verschiedenen Verrichtungen, das äußere Ansehen u. s. w. Auskunst. Schwächliche, ungesunde und schlechtbeschaffene Körper erkranken viel leichter und öfter, als gesunde und wohlbeschaffene. Bey den erstern sind im Allgemeinen die Krankheiten viel hartnäckiger, dauern länger, nehmen gefährlichere Gestalten an, als bey den letztern. Doch gibt es auch Krankheiten, denen eine gute, starke Leibesbeschaffenheit mehr als eine schwächliche und ungesunde unterworfen ist. Alle Krankheiten, welche durch stürmische Heftigkeit ihrer Zufälle, durch ihren schnellen Verlauf, und überhaupt durch ein allzuwirksames Bestreben der Lebenskräfte gefährlich werden, pflegen vorzüglich starke, gesunde junge Leute zu befallen; und sie mögen nun einen glücklichen oder unglücklichen Ausgang nehmen, so verlaufen sie bey ihnen weit geschwinder, als bey schwächlichen Personen.

§. 44.

Mannigfaltig werden die Krankheiten durch die Wohnung modifizirt, je nachdem diese an einem feuchten, sumpfigen, dunkeln, oder an einem bergichten, hellen, trocknen Orte befindlich, je nachdem sie der Sonne und den Winden ausgesetzt ist, je nachdem die Stuben hoch oder niedrig, von vielen Menschen zugleich bewohnt, reinlich oder unreinlich sind. Feuchte, sumpfige Wohnungen machen zu Wechsel- Faul- rheumatischen Fiebern geneigt, niedrige, mit Menschen und schlechter Luft erfüllte, unreinliche zu bösartigen Nervenfiebern, zu chronischen Hautausschlägen, Cachexien aller Art; windige, hohe, sind nachtheilig für Personen, die zu Brustbeschwerden, zur Auszehrung geneigt sind.

§. 45.

Der Einfluß des Wohlstandes oder der Dürftigkeit auf Krankheiten und ihre Aeußerungen ist eben so bekannt als bedeutend. Der Luxus erzeugt Ueberfüllungen aller Art: gastrische, Entzündungskrankheiten,

Nervenübel von Ueberreizung, Hämorrhoiden, Gicht, Schlagflüsse; der Mangel, welcher nie ohne Sorgen und Kummer ist: Kachexien aus Schwäche, Nervenkrankheiten aus Reizentziehung, Melancholie, Auszehrungen.

§. 46.

Die Familien- und die bürgerlichen Verhältnisse geben den Krankheiten ebenfalls eigenthümliche Charaktere. Hier haben die Leidenschaften mit ihren Einflüssen ihr freyes Spiel, und erzeugen bald, bald unterhalten sie Krankheiten, deren Wesen und Zeichen nur durch die Beobachtung dieser Einflüsse erkennbar werden. Neid, Haß, Liebe, Eifersucht, Ehrgeiz, übermäßige Sorge und Anstrengung, Aerger, aufreizende, drückende Geschäfte disponiren bald zu hitzigen Krankheiten, als: Gallenfiebern, Entzündungen, Nervenfiebern, bald zu chronischen, als: Kachexien, Abzehrungen, Melancholie. Und Krankheiten aller Art, aus welcher Quelle immer entsprungen, werden durch diese Verhältnisse modifizirt, unterhalten, verschlimmert.

§. 47.

Himmelsgegend, Clima und Lage, epidemische Constitution, Jahreszeit und Tageszeit haben von jeher den Beobachtungsgeist der Aerzte beschäftiget. Unter einem gemäßigten Himmelsstriche, in einer Gegend, die etwas hoch liegt, mit gesunden Winden durchweht, und mit keinen Sümpfen, dichten Wäldern u. s. w. umgeben ist, heilen alle Krankheiten im Allgemeinen leichter, als unter den entgegengesetzten Umständen. In sehr heißen Gegenden, besonders wenn sie zugleich feucht sind, entstehen öfters nach geringfügigen Reizen, nach kleinen unbedeutenden Wunden, die heftigsten und schnell tödtende Zufälle, als: Starrkrampf, Kinnbackenkrampf, Brand u. s. w. In sehr kalten Gegenden erreichen manchmal geringe Entzündungen schnell einen sehr hohen Grad und gehen leicht in Brand über. In neblichten, sumpfigen Gegenden, bey naßkalter, oder noch mehr bey feuchter und warmer Luft entstehen leicht aus kleinen Wunden bösartige und hartnäckige Geschwüre u. s. w. In heißen Gegenden bemerkt man zuweilen einen solchen geschwinden und doch natürlichen Puls, der in andern schon fieberhaft ist; ferner leicht Diarrhöen, starke Schweiße, Friesel, Petechien, die hier im Allgemeinen weniger gefährlich sind als in kältern Gegenden. In kalten Gegenden findet man einen härtlichern Puls, als den natürlichen, der sonst schon Entzündung andeutet, ferner leicht Verstopfungen, Delirien u. s. w. In heißen Gegenden erscheint die Mannbarkeit früher und die monatliche Reinigung hört früher auf.

Die Kenntniß der Natur der epidemischen Constitution macht uns die einer gegenwärtigen Krankheit und der Bedeutung ihrer Zeichen leichter. Doch müssen wir uns bey der Benutzung einer epidemischen Constitution nicht sowohl an einzelne Symptome, als: Seitenstechen, Petechien, Friesel u. dergl. als vielmehr an die allgemeine Beschaffenheit, ob sie gallicht, faulicht, inflammatorisch, schleimicht u. s. w. sey, halten. Auch für die Prognose gibt uns die Kenntniß der epidemischen Constitution gute Zeichen an die Hand. So werden öfters auch die im Anfange geringfügig scheinenden Krankheiten, bey bestimmtem epidemischen Charakter, ungemein schlimm, bösartig und tödtlich. In manchen Epidemien erscheinen Zufälle, die in andern Fällen die größte Gefahr drohen, nichts weniger als schreckend; und so auch umgekehrt. Die Natur der Epidemien richtet sich einigermaßen nach den verschiedenen Jahreszeiten. Im Winter und zu Anfange des Frühjahrs herrschen meistens entzündliche; im Sommer und zu Anfange des Herbstes gallichte und faulichte; zu Ende des Herbstes und Frühjahrs öfters schleimichte Krank-

D

heiten. Doch ist dieß nichts bestimmtes, indem öfters eine einmal eingerissene Epidemie länger dauert, als es die Jahreszeit mit sich bringt, wenn nehmlich Nebenumstände die epidemische Constitution unterhalten. Zuletzt geht sie aber doch gewöhnlich allmählich in die einer jeden Jahreszeit eigene Constitution über. Ferner, je nachdem die nehmliche Jahreszeit verschieden ist, ist auch die epidemische Constitution verschieden. So dauert oft in einem gelinden Winter der Charakter der Herbstkrankheiten fort u. s. w. Im Herbste und Winter dauern die Krankheiten meist länger als im Frühjahre und im Sommer, wenn die Witterung gehörig beschaffen ist. Ob der Mondeswechsel auf die Krankheiten bedeutenden Einfluß habe, wird noch bezweifelt. In tropischen Gegenden scheint dieser Einfluß dennoch Statt zu finden, wenigstens bey Wechselfiebern und Nervenkrankheiten, die dort zur Zeit des Voll- und Neumondes ihre stärksten Angriffe machen. Auch die Tageszeiten verdienen die Aufmerksamkeit eines treuen Beobachters.

Früh Morgens, nach Aufgang der Sonne, ist die Luft reiner, enthält mehr Sauerstoff, und bringt bey Gesunden und bey solchen Kranken, deren Lebenskräfte nicht widernatürlich erhöht sind, einen wohlthätigen Reiz und eine ihm angemessene Thätigkeit hervor. Manche Krankheiten verschlimmern sich aber gegen Morgen. So empfinden Tripperpatienten früh Morgens die meisten Schmerzen; Gicht, Podagra, Engbrüstigkeit machen meistens ihre Anfälle gegen Morgen; bey Schwindsüchtigen stellen sich des Morgens Schweiße, vermehrter Husten, Blutspeyen, ein. Kritische Schweiße erscheinen meist nach Mitternacht. Diejenigen Kranken, welche die größere Aufregung in der Morgenzeit nicht mehr ertragen können, sterben meistens gegen Morgen. Daher ist bey Auszehrenden, Engbrüstigen, Wassersüchtigen, die Frühzeit sehr quälend und gefährlich. In den Mittagsstunden, wo die Kraft der Sonne am stärksten, die elektrische Materie am regsten ist, nehmen die Krankheiten öfters eine schlimme Wendung. Mit dem Abend, wo gewöhnlich die Kräfte in Krankheiten am meisten geschwächt sind, die Reizbarkeit aber erhöht ist, verschlimmern sich die meisten Krankheiten. In der Mitternachtszeit geht meistentheils der Kampf zwischen Natur und Krankheit zu Ende, entweder zur Gesundheit oder zum Tode, wenn die Krankheit die höchste Stufe erreicht hat.

§. 48.

Es gibt kaum eine von allen diesen Rücksichten, welche wir bey der Zeichen-Erforschung der Krankheiten erwachsener Personen zu nehmen haben, die nicht auch bey Erforschung des Zustandes der Seelenkranken anzuwenden wären; nur daß hier die Untersuchung zum Behuf des Zeichensammelns weit schwieriger ist, weil uns solche Personen nicht mit Beantwortung unserer Fragen an die Hand gehen können. Es wird also hier die bloße Beobachtung ihrer Zustände und die Erforschung derselben durch Andere, die uns von ihrem vorhergegangenen und jetzigen Leben Auskunft geben können, doppelte Pflicht. Ihre ehemaligen Gesundheitsumstände, ihre vor ihrem jetzigen Zustande geführte Lebensart, die Geschichte ihrer Ausbildung oder vielmehr Verbildung, ihre gehabten Schicksale, ihre frühern und spätern Verhältnisse in Beziehung auf andere Personen, auf den Staat, auf bürgerlichen Wohlstand, ihre ganze Denk- Gefühls- und Handlungsweise vor ihrem jetzigen Zustande, die ersten Spuren ihres jetzigen Uebels und die Veranlassungen dazu, die bleibende oder wechselnde, dauernde oder unterbrochene Erscheinungsweise dieses Uebels, die Art und den Grad desselben betreffend: alles dieß sind Momente, über welche uns nur die treue Relation Anderer Auskunft geben kann, und welche uns um so genauer über die Krankheiten dieser Individuen unterrichten werden, je vollständiger uns die verlangten Data als unmittelbare oder mittelbare Zeichen solcher Krankheiten angegeben werden. Wir selbst müssen diese Kranken zu den verschiedensten Zeiten, in den verschiedensten Zuständen und Beziehungen beobachten. Ihr Wachen wie ihr Schlaf, ihre Ruhe und ihre Bewegungen, ihre physischen und psychischen Verrichtungen, ihr Verhalten gegen sich selbst und Andere, die Folgen unseres physisch- und psychisch-ärztlichen Einwirkens auf sie, alles dieß muß uns mit Zeichen zur gründlichen Erkenntniß ihrer Uebel versehen. Hiezu kommt nun noch die Beobachtung und Untersuchung ihrer Conformation, besonders der des Kopfes, ihrer Physiognomie, hauptsächlich ihres Blicks und der angewöhnten oder durch die Krankheit gebildeten Gesichtszüge, ihres Temperaments, durch Alter, Geschlecht und Krankheit modifizirt; kurz: aller ihrer charakteristischen Eigenheiten. Alles dieß zusammengenommen gibt die Zeichen der Seelenkrankheiten her, die, wenn sie gehörig aufgesucht werden, uns, trotz der natürlichen Dunkelheit dieser Zustände, dennoch hinlängliches Licht über dieselben geben.

§. 49.

Und dieß ist denn der Inbegriff dessen, was die Kunst des Semiotikers ausmacht, um durch sich selbst am Krankenbette zur Erkenntniß der Zeichen zu gelangen. Daß Wahrheitsliebe, Forschungstrieb, Beobachtungsgeist, Combinations- und Unterscheidungsvermögen im hohen Grade erforderlich sey, wenn der Arzt mit Glück die Zeichen der kranken Zustände erforschen will, ergibt sich von selbst. Der Verlauf der Zeiten hat uns diese Kunst durch die allmählich gesammelte und geordnete Wissenschaft erleichtert. Allein beyde, eigene Erfahrung und Wissenschaft bedürfen einer besondern Sichtung und Würdigung in ihren verschiedenen Beziehungen, wenn sie für das Heilgeschäft selbst unmittelbar von ersprießlichen Folgen seyn sollen. Wir erinnern hierüber noch das Nöthige.

§. 50.

Wiewohl früherhin gesagt worden ist, daß die mannigfaltigen Beziehungen der Zeichen keinen Unterschied in der Anordnung der Zeichenlehre selbst begründen können (§. 10. 19.) und daß die gesammten Zeichen, in Hinsicht auf jene Beziehungen, von gleichem absolutem Werthe sind (§. 19.): so folgt hieraus doch nicht, daß es überhaupt keinen Unterschied unter den Zeichen und keinen relativ verschiedenen Werth derselben gebe. Beyde aber, sowohl den Unterschied als den Werth der Zeichen, stellt nur der Standpunkt und die Betrachtungsweise des Arztes fest, nicht die Natur selbst. In der Natur sind alle Zeichen von gleicher Bedeutung und gleichem Werthe, denn alle drükken einen und denselben Zustand, nehmlich Krankheit, aus, und alle gehören dem Organismus an, und entspringen aus seiner sich selbst mannigfaltig bedingenden Natur. Der Arzt aber steht zu dieser Natur des Organismus (des ganzen Menschen) in einem doppelten Verhältniß. Das eine bezieht sich auf die Richtung, das andere auf die Gewißheit seiner Erkenntniß. In ersterer Hinsicht gibt es für Ihn wesentliche (pathognomonische) und zufällige, eigene und gemeinschaftliche, einfache und zusammengesetzte, ordentliche, außerordentliche, periodische, active und passive, Zeichen der Krankheit, des Symptoms, der Ursache; anamnestische, diagnostische (und zwar der Roheit, Kochung und Krisen), prognostische; und unter den letztern: heilsame, schädliche, gefährliche, tödliche; endlich Zeichen körperlicher und psychischer Krankheiten, Zeichen der Functionen, der Ausleerungen, der äußerlichen Körperbeschaffenheit. Alle diese Unterschiede sind theils schon erklärt, theils bedürfen sie keiner Erklärung, und einige andere, die man noch gemacht hat, sind so nichtsbedeutend, daß sie gar nicht erwähnt zu werden brauchen. In der zweyten Hinsicht gibt es wahre oder falsche, muthmaßliche, gewisse und ungewisse, vollständige und unvollständige. Zuerst ein Wort über die Würdigung jener erstern Unterschiede.

§. 51.

Wiefern die Erkenntniß der Krankheit dem Arzte nur in einer Reihe von Aufschlüssen zukommen kann, muß er zuerst diejenigen Zeichen aufzufassen suchen, welche jene Reihe begründen, und dann erst diejenigen verfolgen, welche seinen Begriff der Krankheit zweckmäßig erweitern und befestigen. Er muß also zuerst die pathognomonischen Zeichen aufsuchen, welche aus der Vereinigung der diagnostischen, wiefern sie vor der Hand blos allgemeinen semiotischen Werth haben, ferner der anamnestischen, unter welche die des Alters, Geschlechts, Temperaments, der Erziehung, Gewohnheit, Lebensart, Diät, Idiosyncrasie u. s. w. gehören, hervorgehen. Dabey müssen diese sämtlichen Zeichen nach ihrer Allgemeinheit, Besonderheit und Individualität gewürdigt werden; ihr Werth für den Arzt steigt, je mehr sie sich den letztern nähern. Bald nähern sich die Zeichen der gestörten Functionen, bald die der widernatürlichen Beschaffenheit der Ausleerungen, bald die der äußerlichen Körperbeschaffenheit diesem Punkte mehr, je nachdem die Fälle verschieden sind. Höchste Individualisirung der Krankheit ist immer das Ziel, nach dem die Zeichenlehre hinstrebt. Die prognostischen Zeichen erhalten erst von den anamnestischen und diagnostischen ihre Bedeutung und Gewißheit, werden aber selbst oft erst aus den außerwesentlichen, symptomatischen und in Verlauf eintretenden (epigenomenis) gebildet.

§. 52.

Die Sichtung und Würdigung der wahren und falschen, muthmaßlichen, gewissen und ungewissen, vollständigen und unvollständigen Zeichen wird in einer guten Zeichenlehre als geschehen vorausgesetzt, und unsere neuern Compendien von Gruner, Danz, Sprengel, Weber u. s. w. haben in dieser Hinsicht ausgezeichnetes Verdienst. Wie aber der Arzt selbst theils bey seinem Studium der Quellen, (der frühern Aerzte), theils bey seinen eigenen Forschungen am Krankenbette zu Werke gehen müsse, um sich auf keine Weise täuschen zu lassen, und die Hindernisse, die sich einer richtigen Zeichenauffindung entgegen stellen, zu besiegen: darüber haben namentlich Gruner und Sprengel in den Einleitungen zu ihren Lehrbüchern der Semiotik solche vortreffliche Bemerkungen gemacht, daß sich hierüber nichts neues mehr und nichts besseres sagen läßt. Daher zum Schluß über diesen Punkt nur noch einige Andeutungen nach Anleitung unsers Verfassers, theils im Allgemeinen, (Danz §. 8. 10. 12. 14. 42.) theils besondere Cautelen, die speciellen semiotischen Untersuchungen betreffend. (§. 55. 77. 93. 98. 141. 164. 195. 207.)

§. 53.

Furcht, falsche Scham, Unwissenheit, Vorurtheile, Täuschung, ja Verstellung und Bosheit von Seiten des Kranken und derer, die ihn umgeben, Uebereilung, Leichtgläubigkeit, Vorurtheil, Mangel an Aufmerksamkeit oder gar Dünkel von Seiten des Arztes sind häufige Quellen von Falschheit und Trüglichkeit, von Unsicherheit, Oberflächlichkeit und Unvollständigkeit der aufgesammelten Zeichen. Gegen die erstern Arten sichert den Arzt mildes, freundschaftliches, theilnehmendes, Verschwiegenheit und Redlichkeit versprechendes Betragen, genaue und durchdringende Menschenkenntniß, gewandtes, festes und imponirendes Wesen. Gegen die letztern, bey welchen die Schuld ganz allein auf ihn selbst fällt: Ruhe des Charakters, männlicher Verstand, ernste Besonnenheit, Kenntniß der schwachen Seiten unserer, wie aller menschlichen Wissenschaft und Kunst, und bescheidenes Mißtrauen gegen eigene Kräfte und Einsichten. Uebrigens gehört die Zeichenlehre überhaupt noch nicht zu den vollendeten Wissenschaften. Und welche Wissenschaft ist vollendet? Deßhalb ist sehr zu beherzigen was Gruner am Schlusse seiner Einleitung in die Zeichenlehre sagt. „Es gibt in der Zeichenlehre noch manche Unvollkommenheiten, Mängel und Lücken. Sorgfältige Auffammlung der Zeichen aus treuen Beobachtern der gereizten und agirenden Natur, systematische Ordnung des Gefundenen, behutsame Bestimmung des Ungewissen durch das Gewisse und Analoge, Verbesserung des Fehlerhaften durch das Richtige, Ersatz des Fehlenden durch Selbstbeobachtung, Bestimmtheit durch Thatsätze und durch Vergleichung der daraus gezogenen Resultate, sind die einzigen Mittel zur Vervollkommung der allgemeinen, besondern und individuellen Zeichenlehre."

§. 54.

Der Arzt kann sich bey Untersuchung des Pulses, des Athemholens, der Hitze des Kranken, der Stimme und Sprache, des Auswurfs, des Urins, der Kräfte u. s. w. leicht täuschen, wenn er nicht vorsichtig zu Werke geht. Zu Vermeidung solcher Täuschungen dienen folgende Regeln:

1) Ueber den Puls. (Danz §. 56.) Unser Gefühl in den Fingerspitzen muß fein, geübt, daher letztere nicht callös seyn. Unsere Hände müssen weder zu kalt noch zu warm seyn. Daher untersuche man nicht gleich bey dem Eintritte in das Zimmer des Kranken den Puls; denn

überdieß sind auch dann gewöhnlich, besonders bey furchtsamen Patienten, die über die Gegenwart des Arztes beunruhigt sind, die Pulsschläge verändert. Der Arm des Kranken muß frey liegen, und nicht gedrückt seyn. Zuweilen ist der Puls an beyden Armen verschieden (z. B. bey dem Seitenstich, Schlagfluß u. s. w.) und man muß ihn daher an beyden untersuchen. Zuweilen liegt die Speichearterie, an welcher man gewöhnlich den Puls untersucht, zu tief: dann muß man eine andere, als: die Ellenbogenarterie, die Carotis am Halse, die Schläfenarterie, die über den Rand des Unterkiefers laufende Antlitzarterie, oder das Herz, zur Untersuchung wählen. Während wir den Puls untersuchen, muß der Kranke sich ruhig verhalten. Wir müssen uns vorher erkundigen, ob er kurz vorher gegessen, geschlafen habe, von einem Affect gereizt worden sey. Ueberhaupt müssen wir nicht vergessen, daß Alter, Geschlecht, Temperament, Clima, Jahreszeit, Tageszeiten, Größe und Kleinheit des Körpers, Leidenschaften, Affecten großen Einfluß auf den Puls haben. Auch müssen wir uns erinnern, daß manche Arzneyen den Puls verändern: z. B. Queckfilber, Elektricität, die ihn häufiger, Opium, rother Fingerhut, die ihn, in größern Gaben, seltener machen. Wenn der Kranke liegt, so ist der Puls um einige Schläge seltener, als wenn er steht. Wir müssen nicht zu flüchtig untersuchen, sondern wenigstens 30 bis 40 Schläge abwarten. Wir müssen auf die Zeit der Krankheit Rücksicht nehmen. So ist manchmal ein sonst übler Puls im Anfange der Krankheit nicht so bedenklich, als wenn er im Fortgange derselben erscheint. Vor Krisen sind oft Pulsarten, die sonst die größte Gefahr andeuten, nicht bedenklich. Der Puls wird von Würmern, Krämpfen, wie bey Hysterischen, Hypochondrischen, oft schnell abgeändert, ohne Gefahr. Der Puls allein darf uns nie zum Urtheilen bestimmen.

2. Ueber das Athemholen. (Danz §. 77.) Zuerst ist der Bau der Brust zu untersuchen, und zu erforschen wie der Kranke in gesunden Tagen athmete, ob er von jeher engbrüstig war u s. w. Dann müssen wir auf Alter, Temperament, Jahreszeit, Leidenschaften u. s. f. Rücksicht nehmen; ferner: ob der Kranke liegt, sitzt, oder steht, und wie; ob er kurz zuvor gegessen, viel getrunken habe, herumgegangen sey; ob er lange keine Oeffnung gehabt habe; u s. w. Bey einem Schlafenden ist das Athemholen weit kleiner; er thut weit seltener einen Athemzug als ein Wachender, ungeachtet er die Rippen weit höher als dieser hebt, weil das Zwerchfell, wegen der Lage des Körpers während des Schlafs, nicht so gut nach unterwärts steigen kann. Ferner muß man beobachten, ob dieselbe Art des Athemholens fortdauernd ist oder nicht, um sich nicht in seinen Schlüssen zu übereilen. Heilsamen Krisen geht öfters ein sehr widernatürliches Athemholen voraus. Ueberhaupt muß man auf die Ursachen der Veränderung in dem Athemholen sehen. Die Abweichung vom natürlichen Athemholen bey Krämpfen hysterischer, hypochondrischer Personen ist weniger gefährlich, als wenn sie von andern Ursachen bey andern Kranken sich findet. Endlich muß man auch nicht vergessen zu untersuchen, ob das widernatürliche Athmen von verdorbener Luft, von dicken Federbetten u. s. w. herrühre.

3. Ueber die Hitze der Kranken. (Danz §. 93.) Bey der Beurtheilung derselben müssen wir immer Rücksicht nehmen, ob sie nicht durch äußerliche Wärme, warme Stuben, Arzneyen, Getränke, Bewegung, Leidenschaft u s. w. entstanden ist? Wir müssen uns dabey nicht blos auf die Aussage des Kranken verlassen, sondern die Haut des Kranken selbst untersuchen, und noch überdieß auf die Respiration, den Puls, die Trockenheit

des Mundes, den Durst, die Farbe des Gesichts u. s. w. sehen, wenn wir in unserm Urtheile nicht irren wollen.

4. Ueber Stimme und Sprache der Kranken. (Danz §. 98.) Wir schließen aus der veränderten Stimme und Sprache in Krankheiten auf die Beschaffenheit der Luftröhre und ihres Kopfs, der Lungen, der Respiration, der Naturkräfte und der inneren Sinne. Um uns aber in unserm Urtheile nicht zu irren, müssen wir die Stimme des Kranken in gesunden Tagen kennen, und untersuchen, ob sie nicht aus Angewohnheit, aus Unmuth, Kummer, Sorgen, Affekt u. s. w. widernatürlich sey; ob nicht die eintretende Mannbarkeit an Veränderung der Stimme Ursache ist.

5. Ueber die Ausleerungen durch den After. (Danz §. 141.) Wir müssen Acht haben, ob nicht etwa der widernatürliche Geruch und die widernatürliche Farbe der Excremente von Arzneyen oder Speisen herrührt. So werden die Excremente von Safran, Rhabarber, Gummi Gutt gelb, von Spinat und andern grünen Gemüßen grün, vom Eisen von schwarzem Obste schwarz gefärbt, erhalten vom Schwefel einen äußerst stinkenden Geruch. Bey starken Weintrinkern sind sie ungewöhnlich dunkel gefärbt und stinken mehr.

6. Ueber das (künstlich) ausgeleerte Blut. (Danz §. 154.) Wenn wir uns bey den Zeichen, die wir von der Beschaffenheit des Bluts hernehmen, nicht ganz irren wollen, so müssen wir dabey immer auf das Clima, die Jahreszeit, die Beschaffenheit der Luft, auf das Alter, die Nahrung, das Temperament, die Lebensart, Leidenschaften, Zeit der Krankheit, auf die Arzneymittel, Aderöffnung, Menge des weggelassenen Bluts, Größe des Gefäßes, in das es fließt, Rücksicht nehmen. Alle diese Nebendinge können das Blut mannigfaltig verändern.

7. Ueber Erkenntniß des Eiters. (Danz, §. 165.) Oefters werden vorausgegangene Entzündungen und ihr Uebergang in Eiterung verkannt, entweder aus Unachtsamkeit des Kranken oder des Arztes, oder wegen Unempfindlichkeit der entzündeten Theile, obgleich eine Ausleerung einer Eiter-ähnlichen Feuchtigkeit erfolgt. Hier ist es oft sehr schwer, wahres Eiter von andern Flüssigkeiten zu unterscheiden, besonders wenn es mit diesen vermischt ist, z. B. mit Schleim, der vorzüglich die Gestalt eines wahren Eiters zuweilen annimmt; denn die weißgelbliche Farbe, die meistens dem Eiter eigen ist, beweist hier nichts. Alle Zeichen aber, an denen man das Eiter erkennen soll, sind trüglich. Am besten hilft noch das Grasmeyersche Mittel aus. Nehmlich nach diesem ist wahres Eiter das, welches, mit Wasser verdünnt, und dann mit etwas Oleum tartari per deliquium vermischt, eine Gallert bildet, die sich so lang ziehen läßt als Eyweiß; da hingegen alle andere Feuchtigkeiten, auf solche Art behandelt, nicht nur keine Gallert bilden, sondern immer einen Bodensatz machen, über welchem das Wasser, welches mit dem Laugensalze geschwängert ist, klar steht. Ein gutes, wahres Eiter liefert eine zähe und reine Gallert, ein schlechtes hingegen eine schwache und mit vielen undurchsichtigen Fasern verunreinigte.

8. Ueber den Urin. (Danz §. 195.) Wenn wir uns in der Vorhersagung aus dem Harne nicht ganz irren wollen, so müssen wir uns erinnern, erstlich: daß er schon bey Gesunden, und vielmehr noch bey Kranken, sehr verschieden ist nach Alter, Geschlecht, Temperament, Lebensart, Leidenschaften. Ferner: daß manche Speisen oder gebrauchte Arzneyen ihn mannigfaltig verändern. Spargel macht den Urin stinkend, Terpentin gibt ihm einen Violengeruch, Safran und Rhabarber färben ihn

mehr oder weniger gelb, Cassien-Mark macht ihn braun, bisweilen auch schwarz u. s. w. Gleich nach dem Essen und dem Genusse des Getränks ist der Urin am hellsten (urina potus), und fünf bis sechs Stunden nach dem Essen ist er gelber und schärfer, (urina sanguinis.) Nur den letztern muß man in Krankheiten beobachten, hauptsächlich den, der des Morgens nach dem Erwachen gelassen worden ist. Einen Harn, dessen kritische Beschaffenheit man beobachten will, muß man allemal kurz vor der Remission, oder kurz nach dem Anfalle betrachten, weil er kurz vor oder in der Exacerbation wieder roth ist. Der Harn muß sich in einem weißen Glase befinden, ruhig in einer nicht zu starken Hitze oder Kälte stehen, und nicht über sechs bis acht Stunden alt seyn. In höchst verschiedenen Krankheiten, wie in hitzigen Fiebern und im Scorbut ist er oft sich gleich; in manchen Krankheiten beweist er gar nichts: z. B. im Fleckfieber, bey Krankheiten der festen Theile, bey örtlichen Krankheiten. Ueberhaupt ist das auf den Harn gebaute Urtheil sehr trüglich, weil er durch äußere zufällige Ursachen so sehr verändert werden kann, daß er den Zustand des Kranken gar nicht entdeckt; weil uns die übrigen Zeichen einer Krankheit, wenn sie gut sind, alles Gute hoffen lassen, wenn gleich der Harn schlimm ist; weil ein Harn, der nicht schlimm ist, nicht hindert, daß die Gefahr sehr groß sey, wenn die übrigen Zeichen schlimm sind. Hauptsächlich kann man in Fiebern, wo die ersten Wege besonders leiden, auf den Harn nur wenig bauen.

9. Ueber die Kräfte. (Danz §. 206. 207.) Das Urtheil darüber in Krankheiten ist äußerst schwierig. Oft erholt sich ein ganz erschöpfter Kranker geschwind wieder, ein andermal stirbt uns ein Kranker

in den Armen, den wir noch für stark halten. Wir müssen hiebey Rücksicht nehmen auf Alter, Geschlecht, Temperament, Leibesbeschaffenheit, Lebensart, vorhergegangene Krankheiten; auf die Natur, die Eigenheiten der gegenwärtigen Krankheit und ihre Zeitpunkte; auf die Theile, welche die Krankheit besonders befällt; auf die Ursachen, welche Kraftlosigkeit hervorgebracht haben; endlich überhaupt auf den Unterschied zwischen Ermüdung, Unterdrückung, und Erschöpfung der Kräfte.

Erster Theil.

Von den

Zeichen der körperlichen krankhaften Beschaffenheiten.

Erster Abschnitt.

Zeichen körperlich-krankhafter Zustände an dem objectiven Organismus, (Körper).

Erstes Kapitel.

Zeichen an dem Organismus, wiefern er Körper überhaupt oder bloßes Gebild ist.

§. 55.

Der menschliche Organismus theilt mit allen Naturkörpern gewisse Eigenschaften, als: Volumen, Cohärenz, Farbe, Temperatur, Geruch, Schwere, u. s. w., welche im kranken Zustande anders, als im gesunden, beschaffen sind, und aus welchen wir mancherley Zeichen für verschiedene krankhafte Beziehungen wahrnehmen können. Es offenbaren sich diese Zeichen unmittelbar und zunächst den Sinnen, und können, je nachdem man sie mit dem einen oder andern Sinne auffaßt, nach Maßgabe dieser unter besondere Rubriken gebracht werden.

I.

Durch das Gesicht wahrnehmbare rein körperliche Zeichen.

A. Umfang und Größe des Körpers und seiner Theile.

§. 56.

Der Umfang oder das Volumen des menschlichen Körpers als eines Ganzen organischer Gebilde, ist,

E

als das Product der plastischen Thätigkeiten, ein Zeuge wie ihrer gesunden, so auch ihrer mehr oder weniger krankhaften Beschaffenheit. Je weniger das Volumen des Körpers in Krankheiten von dem gesunden Zustande abweicht, desto unbedeutender sind diese in der Regel. Allein schon außer dem Krankheitszustande ist allzugroße Fettigkeit oder Magerkeit kein gutes Zeichen, um so mehr, je schneller sich eine oder die andere dieser Beschaffenheiten einfindet. Beyde deuten zunächst auf ein gestörtes Gleichgewicht der exhalirenden und resorbirenden Gefäßsysteme, so daß bey der Fettigkeit die Exhalation verstärkt und die Resorbtion verringert ist, bey der Magerkeit aber umgekehrt; welchen Störungen bedeutende Fehler der Organe so wohl zum Grunde liegen, als auch folgen können.

§. 57.

Allzuschnelles, übermäßiges Fettwerden ist ein Zeichen von Schwäche und Unthätigkeit der Organe, von Infarcten im Unterleibe, von Anlage zu Hämorrhoiden, Gicht, Wassersucht, Schlagflüssen, Steckflüssen. Wenn solche Personen in schwere Krankheiten verfallen, so gerathen sie in größere Gefahr als Andere. (Danz §. 370.) Junge Leute, die zu früh fett werden, erreichen oft kein hohes Alter. Bey Hypochondristen ist die schnelle Zunahme des körperlichen Umfangs ein Zeichen der Hartnäckigkeit ihres Uebels. Wenn mit dieser Zunahme beschwerliche Verdauung, Verstopfung des Leibes, häufige Erzeugung von Blähungen verbunden ist, verkündigt sie Anfälle von Gicht oder Hämorrhoiden. Schwammichte Dicke des Unterleibes bey Männern mit Bläße des Gesichts ist ein Zeichen vom Uebermaß des Geschlechtsgenusses und daraus entstandener Schwäche; bey Trinkern, Zeichen herannahender Wassersucht, bey Frauenzimmern, Zeichen gestörter Menstruation. Fieber, Wunden,

Geschwüre, welche aufgedunsene, schwammichte Körper befallen, sind meist hartnäckig, schwer zu heilen; zuweilen werden sie aber auch Heilmittel einer solchen Leibesbeschaffenheit. (Danz §. 373.)

§. 58.

Gleichmäßige Zunahme des Körpers nach Krankheiten hingegen, mit Ungestörtheit der übrigen Verrichtungen, ist ein sicheres Zeichen völliger Genesung. So ist es auch ein Zeichen der Genesung bey melancholischen Kranken, wenn sie anfangen fett zu werden. (Haslam.)

§. 59.

Die Anschwellung des ganzen Körpers oder einzelner Theile ist von dem Fettwerden sehr unterschieden, und allezeit ein Zeichen von mehr oder weniger widernatürlichen, mehr oder weniger bedenklichen Zuständen des körperlichen Organismus. Manchen Krankheiten, (Danz §. 373.) wie Blattern, Masern, Scharlach, Röthlauf, ist es eigen, daß dabey der ganze Körper oder einzelne Theile anschwellen, und man rechnet es unter die ungünstigen Zeichen, wenn dieß nicht geschieht oder wenn die Geschwulst plötzlich verschwindet; dahingegen das Aufschwellen des Körpers nach diesen Krankheiten, und als Folge derselben, eine üble Erscheinung ist. Aufschwellen des ganzen Leibes oder einzelner Theile in faulichten Krankheiten ist ein böses, gefährliches Zeichen, und deutet auf große Schwäche der festen Theile, Auflösung, Verderbniß der flüssigen, gestörte Verrichtung des Saugadersystems. Dieselbe ist auch bey chronischen Krankheiten gestört, wo sich allgemeine oder partielle Aufschwellungen einfinden: diese deuten auf Verstopfung oder Vereiterung einzelner Eingeweide, besonders des Unterleibes. Ist die Geschwulst an einem äußern Theile metastatisch, werden dadurch innere Organe von einem Krankheitsstoffe befreyt,

E 2

so ist sie heilsam. Verschwinden aber metastatische Geschwülste wieder, ohne zu eitern, und ohne daß durch einen andern Ausleerungsweg der Krankheitsstoff entfernt wird, so sind Rückfälle der Krankheit oder neue Angriffe innerer Organe, und mit ihnen innere Vereiterungen, Abzehrungen, oder ein apoplektischer Tod zu fürchten.

§. 60.

Auschwellung des ganzen Kopfes unter den Kopfbedeckungen ist ein Zeichen des äußern Wasserkopfs, und deutet auf vorausgegangene äußere Gewaltthätigkeiten, oder zurückgetriebene Hautausschläge, oder venerisches Gift, oder auch auf inneren Wasserkopf. Aufgeschwollenes Gesicht ist ein charakteristisches Zeichen der Brustwassersucht. Bey Schwindsüchtigen, Wassersüchtigen verkündigt es meist den nahen Tod. Ein aufgetriebenes, rothes Gesicht, wenn es nicht Symptom von exanthematischen Krankheiten ist, wo es als ein gutes Zeichen gilt, zeigt Andrang des Blutes nach dem Kopfe und Stockung desselben an, und geht Rasereyen, Schlagflüssen voraus. Hingegen ein blasses aufgetriebenes Gesicht zeigt Schwäche der festen Theile, üble Beschaffenheit der flüssigen, Infarctus im Unterleibe an, und ist ein ungünstiges Zeichen sowohl in hitzigen als chronischen Krankheiten. Bey Kindern deutet es oft auf Würmer. Bey schlafsüchtigen Kranken geht es dem Tode voraus. Geschwulst der obern Augenlieder nach hitzigen Krankheiten, wenn sie nicht von einem langen Schlafe herrührt und während des Wachens wieder verschwindet, kündigt manchmal Rückfälle an. (Danz §. 373.) Geschwulst der Augenlieder, bey Augenentzündungen neugeborner Kinder, deutet auf scrophulöse Beschaffenheit; in den Blattern, mit eingefallenem Antlitz, ist sie bedenklich; bey Alten deutet sie auf Neigung zum Schlagfluß oder ist ein anamnestisches Zeichen desselben und verkündiget Lähmungen. Eine laxe Geschwulst um die Augen herum mit Blässe des Gesichts deutet auf schwache, cachektische Beschaffenheit des Körpers, auf Krämpfe oder schleimichte Infarctus im Unterleibe. In hitzigen Krankheiten verkündigt sie zuweilen Schlafsucht und nach dem Scharlachfieber das so gefährliche Aufschwellen des Körpers. (Danz §. 262.) Anschwellung der Augäpfel, wobey sie gleichsam aus der Augenhöhle herausgetrieben sind, zeigt großen Andrang des Bluts nach dem Kopfe, Convulsionen, Raserey, den Tod in hitzigen Krankheiten, besonders bey Hirn- und Brustentzündungen, bey der Bräune, an. (Danz §. 267.) Geschwulst oder Aufgetriebenheit der Nase und Oberlippe ist ein Zeichen scrophulöser Beschaffenheit. Geschwulst beyder Lippen mit Corrosion des Oberhäutchens und kleinen lymphatischen Geschwüren ist ein Zeichen der Mundfäule und eines kranken Lymphsystems. Aufschwellen der Lippen bey intermittirenden und hitzigen Fiebern ist oft ein Zeichen der Besserung. Starkes Aufschwellen der Zunge (Danz §. 400.) ist in Krankheiten kein gutes Zeichen, wenn nicht eine Krisis durch Eiterung darauf erfolgt. Sehr gefährlich ist dieser Zufall bey der Bräune, wo die Kranken leicht ersticken, und meist tödtlich, wenn sie dabey schwarz aussieht, oder wenn die Geschwulst sehr schnell verschwindet. Beym Zahnen, bey Blattern, bey Schwämmchen, bey Hysterischen, wo es von Krämpfen herrührt, hat es, wenn keine übeln Zufälle zugegen sind, weniger zu sagen. Eine aufgeschwollene, trockne Zunge, mit Stammeln, geht Delirien voraus. (Danz §. 400.) Geschwulst des Zahnfleisches bey Kindern ist oft ein Zeichen des beschwerlichen Zahnens und des gehinderten Ausbruchs der Zähne. Laxes, aufgeschwollenes, blasses Zahnfleisch bey Erwachsenen zeigt

Laxität der festen Theile und Mangel an gesundem Blute an. Geschwulst des Rachens ist ein Zeichen der Bräune und der Scharlachkrankheit; wenn sie den ganzen Rachen einnimmt, deutet sie auf nahe Erstickung. Geschwulst des Zapfens ist der falschen Bräune eigen. (Gruner.) Aeußere Geschwulst des Halses mit Röthe, in der Bräune, und überhaupt wenn der Kranke beschwerlich Athem schöpft und nicht schlucken kann, ist ein gutes Zeichen, wenn dabey diese Symptome verschwinden. (Hippocrat. Aph. VI. 37.) Dauert aber das beschwerliche Athmen und Schlucken dabey fort, so ist es ein Zeichen von gleichzeitigem äußern und innern Leiden, und der Kranke ist in Gefahr. Verschwindet die äußere Geschwulst plötzlich, so sind Metastasen auf edle Theile zu fürchten. (Danz §. 406.) Eine kleine begrenzte Geschwulst zu beyden Seiten des Kehlkopfs ist in der Bräune ein schlimmes Zeichen, indem es den heftigsten Grad der Entzündung und des gehinderten Athmens anzeigt. (Sprengel.) Geschwulst der äußern Drosselvene ist ein Zeichen der anfangenden Lungensucht. (Portal.) Harte Geschwulst der Lymphdrüsen am Halse bey Kindern, ist ein Zeichen tief eingewurzelter Skrophelkrankheit, und deutet oft auf Atrophie und Abzehrung. Schlaffe äußere Geschwulst des Halses unter dem Kehlkopf oder zu beyden Seiten desselben (wahrer und falscher Kropf) deutet auf Fehler des Lymphsystems und auf Infarcten im Unterleibe. Anschwellung der Präcordien, in Fiebern, ohne Schmerzen, deutet auf turgescirende, zur Ausführung geschickte Unreinigkeiten der ersten Wege, (Hippocr. Aph. IV. 73. Coac. 291.) mit Schmerzen hingegen auf reizende Schärfe im Magen, im obern Theile des Darmkanals, auf Entzündung der in den Präcordien liegenden Eingeweide, oft auch nur auf Blähungen, die von Krämpfen zurückgehalten werden, bey hartnäckigen Leibesverstopfungen oder Bauchflüssen aber, wozu sich noch Ekel, Brechen, Schluchzen, Ohnmachten gesellen, ist sie oft ein tödtliches Zeichen (Danz §. 409.). Im fieberlosen Zustande ist sie ein Zeichen entweder von Rhevmatismus in den Bauchmuskelsehnen, oder von Magenverhärtung, oder von Wasseransammlungen in der Duplicatur des Netzes. **Geschwulst der rechten Seite unter den kurzen Rippen** deutet auf Leberverstopfung, und, mit Fieber und einer Empfindung von Schwere, auf Leberentzündung. (Danz §. 409.) **Geschwulst des ganzen Unterleibes**, in hitzigen Krankheiten, (meteorismus) wenn sie schmerzlos, mit Blähungen, Borborygmen begleitet ist, ist blos ein Zeichen angehäufter Unreinigkeiten im Darmkanal, und verkündigt besonders im gallichten Seitenstiche nahe Entscheidung durch einen Durchfall. Ist sie aber schmerzhaft, mit äußerster Empfindlichkeit und Hitze des Unterleibes, mit Unterdrückung des Harns verbunden, so ist sie ein Zeichen von Entzündungen im Unterleibe: des Darmfells im Kindbetterinnenfieber, der Gedärme bey Ruhren. Je härter, aufgetriebener, schmerzhafter der Unterleib in diesen Fällen ist, desto größer ist die Gefahr. Gänzliche Unempfindlichkeit bey dem Meteorismus in Fiebern kündigt Lähmung der Gedärme und den Tod an. In chronischen Krankheiten ist die allgemeine Anschwellung des Unterleibes, wenn sie schmerzhaft ist, ein Zeichen der Blähungskolik oder auch der Hämorrhoidalkolik; ist sie aber unschmerzhaft, senkt sie sich nach der Seite hin, auf welcher der Kranke liegt, sind dabey auch die äußern Gliedmaßen angeschwollen, ein Zeichen der freyen Bauchwassersucht. Partielle schmerzlose, nachgebende Auftreibung des Unterleibes ist ein Zeichen der Sackwassersucht, und zwar der Eyerstöcke, wenn sie sich über dem Kamme des Darmbeines, der Gebärmutter, wenn sie sich in der Gegend derselben befindet.

Vermehrtes Volumen des Unterleibes an einzelnen Stellen, mit Härte, welche bey horizontaler Lage des Kranken am besten fühlbar ist, deutet auf Verstopfungen und Verhärtung der Eingeweide: der Leber, Milz, der Gekrösdrüsen, des Uterus u. s. w. Geschwollner Unterleib nach überstandenen Krankheiten verräth Infarctus, und läßt Wassersucht, Abzehrung, befürchten. (Danz §. 374.) Geschwulst des Rückens, in der Gegend der Lendenwirbelbeine, bey Kindern, mit Lähmung der Extremitäten begleitet, ist ein Zeichen der Rückenspalte (hydrorhachitis); Austreibung der Gegend des Heiligenbeins und des Kamms vom Darmbein, ebenfalls mit Beschwerden beym Gehen und mit Zehrfieber verknüpft, deutet auf Lendenabscesse. Oedematöse Geschwulst des Hodensacks, die in hitzigen Fiebern sich plötzlich und unvermuthet einfindet, ist meist den zweyten oder dritten Tag tödtlich. (Danz §. 313.) Geschwulst des Hodensacks und der Wasserlefzen bey asthmatischen Beschwerden ist ein Zeichen der Brustwassersucht. Aufgeschwollene Hände und Füße bey Auszehrungen, Wassersuchten, verkündigen meist den nahen Tod. Rührt dieß aber, besonders geschwollene Füße, blos von Schwäche, von einem örtlichen Druck auf die Gefäße (wie bey der Schwangerschaft) her, ohne daß edle Eingeweide angegriffen und verlezt sind, so ist keine Gefahr vorhanden. (Danz §. 375.) Am Ende der Wechselfieber sind sie oft ein gutes Zeichen; doch nach unrichtig geheilten kalten Fiebern schwellen auch meist die Füße an und gehen dann Wassersuchten und andern kachectischen Krankheiten voraus; sie sind ein Zeichen innerer Vereiterungen, Verhärtungen und anderer chronischer Uebel. Bey langwierigem Herzklopfen sind die Geschwülste der Gliedmaßen Zeichen von Anevrismen und polypösen Concretionen. Geschwollene Knöchel sind bedenklich, wenn sie von Kakochymie, Eingeweideverstopfung oder Vertreibung von Fiebern herkommen. Geschwollene Handblätter bey schwächlichen Kindern sind oft ein tödtliches Zeichen.

§. 61.

Abnahme des Volumens. Plötzliches Magerwerden und Abzehren gleich im Anfange oder Fortgange einer Krankheit, gleichsam als wenn der Kranke schon eine sehr lange Zeit darnieder gelegen hätte, deutet auf Schwäche, Erschöpfung der Kräfte, Bösartigkeit der Krankheit und Gefahr. Auch wenn nach sehr schwächenden Ursachen, nach starken Blutflüssen, großen Sorgen, langem Fasten, Nachtwachen, nach schweren hitzigen Krankheiten, besonders nach Brust- und Lungenentzündungen, die sich nicht gehörig entschieden haben, ein sehr abgezehrter Körper sich gar nicht wieder erholen will, so haben wir Recidive, Auszehrung, Lungenschwindsucht u. s. w. zu fürchten. (Danz §. 372.) Bey Alten deutet es auf eintretenden Marasmus, nach Krämpfen und Zuckungen auf bedeutende Schwäche, in langwierigen Krankheiten auf Gefahr und Unheilbarkeit, in passiven mit Typhus begleiteten Entzündungen, dem Kindbetterinnenfieber, bey den Blattern bedeutet plötzliches Zusammenfallen des Körpers den nahen Tod.

§. 62.

Die Magerkeit einzelner Theile ist ein Zeichen bald von besonderer Schwäche, bald von Verstopfungen, Lähmungen bestimmter Organe, bald von widernatürlichen Anhäufungen schädlicher Feuchtigkeiten in einzelnen Höhlen des Körpers. Abmagerung des Antlitzes und der Glieder in der englischen Krankheit ist ein bedenkliches Zeichen, welches auf unheilbare Stockungen in dem Lymphdrüsensystem hindeutet. Ein sehr mageres, eingefallenes Gesicht, gleich im Anfange einer Krankheit, ohne daß sehr schwächende Ursachen vorausgegangen sind, beweiset Bösartigkeit der Krankheit und Gefahr; so auch im Fortgange der Krankheit, wenn es sein natürliches Ansehen gänzlich verliert. Im chronischen Zustande deutet es auf angehende Hektik, bey dem weiblichen Geschlechte auf übermäßige Menstruation, Mutterblutsturz, übermäßige Lochien, im Kindbetterinnenfieber auf innere Entzündung und Brand; auf den letztern überhaupt in entzündlichen Krankheiten. Eingefallene Augen (oculi concavi) zeigen Schwäche und Entkräftung, Mangel an Ernährung, an. Man findet dieses Zeichen daher nach lange ausgestandenem Hunger, nach Sorgen, Kummer, Traurigkeit, Nachtwachen, nach starken Diarrhöen, bey Melancholischen, Auszehrenden. Ist es mit andern übeln Zeichen verbunden, mit einer gänzlichen Entstellung der Gesichtsbildung, so ist meistens der Tod nicht mehr fern. (Hippocr. Coac. 214. Praenot. 4.) Wenn das Auge der gelähmten Seite bey dem Halbschlag austrocknet, so ist wenig Hoffnung zur Genesung vorhanden. (Danz §. 267.). Eingefallene Stirn, Backen und Schläfe in hitzigen Krankheiten deuten auf Gefahr. Spitzige Nase und Kinn, und zusammengezogene eingefallene Nasenflügel, in hitzigen sowohl als chronischen Krankheiten (z. B. bey Schwindsüchtigen) sind Zeichen von Abnahme der Lebenskraft und bevorstehendem Tod. (Hippocr. Coac. 212. Praenot. 2. 3. 4.) Abgemagerter Hals, eingefallene Schultern mit hervorragenden Schulterblättern deuten auf Kacherle, und sind charakteristische Zeichen der Lungenschwindsucht. Zusammengefallene, welke Brüste bey schwangern Frauen deuten auf Schwäche des Uterus, auf schwache oder todte Frucht, bey Nichtschwangern auf bevorstehende Krankheit, bey Auszehrenden auf zunehmende Hektik. Magerwerden des Rückens, besonders Hervorragung der Dornfortsätze der Rückenwirbelbeine, ist ein Zeichen der Rückendörrsucht (tabes dorsalis) (Danz §. 407.) Abmagerung der obern Gliedmaßen ist ein Zeichen von freyer Anhäufung des Wassers in den Höhlen des Körpers. Abmagerung der Gliedmaßen überhaupt, bey Kindern, ist ein Zeichen der Atrophie. Das Schwinden einzelner Glieder ist ein Zeichen vollständiger Lähmungen und innerer organischer Fehler, namentlich des Rückenmarks. Das Zusammenfallen der Handteller und Fußsohlen in hitzigen Krankheiten ist ein Zeichen höchster Schwäche und Erschöpfung.

§. 63.

Das unveränderte Volumen des Körpers in Krankheiten ist ein verdächtiges, ja bedenkliches Zeichen, wenn die Krankheit ihrer Natur nach Verminderung des Volumens mit sich bringt, und andere Zeichen einen höhern Grad der Krankheit kund thun. Die Gefahr pflegt dann um so größer zu seyn, je größer dieser Widerspruch ist. So deutet ein solches sich gleichbleibendes Volumen in Nervenfiebern auf Bösartigkeit. In der Hysterie, Hypochondrie, Melancholie, Epilepsie zeigt es die Hartnäckigkeit dieser Krankheiten an. Bey der Lustseuche, der Schwindsucht ist es ein Zeichen von Schlaffheit und Abspannung der Organe.

§. 64.

Größe des Körpers und seiner Theile. Ein langer und schmächtiger Wuchs sowohl bey männlichen als weiblichen Individuen verräth eine schwächliche Leibesbeschaffenheit. Das allzuschnelle und starke Wachsen des Körpers in die Länge läßt uns Laxität, Unthätigkeit, Schwäche der festen Theile, ungleiche Bewegung und Stockungen der flüssigen vermuthen. (Danz §. 370.)

Solche Personen sind zu Drüsengeschwülsten, mancherlei chronischen Hautausschlägen, passiven Blutflüssen, Blutspeyen bey Jünglingen, unordentlicher Menstruation bey Mädchen, frühzeitig zu Hämorrhoiden, zur Lungensucht geneigt. Dagegen allzulangsames oder zurückgehaltenes Wachsthum läßt in den ersten Lebensjahren Atrophie oder englische Krankheit erwarten, späterhin auf Mangel an Kraft und meistentheils auf Onanie schließen. Im Ganzen aber sind kleine Körper dauerhafter, Krankheiten weniger unterworfen, und überwinden die Krankheiten leichter, als sehr in die Höhe gewachsene Personen. Ueberhaupt muß man den stärksten und vierschrötigsten Körper nicht für den bestbeschaffensten halten. Jene Männer, die in Ansehung ihres Körpers den Weibern etwas gleichen, und jene Weiber, die den Männern gleichen, pflegen gewöhnlich das höchste Alter zu erreichen (Danz §. 369).

§. 65.

Ein übermäßig großer Kopf mit aus einander gewichenen Suturen ist ein Zeichen des innern Wasserkopfs. Ein langer und dünner Hals, mit engem, kurzem Thorax und langen Extremitäten, macht zur Lungenschwindsucht geneigt, so wie ein kurzer, dicker Hals, mit starkem Unterleibe und kurzen Extremitäten, zu Schlagflüssen.

B. Form des Körpers und seiner Theile.

§. 66.

Je harmonischer der Bau des menschlichen Körpers sich zeigt, desto mehr läßt sich im Allgemeinen auch auf richtiges inneres Verhältniß seiner Organe und ihrer Functionen schließen; je mehr aber der Bau des Ganzen und seiner Theile schon äußerlich von dieser Harmonie abweicht, ein desto gewisserer Zeuge ist er von innern Mißverhältnissen und Störungen. **Ein von Natur verkrüppelter Körper** ist ein Zeichen von Schwäche und Mangel an bildender Kraft, von Fehlern in dem Verdauungs- Lymph- und Gefäßsystem, und es läßt sich für einen solchen in der Regel keine lange und kräftige Lebensdauer versprechen. Insbesondere deutet ein solcher Bau auf Anlage oder Vorhandenseyn von scrophulöser Beschaffenheit, auf Deformitäten und Störungen der Brust- und Unterleibs-Eingeweide, auf Neigung zu Hämorrhoidalbeschwerden, Blutspeyen, Asthma, Wassersucht, Abzehrung.

§. 67.

Kleinheit und andere Unvollkommenheiten des Schädels deuten auf unvollkommene und krankhafte Gehirnthätigkeit, auf Blödsinn und psychische Deflexe aller Art, wiefern sie als körperliche Krankheiten anzusehen sind. **Ein Schädel, der oben auf dem Wirbel platt, an den Seiten erhaben, unten eingedrückt ist**, ist ein Zeichen vom Cretinismus. (**Malacarne, Blumenbach, Michaelis, Gautier, Foderé.**) **Ein Schädel, mit zusammengedrücktem Stirn- oder Hinterhauptsbein, oder mit widernatürlichgroßem Stirnbein und zugespitzten Schläfenbeinen, oder mit enger und schmaler Stirn, eingedrückten Schläfen, weitem und geräumigen Hinterkopfe, oder mit fast viereckiger und dicker, oder fast ganz runder und dicker, oder fast ganz runder und kleiner Hirnschale** ist ein Zeichen theils vom Blödsinn, theils von andern Abnormitäten der Gehirnfunctionen in Absicht auf Gedächtniß, Urtheil u. s. w. (**Bonnet, Buchholz, Hildanus, Platner, Greding, Pinel**).

§. 68.

Eine ganz verstellte, verzerrte, durch di Heftigkeit der Krankheit umgeänderte Gesichtsbildung, so daß man den Kranken beynahe nicht mehr kennt, ist ein Zeichen der größten Gefahr und de nahen Todes. In chronischen Krankheiten ist sie ein Zeichen hartnäckiger Geisteszerrüttungen, wiefern sie zu körperlichen Krankheiten geworden sind. Ist das eine Auge größer als andere, so ist dieß eine gefährliche und mei tödtliche Vorbedeutung in hitzigen Krankheiten. (Dan §. 267.) Eine bleibende Verzogenheit de Nase und des Mundes ist ein Zeichen vorhergegangener Schlagflüsse und Lähmungen. (Ein langer dünner Hals, (s. §. 65.) platte, enge Brust mit hervorstehenden Schulterblättern zeigen Anlage zur Schwindsucht an. Eine höckerige Brust mit verschobenem aus- oder einwärts gebogenen Rückgrat läßt Störungen im Kreislauf, in den Verrichtungen der Brust- und Unterleibs-Eingeweide vermuthen. Sogestaltete Personen sind außer den §. 66. angegebenen Uebeln, zu Dispepsie, Magenkrämpfen, Leber- und Hämorrhoidalkoliken, zu Anevrismen und Polypen im Herzen und in den großen Gefässen, zu Brust-Entzündungen und Verwachsungen der entzündet gewesenen Theile, zur Brust- und Herzbeutel-Wassersucht, zu chronischen Schleimhusten, zu Stick- und Schlagfluß geneigt. Ein enges und mißgestaltetes Becken, bey Frauen, zeigt Anlage zu Mutter-Vorfällen und Blutstürzen, zum Abortus und zu schweren Geburten, zu Hämorrhoiden, Magenkrämpfen und mancherley Brustbeschwerden an. Ungestaltete, krumme Extremitäten, mit dicken Knochenenden, bey Kindern, sind Zeichen der Rachitis und der Skropheln, und deuten auf alle die Uebel, welche aus einem fehlerhaften Lymphsystem entspringen, als: Atrophie, Wassersucht, Schwindsucht, u. s. w. Krumme und steife Finger, in der Gicht, mit sogenannten Gichtknoten, sind Zeichen von Ablagerung der Gichtmaterie und meist unheilbarer Krankheit. Gekrümmte Nägel sind ein Zeichen der Eiterbrust (Empyema). (Hippocr. Coac. 402.) und verkündigen bey Schwindsüchtigen den nahen Tod. (Cael. Aurelian. chron. II. 14.) Dicke, gebogene, verunstaltete Nägel sind ein Zeichen des Weichselzopfs. (Danz §. 411).

C. Cohärenz.

§. 69.

Ein wie in eine Fleischmasse zusammengewachsenes Haupthaar ist ein Zeichen des Weichselzopfs. Ausfallen der Kopfhaare nach Krankheiten beweist, daß der Kopf durch Schmerzen, Deliria, sehr viel müsse gelitten haben. Bey Schwindsüchtigen verräth es die höchste Stufe der Krankheit und meist den bevorstehenden Tod. Es ist auch ein Begleiter der schwarzgallichten Leibesbeschaffenheit. (Danz §. 385.) Die Lostrennung und der Abgang einzelner Knochenstücke aus der Nase, der Kinnlade u. s. w. ist ein Zeichen des Knochenfraßes und meistentheils eine Folge syphilitischer Zerstörungen. Das Abfallen ganzer Glieder ist bey einigen Epidemien der Kriebelkrankheit (raphania) in Frankreich beobachtet worden, (Ergot) als eine Folge des durch die Krankheit entstandenen Brandes in einzelnen Theilen. Das Lockerwerden der Zähne, wenn es nicht eine Folge vom Gebrauch der Mercurialmittel ist, ist ein Zeichen des Skorbuts und der Mundfäule. Verdorbene, cariöse Zähne findet man häufig bey Schwelgern, bey solchen, die an Säure leiden, bey Skorbutischen, Venerischen und Gicht-Patienten. Trennung, Losschälung der Oberhaut ist ein Zeichen vorausgegangener Ausschlagskrankheiten, und namentlich den Masern, dem Scharlach eigen, nach welchen sich oft die Oberhaut, besonders an den Extremitäten, in ganzen Stücken ablöset. In Fällen, wo andere Kennzeichen an dem erfolgten Tode Zweifel lassen könnten, ist die Abtrennung der Oberhaut ein sicheres Kennzeichen des Todes und ein Beweis der angehenden Verwesung. Die Verwachsung der Gelenke (Anchylosis) ist ein anamnestisches Zeichen von Rhachitis, Beinfraß, Gicht, Knochenbrüchen, überhaupt mehrerer Verletzungen, deren Darstellung aber nicht an diesen Ort gehört. Die Verwachsung weicher Theile, welche im natürlichen Zustande getrennt sind, ist ein allgemeines und anamnestisches Zeichen vorausgegangener Entzündung. So z. B. die Verwachsung der Augenlieder (anchyloblepharon), die Verwachsung der Regenbogenhaut (Synechia) die Verwachsung der Pupille (Synizesis) u. s. w.

D. Die Farbe des ganzen Körpers und einzelner Theile.

§. 70.

Wenn die Farbe der Haut in Krankheiten natürlich bleibt, oder wenn sie sich auch verändert, dieß aber doch mit der Zeit der Krankheit und den übrigen Zeichen übereinstimmt, so ist dieß ein gutes Zeichen; dahingegen das schnelle Abwechseln und Verändern der Farbe ein Beweis von Krämpfen ist, die entweder die Entscheidung der Krankheit verzögern, oder sie doch in die Länge ziehen. (Danz §. 378.).

§. 71.

Ein blasses Ansehen verräth Schwäche, Laxität der festen Theile, Verdorbenheit der flüssigen, Mangel an gutem Blut, eine schleimige Cacochymie, ein phlegmatisches Temperament, und kündigt, wenn die Farbe sehr ungewöhnlich bleich ist, in Verbindung mit andern übeln Zeichen, in hitzigen Krankheiten, große Gefahr und den nahen Tod an. (Danz §. 379.) Personen von bleichem Ansehen pflegen zu Wassersuchten, Bleichsuchten, geneigt zu seyn, besonders wenn um Augen und Nase herum die Farbe ins Bläuliche fällt. In Fiebern ist die bleiche Farbe ein Zeichen des Hautkrampfes und von Frost begleitet. Wenn sie nach geendigtem Froste verschwindet, ist sie ohne Bedeutung. Bey Fiebern mit Entzündungen innerer Organe und bey Ausschlagsfiebern, besonders bey den Pocken, ist das plötzliche Bleichwerden der Haut ein sehr übles Zeichen, welches auf tödliche Metastasen, Schlagfluß, Brand edler Theile, und überall auf tödtlichen Ausgang deutet. Wenn die bleiche Farbe in hitzigen Krankheiten nicht ein Zeichen von Krampf, sondern von Entkräftung ist, so ist sie, besonders zu Anfange solcher Krankheiten, sehr bedenklich; daher ist sie in der Pest, im gelben amerikanischen Fieber, im bösartigen Lagerfieber, im Verlaufe des schleichenden Nervenfiebers, ein Zeichen von Gefahr. Bey Genesenden hat sie nichts zu bedeuten; verliert sie sich aber nicht durch passende Diät und stärkende Mittel, so deutet sie auf bleibende Schwäche und Nachkrankheiten. Die kreideweiße oder Kalchfarbe bey schwächlichen Frauenzimmern ist ein Zeichen von Fehlern in der Menstruation, vom weissen Flusse, von der Bleichsucht oder der Anlage zu derselben. Dieselbe Farbe, an einzelnen Stellen des Körpers, mit Unempfindlichkeit derselben verbunden, verkündigt den weißen Aussatz. Sie ist den Kakerlaken eigen. Eine bleiche, auf der Oberfläche weiß aussehende Zunge läßt uns entweder auf Unreinigkeiten der ersten Wege, und auf eine schleimichte Cacochymie der Saftmasse schließen, oder die weiße Kruste rührt von der Stärke der Fieberhitze her, wie hauptsäch-

F

lich bey entzündlichen Krankheiten. Auf eine, wie mit Mehl oder Käse, oder Speck überzogene Zunge folgen öfters Ekel, Brechen, anhaltende Diarrhöen, und die Krankheit nimmt manchmal zu und verschlimmert sich. Eine weisse, gleichsam mit Kreide überzogene, bebende Zunge ist bey Pest-Epidemien ein Zeichen der Ansteckung und ein pathognomonisches Zeichen des ersten Zeitraums dieser Krankheit. (Danz §. 399.) Die erdfahle und Bleyfarbe ist mehr den chronischen als den acuten Krankheiten eigen, und deutet am häufigsten auf Stockungen in den Unterleibs-Eingeweiden, besonders ist sie ein Zeichen von Leberverhärtungen. Nach Strack ist sie ein Zeichen der angehenden Bleykolik. In hitzigen Krankheiten zeigt sie sich gewöhnlich nur vor dem Tode. Ein bleyfarbner Ring um die Augen verräth Schwäche, Cachexie, Infarctus im Unterleibe, Krämpfe; daher man ihn bey Hysterischen, Bleichsüchtigen, Hypochondrischen, Melancholischen, Wurmpatienten, bey Onanisten, atrophischen Kindern findet. Man bemerkt ihn auch beym Flusse der monatlichen Reinigung und beym Tripper. (Dänz §. 262.) Findet er sich zugleich mit erdfahler Farbe des Antlitzes und mit bleyfarbigen Stellen an den Winkeln der Nase und des Mundes, sind dabey asthmatische Zufälle, Wassergeschwülste des Hodensacks und der Wasserlefzen vorhanden, so ist dieß ein Zeichen der Brust- oder auch Herzbeutel-Wassersucht. (P. Camper.) Ein bleyfarbnes Aussehen der Augenlieder, das schnell entstanden ist, ist in hitzigen Krankheiten ein gefährliches Zeichen, und kündigt bisweilen den innern Brand an, wenn andere üble Zufälle zugegen sind. Sind die Augenlieder inwendig blaß, so ist dieß ein Zeichen von schwächlicher, cachektischer Beschaffenheit des Körpers. (Danz §. 263.). Sieht das Weisse im Auge bläulich oder bleyfarben aus, so kündigt dieß große Neigung der

Säfte zu Fäulniß, Atonie der Gefäße, Gefahr, und den Brand innerer Theile an. Erhalten aber die Augen bald ihre weisse Farbe wieder, so hat man Genesung zu erwarten. (Danz §. 264.) Eine bleyfarbne Zunge verräth faulichte Unreinigkeiten der ersten Wege anfangenden Brand, große Gefahr und Tod, besonders bey Wassersüchtigen. (Danz §. 399.)

§. 72.

Rothe Farbe des Körpers und seiner Theile.

Die rothe Farbe des ganzen Körpers in hitzigen Krankheiten, mit Geschwulst, Spannung und trockner Hitze der Haut, zeigt den nahen Ausbruch von Exanthemen, besonders des Scharlachs an. Im chronischen Zustande, bey der Wassersucht ist die plötzlich entstehende Röthe des ganzen Körpers ein tödtliches Zeichen. Röthe des Gesichts ist oft nichts weniger als ein Zeichen guter Gesundheit, sondern öfters ein täuschender Schleyer verborgener Uebel, z. B. der Lungen, der Eingeweide des Unterleibes. (Danz §. 369.). Ein aufgetriebenes, rothes Gesicht zeigt Andrang des Bluts nach dem Kopfe, und Stockung desselben an; nach vorausgegangenen Zeichen von Kochung verkündigt es Nasenbluten, Abscesse in den Ohrendrüsen, in dem Zeitraum der Rohheit aber, Delirien, Convulsionen, Kopfentzündung, Bräune, und mit warmen oder kaltem Schweiße bedeckt, große Gefahr. (Danz §. 373. 387.) Ein übermäßig rothes Gesicht, mit blauen Lippen und verstörtem Ansehen, bey Kindbetterinnen, verkündigt den nahen Tod. Ein dunkelrothes, wie mit Mennig überzogenes Gesicht, mit gelblichgrüner Blässe um Mundwinkel und Nasenflügel, ist ein Zeichen gallichter Unreinigkeiten im Darmkanal. In Gallenfiebern

haben wir Genesung zu hoffen, wenn die Farbe wiede
gleichförmig wird, und eine weißliche Blässe das Gesich
überzieht. (Danz §. 387.) Ein dunkelrothes Ge
sicht, wo die Röthe ins Bläuliche fällt, be
Melancholischen, verkündigt Anfälle der Manie; be
Alten, wo die Adern der Wangen wie mit Wachs ausge
spritzt sind, verkündigt es Neigung zum Schlagfluß. Ei
karminrothes Gesicht, nach Brustentzündungen
ist ein Zeichen der Eiterbrust. Umschriebene Rosen
röthe der Wangen findet sich bey Schwindsüchtige
und bey Venerischen, wo die Krankheit in Auszehrun
übergehen will. Umschriebene Röthe der eine
oder andern Wange ist bey Kindern, mit ander
Zufällen der Zahnarbeit begleitet, ein Zeichen des Zahnens
Eine rothe und warme Stirn, in hitzigen Fiebern
deutet auf Congestionen, Hitze, Phantasien. Die flie
gende Stirnröthe in Krankheiten deutet auf Kramp
mit Erdfarbe ist sie ein Zeichen hartnäckiger Eing
weide-Verstopfung. Rothe Augen beweisen Andran
des Bluts nach dem Kopfe, Anhäufung desselben im Hi
ne; daher öfters in hitzigen Krankheiten heftige Rasereyen
Convulsionen, Schlagflüsse darauf folgen, und weswege
man sie in anhaltenden Fiebern für kein gutes Zeichen häl
Bisweilen folgt aber auch ein kritisches Nasenbluten da
auf. Rühren sie von Unreinigkeiten der ersten Wege he
so verschwinden sie bald nach Ausleerung derselbe
Rothe, entzündete Augen, die den siebenten oder eilfte
Tag nach Kopfverletzungen entstehen, sind gefährlich
meist tödtliche Zeichen; so auch beym innern Wasserkop
Beym anhaltenden Brechen sind rothe Augen in Verbi
dung mit Schluchzen von schlimmer Vorbedeutung. Be
Personen, die Krebsschäden an sich haben, beweisen öfter
entzündete Augen und geschworne Meibomsche Drüsen, da
die ganze Saftmasse angesteckt ist. (Danz §. 264.) D

blasse Röthe des Weissen im Auge verkündigt den Scharlachausschlag, und lehrt ihn vor seiner völligen Entwickelung von den Masern unterscheiden. (Ziegler.) Blutrothe Unterlaufung des Weissen im Auge, als wenn das Auge einen Stoß erhalten hätte, ist im Typhus ein Kennzeichen der Bösartigkeit, und deutet auf einen schlimmen Ausgang; so auch nach starken Ausleerungen, heftigem Brechen. Im chronischen Zustande deutet eine bleibende Röthe der Albuginea auf Neigung zum Schlagfluß. Erscheint sie periodisch, mit heftigem Kopfschmerz und Kraftlosigkeit, so wird sie für ein Zeichen des versteckten Wechselfiebers angesehen. (Torti.) Sehr rothe Ohren verkündigen in Fiebern Delirien, Convulsionen, Abscesse, Nasenbluten, tödtlichen Schlagfluß, je nachdem die Umstände verschieden sind. Röthe der Nase, mit Jucken, verkündigt Nasenbluten; eine kupferrothe Nase ist ein Beweis von dem Mißbrauch hitziger Getränke, besonders des Branntweins. Hochrothe Lippen in hitzigen Krankheiten deuten auf hohen Grad des Fiebers und innere Hitze; im chronischen Zustande sind sie Zeichen der Schwindsucht. Röthe der Kinnlade, in Fiebern, mit Husten und beschwerlichem Odem, ist ein Zeichen der Lungenentzündung. (Gruner.) Sehr rothes und dickes Zahnfleisch, bey Kindern, wenn keine Zähne durchbrechen, läßt tödtliche Zuckungen vermuthen. Eine sehr rothe Zunge verräth großen Andrang des Bluts nach dem Kopfe, wenn sie dabey aufgetrieben, schmerzhaft ist, örtliche Entzündung, in der Bräune, nahe Erstickung; wenn sie bey der Röthe trocken, unrein, mit bleyfarbnen Geschwürchen besetzt ist, eine heftige, gefährliche Krankheit. Eine sehr rothe, heiße, glatte oder rauhe Zunge, wenn sie auch feucht ist, oder eine trockne, glatte oder rauhe, einer Ochsenzunge ähnliche, verkündigt öfters ein langwieriges, schwer zu heilendes Faulfieber von Unreinigkeiten der ersten Wege (Danz; §. 399.) Im Nervenfieber zeigt eine sehr rothe und reine Zunge Langwierigkeit, im Gallenfieber kritische Störung, im Ausschlagsfieber Gefahr an. Die natürlichrothe Zunge, am Ende hitziger Fieber, verkündigt die nahe Entscheidung. Eine hellrothe, reine, ganz dünne Zunge ist schwindsüchtigen Personen eigen, und verkündigt den letzten Zeitraum der Krankheit; wird sie aber mit Schwämmchen besetzt, so ist der Tod nicht mehr fern. Der rothe Rachen (Fauces) ist ein Zeichen von Congestion des Bluts, sympathisch, bey Hämorrhoidariis, bey Schwindsüchtigen, wo er zugleich trocken ist, idiopathisch, besonders wenn er mehr dunkel, oder auch feuerroth ist, von der Halsentzündung, und zugleich ein charakteristisches Zeichen des Scharlachs und der Rötheln. Der blaßrothe Rachen zeigt die schleimichte Halsentzündung an. Das rothe, (geschwollene) Zäpfchen ist ein Zeichen der falschen Bräune. Röthe (mit Geschwulst) des äußern Halses ist ein gutes Zeichen in der Bräune. So auch ist Röthe der Brust (mit etwas Aufschwellung) bey Brust- und Lungenentzündungen, wenn das Athmen dabey leichter wird, ein gutes Zeichen. (Danz §. 408.) Eine rothgefleckte Brust deutet auf bevorstehendes Exanthem, hauptsächlich bey Masern, Scharlach, Rötheln; haben die Flecken eine dunkle Röthe, sind sie am Umfange klein und rund, spielen sie ins Blaue oder Schwärzliche hinüber, so ist es ein böses Zeichen. Am Rücken pflegen sich solche, dem Flohstich ähnliche Flecken (Petechien) in bösartigen Krankheiten am ersten mit einzustellen. Röthe des Rückens in der Gegend des heiligen Beins deutet in Krankheiten auf baldiges Aufliegen und auf allgemeine Schwäche. Röthe der Extremitäten deutet oft in Krankheiten auf Ablagerung von Krankheitsstoffen, und ist ein gutes Zeichen.

§. 73.

Gelbe Farbe des Körpers und seiner Theile.

Gelbes Aussehen des Körpers verräth eine üble Beschaffenheit der festen und flüssigen Theile, Uebergang von Galle in das Blut, und daher Gelbsucht, welche in hitzigen Fiebern entweder meist von übler Vorbedeutung ist, besonders wenn sie gleich im Anfange mit andern üblen Zeichen erscheint und von Entzündung der Leber herrührt, oder doch diese Krankheiten langwieriger und gefährlicher macht. Manchmal, doch selten, endigen sich hitzige Krankheiten durch eine Gelbsucht glücklich, wenn diese nehmlich nach vorausgegangenen Zeichen der Kochung, an einem kritischen Tage, nicht aber vor dem siebenten, erscheint, wenn der Urin nicht safrangelb und färbend, die Darmausleerungen nicht weiß, die Präcordien nicht hart, aufgeschwollen und heiß sind, und wenn der Kranke sich erleichtert fühlt. Gelbsucht beendiget auch öfters Koliken, besonders die von Gallensteinen entstehen, oder auch solche, die von Krämpfen herrühren, wie bey Hysterischen, bey Hypochondrischen. (Danz §. 381.) Bey Neugebornen ist die gelbe Farbe der Haut ein Zeichen von Hautkrampf, welcher nach Erkältungen entsteht. Bey der Gelbsucht wird eine gesättigte, sich gleichbleibende, gelbe Farbe der Haut für heilsamer gehalten, als wenn sie ins Braune oder Grüne fällt, oder überhaupt sich oft verändert. Das letztere ist ein schlimmes Zeichen und deutet auf schwankende Kräfte; die ersteren Beschaffenheiten sind ein Zeichen von Neigung der Säfte zu allgemeiner Auflösung, und gehen oft dem Tode vorher. Eine zitrongelbe Farbe der Augen zeigt den Uebergang der Galle ins Blut an, wodurch hitzige Krankheiten immer gefährlich, hartnäckig, und öfters bösartig werden. Sodann deutet diese Beschaffenheit der Augen auf angehende Gelbsucht, als die erste Spur dieser Krankheit, auf Unreinigkeiten der ersten Wege, auf Schwäche und Infarctus der Eingeweide, besonders der Leber, und auf Gallensteine. Eine schmutziggelbe Farbe der Augen in hitzigen Krankheiten ist ein gefährliches Zeichen, und mit andern üblen Zufällen verbunden, meist tödtlich. (Danz §. 264.) Ein blaßgelbes Gesicht zeigt gallichte oder schleimichte Constitution und Neigung zu Krämpfen an; nach übermäßigen Ausleerungen aller Art, wenn dabey die Backen eingefallen sind, bey Schwindsüchtigen und Wassersüchtigen, gewissen Tod. Ein safrangelbes Ansehen ist ein Zeichen der Hysterie und Hypochondrie, und deutet auf Verstopfungen der Eingeweide des Unterleibes und namentlich der Leber. Ein schmutziggelbes Gesicht, in Entzündungen, verkündigt den nahen Brand. Eine gelbe Zunge deutet auf Schwäche der Verdauungsorgane, auf gallichten Unrath in den ersten Wegen, auf gallichte Complication der Krankheiten, z. B. der Brust-Entzündungen, wenn die Zunge schon zu Anfange gelb ist; wird sie es erst in der Folge, so deutet dieß blos auf sympathisches Leiden der Leber hin. Zuweilen deutet sie in hitzigen Krankheiten den Uebergang in faulichte Beschaffenheit an. Stellt sie sich im Seitenstich ein, so verkündigt sie gute Entscheidung, und zwar am siebenten Tage, wenn sie gleich zu Anfange erscheint, am neunten, wenn sie den dritten oder vierten Tag eintritt. (Hippocr. Coac. 383.)

§. 74.

Blaue, grüne, schwarze Farbe, Schmutzfarbe.

Eine grüne, oder bläuliche, oder schwarze Farbe der Haut gehört unter die übelsten Zeichen. Man schließt daraus auf wichtige Fehler innerer Eingeweide, auf große Verdorbenheit der flüssigen Theile, und auf den bevorstehenden Tod. Man bemerkt daher dieses Zeichen besonders in den bösartigsten faulichten Fiebern, in der Pest, bey Solchen, die an Vergiftungen sterben. (Danz §. 382.) In hitzigen faulichten Krankheiten ist es meist von tödtlicher Vorbedeutung, wenn auf der Haut, da wo man mit den Fingern stark druckt, sogleich blaue Flekken zurück bleiben. Werden Muttermähler (naevi materni) in Krankheiten blaß, blau oder schwärzlich, so ist dieß eine ungünstige Vorbedeutung, besonders in Verbindung mit andern übeln Zeichen. (Danz §. 382.) Ueberhaupt ist die bläuliche Farbe des Körpers ein Zeichen von Krampf, Congestion und Stockung in den Hautgefäßen. Stellt sie sich nach Entzündungen ein, so zeigt sie den eintretenden Brand an. Die blaue Farbe des ganzen Körpers, bey Kindern und Erwachsenen, ist ein Zeichen der blauen Krankheit (morbus caeruleus). (Lentin.) Ein blaues Gesicht deutet auf Vollblütigkeit und Congestion nach dem Kopfe, und dem zufolge auf Schlagfluß, am Ende der Entzündungfieber auf Brand und Tod, im Faulfieber auf Gefahr. Ein blauschwarzes Gesicht, in der Bräune, deutet auf nahe Erstickung. Ein blaßblaues, verfallenes Gesicht, bey Blutspeyern, zeigt neue Anfälle der Krankheit an. Blaue, wie mit Indigo gefärbte, Hände sind ein Zeichen der blauen Krankheit; so auch ganz blaue Nägel, und ganz blaue Lippen. Ueberhaupt sind blaue Lippen in Krankheiten ein Zeichen von Krampf, wie bey dem Fieberfroste, oder auch, am Ende schwerer Krankheiten, ein Zeichen gesunkener Lebenskraft und des bevorstehenden Todes. Eine bläuliche Zunge in Entzündungen deutet auf Brand, in Faulfiebern auf zunehmende Schwäche; ist sie zugleich kalt und mit Schwämmchen besetzt, so kündigt sie den Tod an. Eine bläuliche Brust, in hitzigen Krankheiten, deutet auf eintretenden Brand und nahen Tod.

Blaue Finger und Nägel sind in leichtern Fällen ein Zeichen von Krampf, bey schweren Krankheiten deuten sie Brand und Tod an. Blaulichgelbe Streifen in der Gegend des Unterleibes sind ein häufiges, doch nicht immer sicheres Kennzeichen des Todes. (Danz §. 419.) So auch zeigen grüne Flecken an den Geburtstheilen, so wie an andern Theilen des Körpers, den Tod an. (Danz §. 419.) Ein grünliches Gesicht deutet auf gallichte Cachexie. Das Schwarzwerden der Wunden und Geschwüre läßt Brand, und in hitzigen Krankheiten den nahen Tod befürchten, als Beweis, daß die Naturkräfte unterliegen, und die flüssigen Theile den höchstmöglichen Grad der Fäulniß erreicht haben. (Danz §. 382.) Ein schwärzliches (so wie auch bleyfarbnes, blaugelbes) Aussehen des Gesichts verräth eine höchst üble Beschaffenheit der flüssigen Theile, wichtige Fehler in den edlen Eingeweiden, und kündigt in hitzigen Krankheiten, so wie auch in cachektischen, bey der Wassersucht, Schwindsucht, wenn es auf einmal entstanden ist, den bevorstehenden Brand und Tod an. (Danz §. 388.) Eine schwarzbraune Farbe des Antlitzes ist Hypochondristen, Hysterischen, Melancholischen eigen, überhaupt solchen, die an schwarzgallichten Infarctus des Unterleibes leiden. (Danz ebendas.) Schwärzliche Nase, schwarze Lippen deuten auf höchste Gefahr, nahen Tod. Von den schwarzen Zähnen gilt, was von den verdorbenen, cariösen (§. 69.) gesagt ist, so wie von der schwarzen Zunge, besonders wenn sie mit blauen oder schwarzen Schwämmchen besetzt ist, was der §. 71. besagt. Eine schwarze Brust, oder eine Brust mit großen schwarzen Flecken, deutet, wie die blaue, auf Uebergang der Entzündung in Brand. (Danz §. 408.) Schwarze, bleyfarbne Extremitäten und Nägel verkündigen in hitzigen Fiebern, in der Wassersucht, Schwindsucht, den nahen Tod. (Hippocr. Aphor. VIII. 12.) (Danz §. 411.) Schmutzige Farbe der Augen, des Gesichts, der Zunge, deutet auf gesunkene Lebenskraft und Neigung der Säfte zur Fäulniß.

E. Glanz.

§. 75.

Glänzendschwarze Hornhaut (mit Unempfindlichkeit), ist ein Zeichen der Amaurose. Der Glanz der Augen (der Hornhaut), wenn er sich in Krankheiten nicht verliert, ist ein gutes Zeichen, und wenn er sich bey Genesenden wieder einfindet, deutet er die Zunahme der verlornen Kräfte an. Sind aber die Augen zu glänzend, sehen sie wild, drohend aus, dann haben wir Delirien, Hirnwuth, und in derselben gefährliche, tödtliche Convulsionen zu befürchten. Bey Krämpfen, Convulsionen, welche unter diesen Umständen hartnäckiger sind, zeigen sie verlornes Bewußtseyn an, nach vorhergegangenen Kopfverletzungen, Erschütterungen des Gehirns. Gläserne Augen sind ein gewöhnliches Symptom bösartiger Faulfieber, und verrathen in Verbindung mit andern üblen Zeichen große Gefahr. Aus dem verminderten natürlichen Glanze der Augen schließen wir auf Verminderung der Kräfte. (Danz §. 265.) Ausschweifungen aller Art, Nachtwachen, Kummer, oft bloßer Krampf, vermindern den natürlichen Glanz der Augen. Ohne offenbare Ursache deutet der verminderte Glanz der Augen nicht selten eine bevorstehende schwere Krankheit an. Im chronischen Zustande deutet ein matter Blick auf hypochondrische Zufälle, (Kämpf); bey Kindern auf scrophulöse Stockungen im Unterleibe und Wurmbeschwerden. In hitzigen Krankheiten ist die Gefahr desto größer, je näher der matte Blick an den völligen Verlust des Glanzes grenzt. Wird die Hornhaut plötzlich trüb, undurchsichtig, die Ursache mag nun in ihr selbst oder in der wässerichten Feuchtigkeit ihren Sitz haben, oder wird sie silberfarben, runzelicht, fällt sie zusammen, dann ist meistens der Tod sehr nahe, wenn es nicht etwa örtliche Krankheit ist. (Danz §. 265.) Glänzendweiße Zähne gehören unter die Zeichen der Lungensucht.

II.

Durch das Getast wahrnehmbare Zeichen.

A. Spannung, Steifheit, Härte, Rauhheit, Trockenheit.

§. 76.

Eine angespannte, trockne, harte, pergamentartige Haut in hitzigen Fiebern, besonders in Ausschlagskrankheiten, ist ein böses Zeichen, wenn nicht bald Schweiß darauf erfolgt. Im chronischen Zustande ist sie ein Zeichen der atrabiliarischen Beschaffenheit, und ist Melancholischen und Maniacis häufig eigen. Eine Gänsehaut gehört mit unter die vorzüglichsten Zeichen einer scorbutischen Leibesbeschaffenheit. (Danz §. 377.) Harte, trockne, gespannte Stirnhaut, in hitzigen Krankheiten gehört zum Hippocratischen Gesicht und ist oft ein Zeichen des Todes; im chronischen Zustande ist sie ein Zeichen der Melancholie und Manie. Eine trockene, rauhe und harte Zunge, in Fiebern, deutet auf Mangel an Feuchtigkeit, auf Hitze, überhaupt auf heftiges Fieber, Delirien, Krämpfe, Lebensgefahr; im gastrischen Faulfieber auf langsame Beendigung, bey Schwindsüchtigen, auf steigende Krankheit. Je länger die Zunge ohne Veränderung trocken bleibt, desto länger dauert die Crudität der Krankheit; je früher sie feucht und weich wird, desto eher entscheidet sich die Krankheit zur Genesung. Eine aufgesprungene Zunge, in Fiebern, deutet auf große Hitze, am Ende auf Gefahr. Trockne, rauhe, gespaltene Lippen, in Fiebern sind ein Zeichen von großer Hitze und Lebensgefahr. (Danz §. 395.) Eine gespannte weibliche Brust deutet auf Milchstockungen, und, wenn sie hart und knotig ist, auf Verhärtung der Brustdrüsen. Gespannte Präcordien deuten auf bevorstehende Entscheidung der Krankheit, durch Nasenbluten, Durchfälle, Brechen. Ist der Unterleib in hitzigen Fiebern straff, gespannt, hart, ohne daß Entscheidung zu vermuthen steht, so ist dieß ein böses Zeichen. Die Bedeutung der Härte der rechten Seite unter den kurzen Rippen ist schon unter der Rubrik der Anschwellung (§. 60.) angegeben. Die Steifigkeit des ganzen Körpers ist ein Zeichen des Starrkrampfs oder auch des Scheintodes. Steifigkeit und Unbewglichkeit der Gliedmaßen, oder Erstarren (rigor) ist in Fiebern kein gutes Zeichen, wenn es anhält, öfters wieder erscheint, mit andern übeln Zufällen verbunden ist. (Danz §. 225.) Mehr hiervon unter der Rubrik der deprimirten Bewegung.

B. Schlaffheit. Zartheit. Weichheit. Glätte. Beugsamkeit.

§. 77.

Eine schlaffe äußere Beschaffenheit des ganzen Körpers in Krankheiten deutet auf Mangel an Ernährung und allgemeine Schwäche. Eine schlaffe Haut bey Kindern ist ein Zeichen des scrophulösen Habitus und der Atrophie, bey Erwachsenen deutet sie auf Infarcten des Unterleibes. Eine zarte, gleichsam durchscheinende Haut ist ein Zeichen des scrophulösen Habitus und nicht selten der Anlage zur Phthisis. Ueberhaupt bezeichnet sie ein sehr reizbares, zu Krämpfen, Ohnmachten u. s. w.

geneigtes Temperament. In Krankheiten ist eine weiche, gleichförmig feuchte Haut, unter sonst guten Umständen ein gutes Zeichen; eine trockne, zusammengezogene (§. 76.) heiße Haut eine üble Vorbedeutung, indem sie eine schwere Krankheit anzeigt, deren Entscheidung noch fern ist, die aber doch glücklich seyn kann, wenn die Haut in der Folge weich und feucht wird. (Danz §. 185.) Das Schlaffwerden der Muttermähler in Krankheiten ist ein eben so übles Zeichen als ihre Farbeveränderung (s. §. 74.) Schlaffe, herunterhängende Augenlieder, Ohren, Lippen, schlaffe, zusammengeschrumpfte Zunge sind in allen Krankheiten, besonders wenn sich noch andere böse Symptome dazu gesellen, Zeichen von der übelsten Vorbedeutung. Schlaffe, zusammengefallene Nasenflügel zeigen Erschöpfung der Kräfte, und in hitzigen Krankheiten große Gefahr an, bey Schwindsüchtigen verkündigen sie meist den Tod. (Danz §. 394.) Wenn die Barthaare beugsam werden und gleichsam welk zu werden scheinen, so leben die Kranken nicht mehr über zwey bis drey Wochen. (Danz §. 395.) Laxes Zahnfleisch zeigt Laxität der festen Theile und Mangel an gesundem Blute. (Danz §. 396.) Schlaffe Muskeln sind ein Zeichen allgemeiner Schwäche und der Abzehrung. Weichheit und Beugsamkeit der Knochen ist ein Zeichen der Rachitis.

III.

Durch das Gefühl *) wahrnehmbare Zeichen.

A. Wärme des ganzen Körpers oder einzelner Theile.

Hier kann nur von der dem Arzte fühlbaren Wärme des Kranken die Rede seyn, als welche allein zu

*) Es braucht wohl kaum erinnert zu werden, daß der Sinn des Gefühls von dem des Getastes zu unterscheiden ist. Der

der Objectivität desselben gehört; diejenige Wärme, welche der Kranke sebst empfindet, oder vielmehr, die Empfindung des Kranken von Wärme, findet ihre Stelle in der Rubrik der subjectiven Zeichen, weil sie eine Bestimmung seines Subjects ist.

§. 78.

Beträchtlich vermehrte Wärme, oder Hitze, wenn sie nicht nach starker Bewegung, nach hitzigen Getränken, nach Leidenschaften entstanden, oder Folge des sanguinischen Temperaments, besonders junger Personen, ferner der atmosphärischen, der Stubenwärme ist, zeigt meistentheils das Daseyn eines Krankheitsstoffes im Körper an, und ist die gewöhnliche Begleiterin der Fieber. Eine mäßige, über den Körper gleichförmig vertheilte Wärme, besonders wenn die Haut weich und nicht sehr trocken ist, ist immer in Krankheiten ein gutes Zeichen. Gelinde Hitze, in bösartigen Fiebern ist eben so verdächtig, als große Hitze bey scheinbar geringem Fieber. Heftige Hitze verräth allezeit Heftigkeit der Krankheit. Ist die Haut des Kranken brennend heiß (calor ardens) so ist dieß meistens eine Anzeige der entzündlichen Beschaffenheit der Säfte, besonders wenn der Puls hart und geschwind ist. Vermehrt sich aber die Hitze unter den Händen des Arztes so, daß sie gleichsam stechend wird (calor acer) so beweist dieß gewöhnlich eine Neigung zu faulichter Auflösung der Säfte. In den meisten Fiebern nimmt gegen Abend die Hitze zu. In einigen hektischen Fiebern geschieht die Vermehrung der Hitze nach dem Mit-

Sinn des Getastes lehrt uns extensive Qualitäten der Körper kennen: Härte, Weiche, Trockenheit, Feuchtigkeit; der Sinn des Gefühls macht uns mit intensiven Qualitäten der Gegenstände, mit Wärme, Kälte, Schwere, bekannt. Wer hat je die Qualitäten letzterer Art ertastet?

tagsessen. In Nervenkrankheiten, besonders bey Hysterischen und Hypochondrischen, kann man sich wenig auf die Zeichen der Hitze verlassen, weil sie da sehr abwechselnd ist. Ist die Hitze ungleich, und befällt sie blos einzelne Glieder, so ist dieß nie gut, besonders wenn die Ursache davon Unterdrückung oder gar Erschöpfung der Kräfte ist. Oertliche anhaltende Hitze in einzelnen Theilen zeigt gewöhnlich Entzündung oder doch Neigung dazu an. Je wichtiger die Theile sind, die sie befällt, desto gefährlicher wird diese Erscheinung. Auf starke Hitze im Kopf, (die auch äußerlich fühlbar ist), folgt leicht Wahnwitz, Convulsionen und selbst ein schneller Tod. (Danz §. 93.) Bey Schwächlichen deutet die Hitze des Kopfs auf fehlerhafte Verdauung; bey Kindern, mit örtlichen Schweißen, auf Schwäche und Anlage zur Atrophie oder Rachitis. Eine heiße Stirn verräth großen Andrang des Bluts nach dem Kopfe, große innere Hitze, und verkündigt daher alle die Uebel, welche davon ihren Ursprung nehmen. Bisweilen erfolgt Nasenbluten darauf. Sehr heiße Wangen, bey Kindern, deuten oft auf beschwerliches Zahnen, besonders wenn sich dazu Hitze des Zahnfleisches gesellt. Brennendheiße und rothe Wangen, bey einem scrophulösen Habitus der Kinder, zeigen nicht selten hydrocephalisches Fieber an. Heiße, trockne Lippen sind Zeichen von großer Fieberhitze, besonders wenn sich eine braune, schwarze Borke um sie gebildet hat; in welchem Falle sie auf typhöses Fieber deuten. Eine brennend heiße Zunge beweist sehr große Hitze und Neigung zur Entzündung. (Danz §. 403.) Eine örtliche brennende Hitze in den flachen Händen oder an den Fußsohlen bemerkt man bey Schwindsüchtigen (calor hecticus,) bey welchen überhaupt eine anhaltende trockne Hitze bedenklich ist. Bey Wassersüchtigen beweist Wärme in den Beinen, die vorher eiskalt waren, meistentheils den baldigen tödtlichen Ausgang der Krankheit. So sind auch in Krankheiten glühende Hände, bey kalten Armen, oder glühende Hitze in der flachen Hand, wobey der Rücken derselben eiskalt ist, keine guten Zeichen. Letzteres findet man gewöhnlich bey schleichenden Fiebern. (Danz §. 93).

B. Kälte des ganzen Körpers oder einzelner Theile.

Hier muß abermals bemerket werden, daß unter dieser Rubrik bloß von der dem Arzte fühlbaren Kälte die Rede seyn kann, weil die Empfindung des Kranken von Kälte, Frost, Schauer u. s. w. zu seinen subjectiven Bestimmungen gehört und unter der Rubrik der subjectiven Zeichen betrachtet wird.

§. 79.

Kälte des ganzen Körpers, zu Anfange der Fieber, deutet auf Krampf, in ihrer Mitte, auf Kraftlosigkeit, am Ende derselben, wenn sich andere schlimme Zeichen damit verbinden, auf nahen Tod, wo aber die übrigen Symptome gut sind, auf kritische Ausleerungen. Kälte des Kopfs, wenn die übrigen Theile warm sind, ist in Krankheiten kein gutes Zeichen. (Danz §. 385.) Im Anfange hitziger Fieber deutet sie Reiz und Krampf, in der Folge Kraftenschöpfung und Tod an. In Wechselfiebern, bey Hypochondristen und Hysterischen ist sie ein Zeichen des Krampfes. Eine kalte Stirn, die zugleich blaß und eingefallen ist, deutet in hitzigen Krankheiten auf zunehmende Schwäche, Gefahr und Tod; so auch eine kalte Nase, kalte Ohren, wenn die übrigen Zeichen ungünstig sind. Kalte Lippen deuten bey zahnenden Kindern auf starken örtlichen Reiz, bey Hysterischen auf heftigen Krampf, und am Ende acuter Krankheiten, mit

G

andern übeln Zeichen, sind sie Boten des Todes. Eine kalte Zunge, in hitzigen Krankheiten, mit andern übeln Zeichen verbunden, ist ein tödtliches Zeichen. (Danz §. 403.) Eine kalte Brust zeigt bey Hysterischen Krampf oder örtliche Schwäche an, in hitzigen Fiebern Gefahr, bey Sterbenden den nahen Tod. Partielle Kälte an den Extremitäten, in hitzigen Krankheiten ist ein böses Zeichen, indem sie von großer Schwäche zeugt, hauptsächlich wenn sie nach starken symptomatischen Ausleerungen erscheint, und anhaltend ist. Kritischen Ausleerungen geht sie zuweilen voraus, und dann hat sie nichts zu sagen. Ist sie aber mit lauter üblen Symptomen, mit kleinem, geschwinden Pulse und ähnlicher Respiration, mit Ohnmachten, starkem Durste, Delirien, Convulsionen, Zittern, Schluchzen, Brennen im Unterleibe u. s. w. verbunden, dann ist meistentheils der Tod sehr nahe. Wenn Kälte einzelner Theile vorhanden ist, die der Arzt blos bemerkt und über die sich der Kranke gar nicht beschwert, wenn der Schweiß kalt, der Puls klein, sehr schwach und geschwind, das Gesicht hippocratisch ist, der Kranke über nichts klagt, da er vielleicht vorher heftige Schmerzen ausgestanden hatte, wenn er sich gesund glaubt, so ist der Tod nicht mehr fern. (Danz §. 97.) Schnelle Veränderung und Abwechselung von Kälte und Wärme, in hitzigen Krankheiten, ist ein böses Zeichen, besonders bey heftigen Entzündungen; weniger gefährlich bey Hysterischen, Hypochondrischen. Gut ist es aber, wenn sich allmählich die Kälte in eine gleichförmige Wärme verändert. (Danz §. 97.)

C. Schwere oder Leichtigkeit des Körpers.

§. 80.

Zeigt der Kranke, bey dem Aufheben seines Körpers eine ungewöhnliche und fühlbare Schwere, so ist dieß ein gewisses Kennzeichen der zunehmenden Schwäche, und verkündigt am Ende einer schweren Krankheit den nahen Tod. Ist der Kranke sehr leicht emporzuheben und aus dem Bette zu tragen, so ist dieß ein Zeichen der fast gänzlichen Aufzehrung von Muskelsubstanz und Fett, welche am Ende auszehrender Krankheiten Statt zu finden pflegt.

IV.

Durch den Geruch wahrnehmbare Zeichen.

Hier ist ebenfalls, wie bey dem Gefühl, zu erinnern, daß nicht die subjectiven Affectionen des Geruchsorgans der Kranken unter dieser Rubrik in Betrachtung kommen, sondern allein der dem Arzte wahrnehmbare Geruch in der Atmosphäre der Kranken.

§. 81.

Manche Krankheiten, sowohl acuter als chronischer Art, geben sich durch einen specifischen Geruch, meistentheils von saurer Art, zu erkennen. Blattern, Friesel, Wechselfieber, unter den acuten, Hypochondrie, Melancholie, Epilepsie, Lustseuche, hektisches Fieber, Krätze, Scropheln, englische Krankheit, charakterisiren sich durch einen eigenthümlich sauren Geruch, der meistentheils dem Schweiße zuzuschreiben ist. Ein faulichter, cadaveröser Geruch um den Kranken kündigt den baldigen Tod an. Gestank aus der Nase in hitzigen Krankheiten ist ein übles Zeichen, und deutet auf allgemeine Ausartung der Säfte. Sonst ist er ein Zeichen von innern, besonders venerischen, Geschwüren, vom Beinfraße, von eiternden Polypen. (Danz §. 394.) Bitterer, saurer Geruch aus dem Munde verräth verdorbene Galle, Säure in den ersten Wegen, und wenn er stinkend ist, cariöse Zähne, Geschwüre im Munde, wie z. B. bey Venerischen, Geschwüre in den Lungen, faulichte Unreinigkeiten der ersten Wege, Verdorbenheit der Säfte, wie bey Skorbutischen, in hitzigen Krankheiten, mit andern übeln Zeichen verbunden, große Gefahr, und wenn er cadaverös ist, den nahen Tod.

V.

Durch das Gehör wahrnehmbare Zeichen.

A. Schall, Klang.

§. 82.

Ein heller Schall oder Klang, bey dem Klopfen auf den hohlliegenden Thorax der Kranken, ist ein Zeichen, daß die Organe der Brust auf alle Weise frey sind. Ist aber dieser Schall dumpf in der Herzgegend, so soll er, nach Auenbrugger, ein Zeichen der Wassersucht des Herzbeutels seyn. Ist die Resonanz ungleich, so soll sie Verhärtung, Geschwüre, Wasser in der Brusthöhle anzeigen. Ist die Resonanz ganz aufgehoben, so soll dieß ein Zeichen der vollkommnen Brustwassersucht seyn. Die besten Semiotiker halten aber diese Zeichen für schwankend und ungewiß, ja zum Theil für trüglich. (Danz §. 408. Eben so Gruner, Sprengel, u. A.)

B. Geräusch.

§. 83.

Ein pfeifender Ton bey dem Athemholen (respiratio sonora, clangens,) zeigt ein großes Hinderniß an, welches der gehörigen Vollbringung der Respiration und dem Umlaufe des Bluts im Wege steht, und ist daher, besonders in hitzigen Krankheiten, ein sehr gefährliches Zeichen, wenn es nicht etwa von Krämpfen, von Verstopfungen des Unterleibes herrührt. Ein röchelnder Ton, oder ein Geräusch wie von kochenden groben Speisen, beym Athemholen, ist ein Zeichen von einer großen Anhäufung des Schleims in den Lungenzellen, zu dessen Auswurf die Kräfte nicht mehr zureichen. Dieser Ton ist meistens bey Entzündungen der Brust und andern Brustkrankheiten, auch oft in einfachen hitzigen Fiebern ein furchtbarer Bote des Todes, welcher doch zuweilen erst nach zwey Tagen folgt, früher aber, wenn die Entzündung heftig war, und daher schnell in Brand übergeht. Diese Vorhersagung ist desto gewisser, je mehr üble Symptome damit verbunden sind. Zu Anfange einer Krankheit, wenn dieser Ton von Krämpfen herrührt, und bey Engbrüstigen, ist er nicht von solcher Wichtigkeit. (Danz §. 88.) Ein Knittern beym Anschlagen des aufgetriebenen und gespannten Unterleibes ist ein Zeichen der Windsucht. Ueberhaupt ist ein Knistern verschiedener Theile des Körpers bey der Berührung, ein Zeichen des Emphysems; z. B. nach Verwundungen, Knochenbrüchen aller Art, wo nach Entzündung Brand eingetreten ist.

Zwey=

Zweytes Kapitel.

Zeichen an dem Organismus als einem Inbegriff mannigfaltiger, zur Gestaltung und Bewegung thätiger Gebilde,

oder:

Zeichen an den körperlich-objectiven Functionen des Organismus.

Alle körperliche Functionen des Organismus sind entweder objectiver oder subjectiver Art, d. h. sie bezwecken entweder die Ausbildung, Erhaltung, Bewegung des Körpers, oder sie dienen zur Erregung und Ausbildung der Seelenthätigkeiten, die ohne immer erneuerten Stoff von außen sich nicht wirksam zeigen können. Von den letztern wird in dem Abschnitt, welcher die psychischen Thätigkeiten betrachtet, die Rede seyn; jetzt aber haben wir es blos mit der ersteren Art zu thun. Diese nun begreift unter sich erstlich die Functionen der Gestaltung, oder des Bestehens im Raume, zweytens die der Bewegung oder der Ortsveränderung. Man könnte die erstern auch räumliche, die letzteren zeitliche nennen, weil der Charakter jener, Beharren im Raume, dieser, Bewegung in der Zeit ist, durch welche letztere sich der animalische Organismus vor dem vegetabilischen auszeichnet, dessen einziges Geschäft die Gestaltung im Raume ist. In wiefern auch der animalische Organismus der Gestaltung bedarf, kommen ihm auch die sämmtlichen vegetabilischen Organe und Functionen zu. Diese nun theilen sich nach den verschiedenen Zwecken der Gestaltung wiederum in mehrere Zweige. Erstlich ist das Individuum, und zweytens das Geschlecht zu erhalten. Es gibt deswegen zunächst Functionen zur Bildung und Erhaltung des Individuums (Functionen der Gestaltung κατ' ἐξοχήν), und sodann Functionen, zur Erhaltung des Geschlechts (Geschlechts-Functionen.) Was nun zuerst die Gestaltungs-Functionen betrifft, so hängen diese von mehrern Bedingungen ab, deren jede eine besondere Rubrik in der Betrachtung der Functionen ausmacht. Es wird nehmlich hier von dem Organismus theils positiv, theils negativ gewirkt, jenes durch Stoff-Aufnahme und Verarbeitung, zum Behuf der Assimilation oder der Gestaltung selbst; dieses durch Stoff-Ausscheidung und Ausleerung, wiefern abgenutzte oder schädliche Theile die Integrität der Gestalt verletzen könnten. Beydes geschieht durch eine Mannigfaltigkeit, und zwar durch bestimmte Gegensätze, von Organen und deren Functionen, welche in natürlicher Aufeinanderfolge betrachtet werden müssen, wie in der Physiologie, so auch hier, wo von ihrer Störung und deren mannigfaltigen Kennzeichen die Rede ist. Was die Geschlechts-Functionen betrifft, so theilen sie sich in die des männlichen und weiblichen Geschlechts, und beyde Arten müssen nach ihren Abnormitäten und deren Kennzeichen besonders betrachtet werden. Zuletzt bleiben die Functionen der Bewegung ein Gegenstand dieses Kapitels, und zwar nach den verschiedenen Verhältnissen, in welche diese Functionen krankhafter Weise kommen können; woraus sich dann auch die Ordnung der Zeichen dieser krankhaften Verhältnisse ergiebt. Nehmlich es sind hier zuerst die Zeichen der widernatürlichen Thätigkeit der Bewegungsorgane zu betrachten, welche letztere exaltirt, deprimirt, oder überhaupt widernatürlich seyn kann; sodann die Zeichen, welche aus der gänzlichen Ruhe der Bewegungsorgane im krankhaften Zustande hervorgehen. Und mit diesen Betrachtungen schließt sich der erste Abschnitt des ersten Theils unserer Zeichenlehre; oder die Darstellung der Zeichen körperlich-krankhafter Zustände an dem objectiven oder somatischen Organismus.

I.

Zeichen aus den abnormen Functionen der Gestaltung des Individuums.

A. Positive Stoff-Aufnahme und Verbreitung, oder Assimilation.

AA. Zeichen aus den abnormen Thätigkeiten des Speisekanals und der dazu gehörigen Eingeweide und Systeme; oder: aus der verletzten Verdauung *).

1. Aufstoßen.

§. 84.

Das Aufstoßen aus dem Magen (ructus) beweist, daß im Magen und Darmkanale aus den Speisen viele Luft entbunden worden, welches entweder von Schwäche des Magens, oder vom Genusse schwerverdaulicher Speisen, oder von einer allzugroßen Menge genossener Speisen, die der Magen nicht gehörig bearbeiten kann, und die daher verderben, oder von Krämpfen, die den Ausgang der freygemachten Luft durch den Darmkanal hindern, herrührt. Je nachdem sich nun ein Uebermaß von Säure, von einem faulichten oder gallichten Stoffe im Magen befindet, je nachdem ist auch das Aufstoßen sauer, faulicht, bitter u. s. w Ein faulichtes, stinkendes Aufstoßen rührt aber auch manchmal vom Gebrauche des Eisens, Schwefels u. s. w. her. Ein saures Aufstoßen in

*) Einige Zufälle und ihre Zeichen, die hieher gerechnet werden könnten, als: Ekel und Erbrechen, Durchfall, Hunger, Durst, beschwerliches Schlucken, Sodbrennen u. s. w. verlangen, weil sie sich als Empfindungen, oder Ausleerungen, oder willkührliche Bewegungen u s. w. bestimmter charakterisiren, ihre Darstellung unter den respectiven Rubriken, wo sie auch zu finden sind.

langwierigen Diarrhöen ist öfters eine Anzeige, daß die Krankheit sich bald endigen werde, indem es beweist, daß der Darmkanal schon Kraft habe die Speisen einige Zeit in sich zu enthalten und zu bearbeiten. Häufiges Aufstoßen mit Poltern im Leibe geht öfters starken Leibesöffnungen voraus. (Danz §. 119.) Im chronischen Zustande ist das Aufstoßen Schwächlichen, Hypochondristen, Hysterischen eigen.

2. Blähungen.

§. 85.

Wenn die Winde (flatus) in Krankheiten durch den After gehörig abgehen, so ist dieß ein gutes Zeichen, besonders wenn es mit Geräusch geschieht, weil dieß noch Kraft in den Gedärmen anzeigt. Allzuhäufige Blähungen aber beweisen immer große Schwäche der Verdauungsorgane, und wenn sie sehr stinken, Verdorbenheit des in den Gedärmen enthaltenen. Bey Hysterischen und Hypochondrischen haben sie zwar nichts zu sagen, allein in hitzigen Krankheiten, besonders wenn sie öfters, still und unwillkührlich abgehen, sind sie immer bedenklich, denn sie verkündigen eintretende Schwäche und mit ihr den Tod. Am schlimmsten ist es aber in hitzigen Krankheiten, wenn gar keine Blähungen abgehen und der Leib sehr aufgetrieben wird. Winde, die ein Geräusch im Leibe verursachen, (borborygmi) kündigen meistens Darmausleerungen an. (Danz §. 126.)

3. Unordentliche Verdauung.

§. 86.

Die fehlerhafte Verdauung, welche sich durch Schwere im Magen, Unterleibe, in den Gliedern, durch Aufblähen des Magens, Gähnen, Schläfrigkeit, Aufstoßen, Uebelkeit, Poltern im Leibe, Durst, unruhigen

Schlaf, Träume, Verstopfung oder Durchfall, trüben Urin u. s. w. ankündigt, ist von keiner großen Bedeutung, wenn sie sich nach einer Ueberladung des Magens einstellt und wieder vorübergeht. Bleibt aber die Verdauung lang in Unordnung, so deutet dieß in Fiebern auf Schwäche und übeln Ausgang, in chronischen Krankheiten auf Mangel an Ernährung und Entkräftung, bey Hypochondristen und Hysterischen auf mannigfaltige Fehler in dem Magen, dem Darmkanal, und den übrigen Eingeweiden des Unterleibes, bey Genesenden auf Recidive. (Danz §. 145.)

4. Verstopfung.

§. 87.

Die Verstopfung (alvus adstricta) ist in hitzigen Krankheiten, in Darmentzündungen, nach starken Diarrhöen, Ruhren, von schlimmer Vorbedeutung. Kommt sie von Rigidität der Fasern, wie bey Alten, von schlechter Galle oder Krämpfen, wie bey Hysterischen, Hypochondrischen, Melancholischen, Gelbsüchtigen: dann zeigt sie eine hartnäckige Krankheit an. Sie ist ein gewöhnlicher Begleiter von Infarcten, obgleich diese auch bey Diarrhöen vorhanden seyn können. Liegt ihre Ursache in einer örtlichen Verengerung eines Darms, dann ist sie meistens tödtlich, wenn nicht durch eine chirurgische Operation Hülfe geschafft wird. Gefährlich ist sie auch bey atrophischen Kindern. (Danz §. 128.) Unbedenklich ist sie bey Personen von trocknem Körper und thätiger Lebensart, bey Alten, bey Schwangern. Wenn sie lange anhält, läßt sie auf fehlerhafte Verdauung, Neigung zu Krämpfen, Atonie des Darmkanals; Würmer, Vorfälle, Geschwülste, mit Schmerzen, auf eingeschlossene Brüche, besonders wenn sich noch Brechen dazu gesellt, schließen. Gefährlich ist sie bey Schwindsüchtigen, heilsam kann sie seyn bey dem Ausbruche und der Eiterung der Blattern, überhaupt bey Ausschlags- und Entzündungskrankheiten, wo Durchfall zu befürchten seyn würde.

BB. Zeichen aus den abnormen Thätigkeiten der Lungen und der dazu gehörigen Eingeweide und Systeme, oder aus der Respiration und dem Kreislauf.

1. Athemholen.

§. 88.

Das Athemholen (respiratio) war eines der vorzüglichsten Zeichen in Krankheiten bey den Alten, besonders bey Hippocrates. Man machte sich immer Hoffnung zur Genesung des Kranken, wenn nur die Respiration gut war. (Danz §. 76.) Das natürliche Athemholen, welches langsam, gleich und leicht ist, ist ein sehr gutes Zeichen in Krankheiten. Ist es aber mit lauter übeln Zufällen verbunden, so daß das natürliche Athemholen mit diesen nicht übereinstimmt, so ist es ein sehr gefährliches Zeichen. (Danz §. 78.) So kann das Athemholen langsam, der Puls geschwind, unsere Voraussagung aus dem Athemholen gut seyn, obgleich Gefahr vorhanden ist. (Danz §. 77.) Je mehr das Athemholen von dem natürlichen abweicht, desto bedeutender werden die Zeichen die wir davon hernehmen Die vornehmsten Abweichungen sind: das häufige oder seltene, das schnelle oder langsame, das große oder kleine, das starke oder schwache, das tiefe und hohe, das gleiche oder ungleiche, das leichte oder beschwerliche, das aussetzende und das fehlende. (Danz §. 79.)

§. 89.

Das häufige Athemholen (resp. frequens), wo Einathmen und Ausathmen, überhaupt die Athemzüge schnell auf einander folgen und die Lungen und der Thorax sich geschwind bewegen, wenn es nicht als etwas natürliches bey Vollblütigen, Sanguinischen, im Sommer, nach Bewegungen, nach Leidenschaften u. s. w. anzusehen ist, verräth überhaupt einen vermehrten Umlauf des Bluts, und eine verhältnißmäßig größere Menge von Blut, das nach den Lungen fließt. Es ist daher gewöhnlich ein Symptom des Fiebers. Je häufiger das Athemholen ist, so daß die Zwischenzeit zwischen dem Ein- und Ausathmen so klein als immer möglich ist, desto gefährlicher ist es. Es zeigt dann ein großes Hinderniß an, von welchem sich die Lungen zu befreyen suchen. In Brustkrankheiten ist es daher ein gefährliches Zeichen, weil es meistentheils gefährliche Entzündungen der Lungen und des Zwerchfells andeutet. Kommt es von einem consensuellen Reize, z. B. von Unreinigkeiten der ersten Wege, von Würmern, Krämpfen her, dann hat es weniger zu sagen. Ist es sehr häufig und klein, so kündigt es meistens den Tod an, besonders wenn es auch noch röchelnd ist. (Danz §. 80.)

§. 90.

Das seltne Athemholen (r. rara), wo zwischen den Athemzügen große Zwischenräume sind, verräth, daß kein Hinderniß, kein Reiz in den Lungen oder in den übrigen Werkzeugen des Athemholens ist, daß nicht allzuviel Blut nach den Lungen hinströmt, und daß sich die Lungen gehörig erweitern und zusammenziehen. Es ist daher in Krankheiten im Allgemeinen ein gutes Zeichen, wenn die übrigen Zeichen nicht übel sind. Ist es aber allzuselten und erhebt sich die Brust dabey sehr, so zeigt es aufgeriebene Lebenskräfte, stockenden Umlauf des Bluts an. Es erfolgen darauf Ohnmachten, Deliria, Schlafsucht, und der Tod. (Danz §. 81.)

§. 91.

Das schnelle Athemholen (r. celeris), wo das Einathmen zwar langsam, aber das Ausathmen geschwind geschieht, zeigt einen vermehrten Andrang des Bluts nach den Lungen und gehinderten Durchgang desselben durch sie an, überhaupt Reize sowohl in der Brust als im Unterleibe; und ist von weniger Bedeutung, wenn es von äußerlicher Hitze, von körperlichen und Gemüthsbewegungen, von Diätfehlern, Blähungen, Krämpfen, Würmern, entsteht; aber es ist von schlimmer Bedeutung in acuten Krankheiten, und ein gewöhnlicher Begleiter der Brust- und Unterleibs-Entzündungen, wo es meistentheils auch schmerzhaft ist. (Danz §. 82.) Am Ende der Krankheiten, wenn es zugleich klein, schwach, unordentlich ist, ist es ein tödliches Zeichen.

§. 92.

Das langsame Athemholen (r. tarda,) wo zwischen Ein- und Ausathmen größere Zwischenzeit als gewöhnlich Statt findet, ist, so wie das seltne Athemholen und aus den nehmlichen Gründen in Krankheiten ein gutes Zeichen. Ist es aber allzulangsam, ist der Puls dabey klein und schwach, sind die Extremitäten kalt u. s. w. dann ist es ein gefährliches Zeichen, als ein Beweis der tiefgesunkenen Lebenskräfte. (Danz §. 83.) Es verkündigt in Fiebern Delirien, am Ende der Krankheit, wenn es vorher schnell war, und die eben erwähnten übeln Zufälle sich einstellen, den bevorstehenden Tod. Bey Wahnsinnigen verkündigt es den bevorstehenden Anfall, bey Hysterischen eintretende Ohnmacht.

§. 93.

Das große Athemholen (r. magna), wo bey jedem Athmen Brust und Lunge hinlänglich erweitert wird, beweist eine gutgebaute Brust, gesunde Lungen, eine gute Beschaffenheit der übrigen Werkzeuge, die zum Athmen dienen, und einen freyen Umlauf des Bluts. Es gehören daher in Krankheiten unter die guten Vorbedeutungen. Ist es hingegen so, daß die äußerliche Brust sich dabey stark erhebt, (sublimis) und ist es schmerzhaft, so ist es gefährlich. (Danz §. 84.) Am Ende der Krankheiten, mit andern guten Zeichen, verkündigt es kritische Ausleerungen, mit schlechten Zeichen hingegen, Gefahr und nahen Tod.

§. 94.

Das kleine Athemholen (r. parva), wobey auf einmal wenig Luft aus- und eingeathmet, obschon die Brusthöhle stark erweitert wird, zeigt ein Hinderniß in den Lungen und den zum Athemholen nöthigen Werkzeugen, ein Hinderniß im Kreislaufe an, und ist daher ein gefährliches Zeichen, meist tödtlich, wenn es dazu noch sehr häufig ist. Man findet es gewöhnlich bey starken Lungenentzündungen. Ist das Einathmen klein und das Ausathmen groß, und umgekehrt, so ist dieß eine tödtliche Vorbedeutung. (Danz §. 85.)

§. 95.

Das starke Athemholen (r. fortis), wo die Brust mit Kraft ausgedehnt und erweitert wird, hat alle die guten Bedeutungen des großen (Danz §. 84.) und ist gewöhnlich damit verbunden. Es ist am Ende der hitzigen Fieber, mit andern guten Zeichen, kritisch, mit übeln aber gefährlich und tödtlich.

§. 96.

Das schwache Athemholen (r. debilis), wobey sich die Brust nur wenig erhebt, ist nie gut, indem es immer Zerrüttung der Naturkräfte andeutet. (Danz §. 85.) Bey Krämpfen und Schmerzen ist es ein Beweis von der

Heftigkeit des Reizes; in Fiebern, mit andern schlimmen Zeichen verkündigt es den Tod. Bey Ohnmachten ist es natürlich.

§. 97.

Das hohe Athemholen (r. sublimis), wo Rippen, Brustbein, Schlüsselbeine, Schulterblätter, Nasenlöcher, Unterleib in der höchstmöglichen Bewegung sind, und doch nur wenig Luft aus- und eingeathmet wird, ist ebenfalls meist ein tödtliches Zeichen. (Danz §. 85.) Es deutet auf heftig angegriffene, zusammengezogene Brust, oder auf örtliche Fehler, auf gehemmten Blutumlauf und Stockungen, auf vergebliche Anstrengung oder Erschöpfung der Kräfte. In Fiebern und bey der Brustwassersucht ist es ein Vorbote der Erstickung, bey Engbrüstigen und Hysterischen ein Zeichen der Heftigkeit des Anfalls. Gemeiniglich geht es dem Tode voraus.

§. 98.

Das tiefe Athemholen (r. profunda) wobey die Brust völlig erweitert wird, und welches gewöhnlich zugleich langsam und stark ist, ist meistentheils ein Beweis von Kraft und Unverletztheit der zum Athemholen nöthigen Werkzeuge, demnach in schweren Krankheiten ein günstiges Zeichen. Ist es aber zugleich seufzend und mit Beklemmung verbunden, so deutet es auf starke innere Reize, auf Stockungen des Blutes in den Lungen und gehinderten Durchgang desselben, wobey, wenn zugleich Hitze und Schmerz vorhanden, Lungenentzündung zu vermuthen ist. Ist es zugleich widernatürlich langsam, so zeigt es bevorstehende Delirien oder Anfälle von Wahnsinn an.

§. 99.

Das leichte Athemholen (r. facilis), wo Aus- und Einathmen ohne Beschwerde geschieht, zeigt Integrität der Werkzeuge, die zur Respiration dienen, und einen gehörigen Umlauf des Bluts an. Alle übrigen Arten des Athmens werden weniger gefährlich, wenn sie nur zugleich leicht sind. (Danz §. 86.) Inzwischen wird bey Lungensüchtigen, überhaupt bey Brustkranken, nach langem beschwerlichen oder sonst widernatürlichen Athemholen, dasselbe plötzlich leicht und frey, verschwinden die Schmerzen, welche vorher damit verknüpft waren, fühlen sich solche Kranke auf einmal, ohne vorhergegangene günstige Veränderungen wohl, so ist dieß leichte Athemholen ein tödtliches Zeichen.

§. 100.

Das schwere Athemholen (r. difficilis), wo das Aus- und Einathmen mit Mühe geschieht, und der Kranke die Empfindung hat, als wenn ihm eine Last auf der Brust läge, ist in hitzigen Krankheiten immer gefährlich. Es verräth mehrentheils, so wie das schmerzhafte Athmen, eine Brust- und Lungenentzündung. Bey Bucklichen, Engbrüstigen, Hypochondrischen, Hysterischen, hat es weniger zu bedeuten. Alle übrigen Gattungen des Athemholens werden gefährlicher, wenn sie sich zugleich mit einem schweren, verbinden. (Danz §. 87.) Das schwere Athemholen geht aber auch, indem es zugleich ängstlich ist, den Ausschlägen in exanthematischen Krankheiten, besonders dem Friesel vorher; nicht selten zeigt es sich auch vor kritischen Ausleerungen, besonders durch den Stuhl, und ist alsdann eher für ein günstiges, als übles Zeichen anzusehen. Im chronischen Zustande zeigt schwerer Athem schlechte Verdauung, ferner Neigung zu Blähungen, Krämpfen, Leibesverstopfung, Stockungen im Pfortadersystem an. In schwereren Fällen deutet er auf organische Fehler in der Brust oder im Unterleibe: auf Geschwüre, Verhärtungen in den Lungen, in der Leber, auf innere Geschwülste, Wasseransammlungen, Ergießungen von Blut, Eiter; daher ist schwerer Athem bey der Lungenschwindsucht und Brustwassersucht ein Zeichen naher Erstickung, und ein sehr häufiges, oft tödtliches Zeichen der krampfigen Engbrüstigkeit.

§. 101.

Das schwere Athmen ist oft mit eigenen Modificationen begleitet, die zum Theil den Umstehenden sich durch das Gehör zu erkennen geben, zum Theil nur dem Kranken fühlbar sind, oder ihn nöthigen eine bestimmte Lage anzunehmen, in allen diesen Fällen aber nicht selten näher auf die Ursache des Leidens hinführen. Die der ersteren Art (das pfeifende und röchelnde Athmen,) sind schon mit ihrer Bedeutung §. 83. angegeben worden. Die der letztern Arten handeln wir, unserm Grundsatze getreu, unter den Rubriken der schmerzhaften Gefühle und der veränderten Lage des Kranken ab, als wohin sie ihrer Natur nach gehören.

§. 102.

Das gleiche Athmen (r. aequalis), wobey Ein- und Ausathmen und ein jeder Athemzug einander ähnlich sind, ist immer ein gutes Zeichen in Krankheiten, indem es die gute Beschaffenheit der zur Respiration gehörigen Organe und Kräfte und einen ungestörten Blutumlauf andeutet. (Danz §. 89.)

§. 103.

Das ungleiche Athmen (r. inaequalis), welches bald nach einer, bald nach einer andern Ordnung fortgeht, ist ein böses Zeichen, weil es auf einmal verschiedene Gattungen von Hindernissen in den Lebensverrichtungen, oder öfters auch sinkende Kräfte anzeigt. Kommt aber diese Ungleichheit von einem fehlerhaften Bau der Brust, wie bey Bucklichen, oder von Krämpfen, und verschwindet sie

H

bald wieder, so hat sie weniger zu sagen. Oesters geh
sie auch kritischen Ausleerungen (z. B. bey dem Friesel
voraus. Ist aber die Ungleichheit so groß, daß Athem
züge gänzlich ausbleiben (r. intermittens), oder daß
wenn z. B. das Einathmen noch nicht ganz vollendet wa
schon das Ausathmen anfängt (r. interrupta), so wächst
dadurch die Gefahr (Danz §. 89.). Der vorüberge
hende Stillestand des Athemholens (r. defi
ciens) ist Ohnmachten eigen, der anhaltende e
Zeichen des Scheintodes oder des wirklichen Todes; wi
wohl das letztere unter die ungewissen Zeichen oder weni
stens unter diejenigen gehört, die für sich allein keine G
wißheit geben.

§. 104.

Selten findet man bey Kranken eine einfache Gattu
der angeführten Respirationen, sondern meistens sind me
rere mit einander verbunden, wornach die Gefahr entw
der wächst, oder sich vermindert. So sind die langsam
und kleinen, die langsamen und schwachen Respiration
sehr gefährliche Zeichen, weil sie stark erschöpfte Kräfte a
deuten. Das sehr langsame und große Athmen verrä
ein Hinderniß des Blutumlaufs im Gehirne, daher erfolg
darauf sehr leicht Schlafsucht, Delirien, Schlagfl
Großes und häufiges Athemholen, welches zwar gewöh
lich ein sehr beschleunigter Umlauf des Bluts begleitet,
dessen ungeachtet im Ganzen eine gute Vorbedeutung,
Beweis, daß keine Hindernisse, weder der Respiratio
noch dem Umlaufe des Bluts im Wege, und daß gu
Lebenskräfte vorhanden sind. Das kleine und geschwin
Athmen hingegen ist ein gefährliches Zeichen. Man fin
es gewöhnlich bey Brustentzündungen und bey Entzünd
gen des Unterleibes, besonders der Eingeweide, die gle
unter dem Zwerchmuskel liegen, weil der Kranke da

wegen Furcht vor dem Schmerz, wenig, aber desto öfter Luft schöpft. Es beweist einen heftigen Grad der Entzündung, große Gefahr und den Tod, wenn auch gleich der Puls beynahe natürlich ist. Je mehrere und gefährlichere Gattungen sich mit einander verbinden, je ungleicher, beschwerlicher das Athmen ist, eine desto bedenklichere Vorbedeutung wird es für uns. Auch die schnelle Abänderung einzelner Gattungen der Respiration, z. B. einer großen in eine kleine, einer häufigen in eine seltene, ohne daß die Krankheit selbst abnimmt, ist gewöhnlich mit Gefahr verbunden (Danz §. 90.).

Ueber den warmen, kalten, stinkenden Athem sehe man die resp. Rubriken nach.

2. Niesen.

§. 105.

Das Niesen (Sternutatio) ist eine convulsivische Exspiration, die von einem bald idiopathischen, bald sympathischen Reize in den Nasennerven herrührt. Ein häufiges Niesen verräth einen bevorstehenden Schnupfen und geht auch gewöhnlich den Masern voraus. In Krankheiten beweist es gute Naturkräfte, unter sonst guten Umständen; zuweilen kündigt es ein kritisches Nasenbluten oder andere Ausleerungen an. Bey hysterischen Frauen verkündigt es den nahen Anfall. Heilsam ist es oft (durch die Erschütterungen, die es bewirkt) bey zurückgehaltener Menstruation, bey der zurückgebliebenen Nachgeburt, bey Stockungen überhaupt, bey Gicht, Lähmungen. Bedenklich ist es bey Vollblütigen, bey Alten, die zum Schlagfluß geneigt sind, bey eingeklemmten Brüchen, wo es leicht, wenn es häufig ist, den Brand nach sich zieht, bey Blutflüssen, besonders des Uterus, die es vermehrt, bey Schwangern, wo es leicht Abortus verursacht. In Gesellschaft anderer böser Zeichen ist es von übler Vorbede[utung], besonders bey der Hirnwuth, bey Lungen- Zwerc[hfell]muskel- und Darm-Entzündung (Danz §. 101.).

3. Husten.

§. 106.

Der Husten (tussis) eine schallende, erschütter[n]de, schnelle In- und Exspiration, und Wirkung ein[es] idiopathischen oder sympathischen Reizes in der Luftröhr[e], in den Lungen, im Zwerchfell oder im Unterleibe. D[er] Husten von idiopathischen Reizen hat mehr zu bedeuten a[ls] der von sympathischen, indem der erstere ein Zeichen ört[li]cher Brustaffectionen ist, die selten ohne Bedenklichk[eit] sind. Der Husten ist ein gewöhnlicher Gefährte d[er] Brustkrankheiten, der Lungen- und Brustentzündunge[n]. Er ist in den letztern heilsam, wenn er mit einem leicht a[b]gehenden Auswurfe begleitet ist. Der chronische Hust[en] mit häufigem Eiter- oder Schleimauswurf, ist ein Zeich[en] der eitrigen oder Schleim-Schwindsucht, besonders we[nn] Fieber dabey ist. Wenn der Husten heftig, anhalten[d] trocken ist, so ist er kein gutes Zeichen, und mit häufige[m] Schauer verbunden, verräth er bey Brust- und Lunge[n]entzündungen entstehende Eiterung. Wie das Niesen [ist] auch der Husten ein Zeichen von Katarrhalfiebern, und e[in] Begleiter der Masern. Die schnelle Veränderung d[es] feuchten in einen trockenen Husten ist nie gut. Bei eing[e]klemmten Brüchen, bey Kindbetterinnen, nach Zurücktr[eten] der Lochien oder der Milch ist ein heftiger trockner Hust[en] bedenklich (Danz §. 103.). Sonst ist der trockene H[u]sten bey Gichtkranken ein Zeichen des Anfalls; der trock[ne] und erstickende Husten deutet auf fehlerhafte Eingeweid[e]; bey Wassersüchtigen verkündigt er den nahen Tod. D[er] blutige Husten, nach langwieriger Engbrüstigkeit, bede[u]tet gleichfalls nahen Tod.

4. Schluchzen.

§. 107.

Das Schluchzen (singultus) ist ein convulsivisches Einathmen, welches durch einen Reiz im Zwerchmuskel und Magenmunde, nach schnellen Erkältungen, Ueberladungen, durch innere Schärfen oder spasmodische Nervenaffection entsteht. Er ist kein gefährlicher Zufall in Krankheiten, wenn er von Ueberfüllung des Magens, von Unreinigkeiten, von Säure, von Schärfen, die den Magenmund reizen, von Empfindlichkeit der innern Haut desselben nach abgefallenen Schwämmchen, von Erkältung, herkommt, und keine üblen Zeichen zu Begleitern hat. Es geht zuweilen guten kritischen Ausleerungen voraus. Bey Hysterischen, Hypochondrischen findet man es häufig. Hingegen in hitzigen Krankheiten, wo die Kräfte erschöpft und mehrere üble Zeichen vorhanden sind, nach starken Ausleerungen, nach innern Entzündungen, eingeklemmten Brüchen, nach schweren Geburten, starken Kopfwunden, nach dem Zurücktritt von Hautausschlägen, nach genossenen Giften, ist es meist ein tödtliches Zeichen, indem es gewöhnlich den anfangenden Brand andeutet. Doch ist auch mancher Kranke, der schon das Schluchzen in diesen Fällen hatte, gerettet worden. Die Vergleichung mit den übrigen vorhandenen Zeichen muß uns hier leiten (Danz §. 104.).

5. Gähnen.

§. 108.

Das Gähnen (oscitatio), welches in einem langsamen und langen Einathmen und großen Ausathmen besteht, verräth einen langsamen Umlauf des Bluts, besonders durch die Lungen; daher man es zuweilen bey Eiterbeulen (vomicae) und Verhärtungen derselben findet. Ferner verräth es stockendes, zu vieles, oder auch zu weniges Blut, oder geschwächte Kräfte. Es geht gewöhnlich den Fiebern, besonders dem Fieberfroste bey Wechselfiebern, und bey Nervenkrankheiten einem neuen Anfalle voraus; z. B. bey Hysterischen. Oefters kündigt es den Ausbruch von Ausschlagskrankheiten an. Kömmt es von Vollblütigkeit, so deutet es zuweilen Blutflüsse an; daher man es vor dem Eintritte der monatlichen Reinigung bemerkt. Kömmt es von Blähungen, von Unreinigkeiten des Unterleibes, Krämpfen, nach oder vor dem Schlafe, dann hat es nichts zu bedeuten. Entsteht es aber von Schwäche, Mangel an Blut, nach großen Wunden, schweren Geburten, starken Blutflüssen, nach innern Entzündungen, und sind andere üble Zufälle zugegen, als häufige Ohnmachten u. s. w., dann ist es ein furchtbares Zeichen. Gähnen entsteht auch zuweilen nach einem fruchtbaren Beyschlafe. Bey Schwangern verräth es öfters partielle Blutanhäufung, Stockungen im Unterleibe und daher rührenden Abortus; bey Gebährenden schwere Geburten, als Beweis geschwächter oder unterdrückter Kräfte (Danz §. 105.).

Zeichen aus den abnormen Functionen der Organe des Kreislaufs.

1. Herzklopfen.

§. 109.

Das Herzklopfen (palpitatio cordis), im geringeren Grade Herzzittern (tremor cordis) genannt, verräth fehlerhafte Beschaffenheit des Herzens oder der größern Blutgefäße, oder der Brust und Lungen, wodurch der Umlauf des Bluts gestört wird, oder Vollblütigkeit und starke Reizbarkeit des Herzens, oder einen höhern Grad von Schwäche desselben, welcher vergebliche Anstrengungen unter der Form des Herzklopfens hervorbringt, oder scharfes Blut, oder entferntere Reize, die auf das Herz consensuell wirken, oder Krämpfe, Verhinderung des gehörigen Blutumlaufs durch den Unterleib, wie bey Leberverstopfungen. Ein heftiges, lange anhaltendes Herzklopfen mit beschwerlichem Athemholen, häufigen Ohnmachten, ungleichem Pulse, ist sehr gefährlich, öfters tödlich. Es folgen darauf Schlagflüsse, Stickflüsse. Gegen das Ende hitziger Krankheiten, wo der Kranke sehr entkräftet ist, ist es auch sehr furchtbar. Doch verkündigt es auch am Ende hitziger Fieber, mit guten Zeichen, kritische Ausleerungen, jedoch von zweifelhaftem Erfolg. Rührt es von Vollblütigkeit, von unterdrückten Blutflüssen, von einer Schärfe im Blute, wie bey Skorbutischen, oder von Unreinigkeiten in den ersten Wegen, von Krämpfen her, so hat es weniger zu sagen, wenn es nur nicht zu lange anhält und keine öftern und starken Ohnmachten sich dazu gesellen, weil es sonst öfters plötzlich tödtet. Bey Hysterischen und Hypochondrischen, und überhaupt bey Krämpfen geht es zuweilen neuen Anfällen voraus. Kommt es von örtlichen Fehlern des Herzens und der größern Blutgefäße her, wie von Polypen, von Erweiterungen und Verengerungen, so ist es meistens unheilbar und über kurz oder lang tödtlich (Danz §. 75.).

2. Puls.

§. 110.

Der Puls (Pulsus) oder die wechselseitige Ausdehnung und Zusammenziehung des Herzens und der Schlagadern, ist entweder häufig oder selten, schnell oder langsam, stark oder schwach, groß oder klein, hart oder weich, gleich oder ungleich, aussetzend, fehlend (Danz §. 57.). Alle diese verschiedenen Arten des Pulses lehren uns die Beschaffenheit der

Lebenskräfte, besonders der Reizbarkeit und ihrer Verhältnisse kennen, zeigen uns an, ob Hindernisse dem Umlauf des Blutes im Wege stehen, denselben erschweren, unterdrücken oder gar hemmen, und geben uns Auskunft über die Natur, die Heftigkeit und den Ausgang der Krankheiten (Danz §. 55.).

§. 111.

Der häufige Puls (p. frequens,) ist derjenige, welcher in einer gegebenen Zeit öfter als natürlich erfolgt. Natürlich häufiger ist der Puls bey Kindern, nach starken Bewegungen, Leidenschaften, langem Wachen des Abends, zur Zeit der Verdauung, wenn der Chylus ins Blut kommt, nach geistigen Getränken, im Sommer, oder in heißen Erdstrichen, bey Sanguinischen, Cholerischen; folglich hat er in allen diesen Fällen keine besondere Bedeutung. Außerdem aber, und in Krankheiten, zeigt der häufige Puls entweder ein zu reizbares Herz und Arterien-System an, oder einen stärkern Reiz, der sich entweder in der Blutmasse selbst befindet, oder consensuell, durch Rückwirkung des Hirns mittelst der Nerven, oder auch durch Wirkung des niedern Nervensystems für sich selbst, das Herz und die Arterien reizt. Der häufige Puls ist ein gewöhnliches Zeichen des Fiebers und der Entzündung. Je häufiger der Puls wird, desto mehr wächst die Gefahr der Krankheit. Bey Erwachsenen über hundert und vierzig Schläge in der Minute vermehrt (da der Normal-Puls bey diesen zwischen 70 – 80 bey ganz kleinen Kindern 95 — 100, bey größern 85-90 ist) ist er ein meist tödtliches Zeichen. Ist der Puls in Krankheiten des Morgens schon sehr häufig, so zeigt er gewöhnlich eine böse und unruhige Nacht an; wird er aber Abends seltener, so haben wir eine gute Nacht und Abnahme der Krankheit zu erwarten (Danz §. 58.). In der Regel bleibt der Puls in Fiebern so lange häufig, als der rohe Zustand der Krankheit dauert. Beschleunigt sich der Puls nach eingetretenen Zeichen der Kochung wieder, besonders wenn er zugleich härter wird, so tritt die Krankheit in den rohen Zustand zurück, oder es erfolgen Umwandelungen. Daher sind in der Periode der Genesung noch Recidive oder Nachkrankheiten zu befürchten, so lange der Puls diese Beschaffenheit behält. Je kleiner, schwächer, härter, unregelmäßiger der häufige Puls ist, desto bedenklicher ist er; je größer, stärker, weicher, regelmäßiger, desto weniger verkündigt er Gefahr, ja er ist dann oft als ein Zeichen günstiger Krisen anzusehen. In chronischen Fällen deutet der häufige Puls auf Verschlimmerung und baldigen übeln Ausgang der Krankheiten; doch ist er auch hier zuweilen ein gutes Zeichen, wenn er vorher bey den Anfällen dieser Krankheiten ganz unterdrückt war; z. B. Schlagflüssen, wo man hoffen kann, daß sich der Anfall gut endigen wird, wenn der Puls wieder häufig wird.

§. 112.

Der seltene Puls (p. rarus), der in einer gegebenen Zeit wenigere Male als natürlich erfolgt, findet sich ohne Bedeutung bey alten Leuten, des Morgens, bey größeren Personen, beym männlichen Geschlecht, bey Phlegmatischen und Melancholischen, im Winter, in kalten Gegenden. Er verräth entweder ein schwaches, wenig reizbares Herz und Arterien-System, oder auch das Gegentheil, indem bey verschiedenen Subjecten dieselbe Erscheinung aus entgegengesetzten Ursachen herkommen kann. Schwache haben einen seltenen Puls, weil sie nicht genug gereizt werden, Starke, weil sie den Reizen widerstehen können. Doch leiden diese Bestimmungen mannigfaltige Ausnahmen. Ist der Puls nicht allzuselten, so ist er ein gutes Zeichen, weil er ein mildes Blut und mäßige Bewegung desselben, also Mangel an widernatürlichen Reizen, und Gegenwart der Kraft andeutet. Ein allzuseltner Puls aber ist allezeit ein böses Zeichen, indem er Schwäche und Unterdrückung der Lebenskräfte verräth, besonders bey Kopfwunden, überhaupt bey Zuständen, wo eine Lähmung des Gehirns zu fürchten ist, in faulichten Krankheiten, wenn er mit den übrigen heftigen Zufällen, als großer Hitze, heftiger Raserey u. s. w. nicht übereinstimmt, als wo gewöhnlich ein sehr häufiger Puls Statt findet. So auch ist der seltene Puls ein böses Zeichen, wenn er schnell und plötzlich auf einen häufigen folgt. Wird aber der häufige Puls nach und nach etwas seltener, so ist die Krankheit im Abnehmen; und es ist dieß besonders in Entzündungen ein gutes Zeichen. In chronischen Krankheiten zeigt ein zu seltener Puls Langwierigkeit derselben an, und in Nervenkrankheiten, besonders bey Hysterischen, einen neuen, meist heftigen Anfall. Wird der Puls in diesen Fällen häufiger, so ist Besserung vorhanden (Danz §. 59.).

§. 113.

Der schnelle Puls (p. celer), bey welchem die Zusammenziehung an Geschwindigkeit, Kürze der Zeit, d. i. Schnelligkeit, die Expansion übertrifft, verräth ein sehr reizbares Herz, oder eine Schärfe im Blute, oder ein Hinderniß in den Arterien. Er ist gewöhnlich mit dem häufigen verbunden, weil nehmlich das Herz bey einem ungewöhnlichen Reize, oder bey einem Hinderniß, welches die Stelle eines Reizes vertritt, sich sowohl häufiger, als heftiger und schneller zusammenzieht. Natürlich ist der schnelle Puls Kindern, zartgebauten Frauenzimmern, überhaupt reizbaren Personen. In entzündlichen Fiebern zeigt der schnelle, häufige Puls, wenn er zugleich klein ist, den Uebergang in ein Faulfieber an, und bey örtlichen

Entzündungen, in den Brand. Sehr schnell wird der Puls bey Sterbenden, weil nehmlich, wegen fehlender Kräfte im übrigen Körper, das Herz sich mehrere Male und stärker zusammenziehen muß, das Blut fortzuschaffen; welches auch der Fall nach schwächenden Arzneyen, starken Ausleerungen ist. Der schnelle Puls kann auch zugleich selten seyn. So findet man ihn bey Leuten die vom Schlagflusse überfallen sind, auch bey Alten (Danz §. 60.). zeigt sich der schnelle Puls nach eingetretenen Zeichen der Kochung und ist er zugleich groß, voll und stark, so deutet dieß Entscheidung der Krankheit an.

§. 114.

Der langsame Puls (p. tardus), bey welchem die Contraction der Arterie länger dauert als die Expansion, verräth gewöhnlich entweder verminderte Reizbarkeit des Herzens, oder Mangel an Blut, oder dickes, schleimiges Blut. Er ist meistentheils mit dem seltnen verbunden, und zeigt auch das nehmliche an. Bey Alten deutet er auf Härte und verminderte Schnellkraft der Arterien. Bey denen, die zu Krämpfen geneigt sind, zeigt er bevorstehende Anfälle an. In Fiebern, wo er mit der Heftigkeit der Krankheit in keinem Verhältnisse steht, ist er ein gefährliches Zeichen, besonders wenn er von Schwäche herrührt. Wird aber ein vorher schneller Puls langsamer, und bleibt er so: dann ist es gut, und Hoffnung zur Genesung zugegen (Danz §. 61.).

§. 115.

Der starke Puls (p. fortis), bey welchem die Arterie mit Kraft ausgedehnt wird, und wo der Pulsschlag mit Heftigkeit an den Finger des Fühlenden klopft, verräth große Kraft des Herzens und überhaupt gute Lebenskräfte. Natürlich findet man diesen Puls bey robusten, gut genährten, hauptsächlich bey Landleuten, bey Cholerischen, und unter kaltem Klima. Im Ganzen ist er ein gutes Zeichen, besonders in chronischen Krankheiten, weil er ungeschwächte Lebenskräfte anzeigt. Er kündigt öfters eine Entscheidung der Krankheit durch einen Blutfluß an. Ist der Puls sehr stark, und nimmt das Fieber dabey zu, ohne daß Zeichen der Entscheidung vorhanden sind, so verräth er meistentheils eine verborgene oder bevorstehende Entzündung, Delirien, Raserey, heftige Kopfschmerzen, tödtliche Convulsionen, und selbst den Tod. Er ist öfters mit dem vollen Pulse verbunden, und dann ein Zeichen von einer ansehnlichen Anfüllung der Arterie, oder von einer wahren Plethora (Danz §. 62.). In Krankheiten mit Schlafsucht deutet er auf guten Ausgang, bey der Lungenentzündung, beym Schlagfluß auf Gefahr. Ein bloß partiell starker Puls deutet auf Verstopfung der Eingeweide.

§. 116.

Der schwache Puls (p. debilis), welcher so wenig und so unkräftig an den Finger anschlägt, daß man die Pulsschläge kaum fühlt, findet sich natürlich bey fetten Personen, welche tiefliegende Arterien haben. In Krankheiten verräth der schwache Puls verminderte Kraft des Herzens, gesunkene Lebenskräfte, oder Mangel an Blut, oder verhinderte Wirkung des Herzens durch Convulsionen, Polypen, Anevrismen, Verknöcherungen großer Arterien. Im Anfange und im Zunehmen hitziger Krankheiten ist er immer gefährlich und meistens ein Begleiter bösartiger Fieber. In gastrischen Fiebern ist er ein Zeichen des materiellen Reizes und scheinbarer Schwäche. Wenn der starke Puls auf einmal sehr schwach und noch überdieß sehr geschwind wird, so ist dieß meist ein tödtliches Zeichen. Ein schwacher, langsamer, kleiner Puls verräth Ohnmachten, und ein schwacher langsamer Puls, mit einem Localschmerz verbunden, ist ein Merkmal eines krampfhaften Zustandes. Ist der Puls bey groser Fieberhitze, heftigen Entzündungen, Delirien, schwach, so verräth er große Gefahr. Ein schwacher Puls in chronischen Krankheiten zeigt Langwierigkeit derselben an (Danz §. 63.).

§. 117.

Der große Puls (p. magnus), bey welchem die Arterie sehr ausgedehnt wird, findet sich natürlich bey etwas magern, aber doch gut genährten Leuten. Er ist gewöhnlich auch voll, und daher ein Beweis der Menge des Bluts, der Stärke des Herzens, und der guten Beschaffenheit der Lebenskräfte. Er ist daher in Krankheiten, im Allgemeinen, ein gutes Zeichen, und kündigt, wenn Kochung vorausgegangen ist, öfters eine glückliche Entscheidung der Krankheit an. Deswegen sind selbst gefährlich scheinende Zufälle nicht bedenklich, wenn nur der Puls dabey groß und stark ist, wie z. B. Delirien, Ohnmachten, Zuckungen. Doch ist die schnelle Veränderung eines kleinen Pulses in einen großen, oder noch mehr des großen in einen kleinen, ein gefährliches Zeichen (Danz §. 64.).

§. 118.

Der kleine Puls (p. parvus), bey welchem sich die Arterie wenig erhebt und von der eindringenden Blutwelle wenig erweitert wird, ist, wie der schwache (doch eigentlich beyde nur dem Scheine nach) natürlich bey fetten Leuten zu finden, die tiefliegende Arterien haben. In Krankheiten verräth er entweder Mangel der Lebenskräfte, oder eine zu geringe Ausdehnbarkeit der Arterien, Verengerung derselben, oder hin und wieder Stockungen, so daß das Blut nicht gleichförmig vertheilt werden kann, oder auch Mangel an Blut. Daher der kleine Puls meistens auch leer (vacuus) ist. Der kleine Puls ist deswegen kein gutes Zeichen, sowohl in hitzigen Krankheiten, weil er Bösartigkeit der Krankheit, verborgene innere Entzündungen, die leicht in Brand übergehen, Schwäche der Lebenskräfte, Ohnmachten ankündigt, als auch in chronischen, wo er Langwierigkeit des Uebels befürchten läßt, und öfters heftigen Anfällen vorausgeht. Nicht selten deutet er auf Knotengeschwüre in den Lungen, Polypen des Herzens und der Schlagadern. In Schlagflüssen, wo der kleine Puls schnell groß wird, und der Kranke eine unüberwindliche Neigung zum Schlafe bekommt, ist der Tod nahe. Sehr gefährlich ist der kleine Puls nach heftigen Schmerzen, Delirien, Nachtwachen (Danz §. 65.). Ein kleiner Puls mit Schmerzen in der Nabelgegend und Schluchzen deutet auf Würmer. Der kleine und häufige Puls zeigt meistentheils den Uebergang der Entzündungen in Brand an; der kleine und schnelle, nach Kopfverletzungen, Hirnerschütterung. Der kleine, häufige und schwache Puls ist Ohnmächtigen und Sterbenden eigen.

§. 119.

Der harte Puls (p. durus), welcher gleich einem harten Körper an den Finger schlägt, und wobey sich die Arterie gespannt und wenig nachgiebig anfühlen läßt, ist alten Leuten eigen, bey welchen die Häute der Arterien hart und nicht selten verknöchert sind. In Krankheiten verräth er Hindernisse im Kreislaufe des Bluts, es mögen nun Krämpfe, Verstopfungen, oder organische Fehler die Ursache seyn; ferner einen Reiz, oder dickes Blut, oder vermehrte Kraft des Herzens und der Arterien. Er ist gewöhnlich ein Zeichen von Entzündung, besonders von äußerlicher, wenn er noch dabey häufig und mit einem Localschmerz verbunden ist. Ein harter Puls geht öfters Krämpfen voraus, und ist Hysterischen und Hypochondrischen gemein. In bösartigen Fiebern, in Faulfiebern, bey Schwindsüchtigen ist er ein böses Zeichen, weil Convulsionen, Delirien, tödtliche innere Entzündungen darauf erfolgen. Bisweilen geht vor einem kritischen Schweiße ein harter Puls voraus. Je voller und härter der Aderschlag in Schlagflüssen ist, desto näher ist der Tod (Danz §. 66.).

§. 120.

Der weiche Puls (p. mollis), bey welchem die Arterie zwar nicht leer, aber doch das Blut so wenig angetrieben wird, daß die Pulsschläge nur gelind an die Finger klopfen, und überhaupt die Arterie nicht gespannt, sondern nachgiebig ist, ist Phlegmatischen und Personen von schlaffem Körper eigen. In Krankheiten verräth er Verminderung der Lebenskraft, erschlaffte feste Theile, überhaupt Schwäche; doch nicht immer. Folgt er auf den harten Puls, so zeigt er bey Entzündungen einen baldigen guten Ausgang derselben, in hitzigen Krankheiten einen bevorstehenden kritischen Schweiß, beym Seitenstechen einen kritischen Auswurf an. Nach starken Ausleerungen ist ein weicher Puls jederzeit ein gutes Zeichen, als ein Beweis von Verminderung des widernatürlichen Reizes. Bey Lähmungen ist er bedenklich, bey fieberlosen Krankheiten mit Schlafsucht und Irrereden deutet er auf Gefahr. Ueberhaupt finden bey ihm, wenn er von Schwäche herkommt, die nehmlichen Zeichen Statt wie bey dem schwachen Pulse, (s. §. 116.) mit welchem er dann auch meistentheils verbunden ist. Bey reinen, starken Lungenentzündungen, und bey sehr heftigen Entzündungen im Unterleibe ist der Puls weich und klein. Doch hat man ihn zuweilen hier auch hart gefunden. Bey Entzündung der Därme ist er öfters Anfangs hart, den zweyten oder dritten Tag aber sehr weich, wenn gleich die Entzündung noch nicht gehoben ist. (Danz §. 67.) Stellt er sich überhaupt in Krankheiten in Gesellschaft schlimmer Zeichen ein, so deutet er auf Gefahr, am Ende der Krankheiten, auf nahen Tod. Dieß gilt besonders bey langwierigen, schleichenden Fiebern und kachetischen Krankheiten, wo alle Zufälle auf Schwäche und Kraftabnahme deuten.

§. 121.

Der gleiche Puls (p. aequalis), bey welchem ein Pulsschlag dem andern an Größe, Stärke, Schnelligkeit ähnlich ist, verräth einen gleichförmigen Umlauf des Bluts und ist gewöhnlich in Krankheiten ein gutes Zeichen; doch ist er in Gesellschaft schlimmer Zufälle, z. B. bey Nervenfiebern, trüglich und bedenklich. Je mehr sich der Puls von der natürlichen Gleichheit entfernt, desto gefährlicher wird er im Allgemeinen. (Danz §. 68.)

§. 122.

Der ungleiche Puls (p. inaequalis), der dem vorhergehenden gerade entgegengesetzt ist, ist immer, besonders in hitzigen Krankheiten, ein gefährliches Zeichen, meistentheils am Ende tödtlich, wenn er nicht kritisch ist, hauptsächlich wenn er mit andern übeln Gattungen des Pulses verbunden ist, z. B. je geschwinder er ist. Er verräth öfters große Schwäche, oder ein schwer zu hebendes Hinderniß im Kreislaufe: Verstopfungen, Entzündungen der Lunge, Brustwassersucht. Kommt er von Krämpfen her, wie bey Hysterischen, Hypochondrischen, von Würmern, oder überhaupt von Reizen, die sich im Darmkanale befinden, so hat er weniger zu bedeuten. Man hat von jeher eine Menge ungleicher Pulse unterschieden, die aber den Anfänger nur verwirren, und wovon viele blos auf der Studirstube ausgedacht sind. Wir wollen nur die vorzüglichsten derselben erwähnen und haben vorläufig blos zu bemerken, daß der ungleiche Puls desto gefährlicher ist, je kleiner, schwächer, geschwinder er ist; daß er weniger gefährlich ist, wenn er zugleich voll und stark ist; welches öfters eine bevorstehende kritische Entscheidung einer Krankheit andeutet (Danz §. 69.). Die vorzüglichsten Arten des ungleichen Pulses sind:

§. 123.

Der aussetzende Puls (p. intermittens), bey welchem Pulsschläge in einer gegebenen Anzahl gänzlich ausbleiben. Er verräth gewöhnlich Mangel an Blut, oder Schwäche des Herzens, oder große Hindernisse im Kreislaufe. Der intermittirende Puls für sich allein ist kein sicher bestimmendes Zeichen, sondern er deutet erst in Verbindung mit andern üblen Arten des Pulses, und überhaupt andern übeln Zeichen Gefahr an. So zeigt ein geschwinder, kleiner, aussetzender Puls bey Entzündungen den Uebergang in den Brand und den Tod an. Bey Lungen- und Brust-Entzündungen, bey Krankheiten des Herzens, Schlagflüssen, Kopfwunden, ist ein aussetzender Puls immer bedenklich. Zuweilen geht er kritischen Ausleerungen, besonders kritischen Schweißen und Diarrhöen voraus. Weniger gefährlich ist er oft in chronischen Krankheiten, wo er aber doch meistentheils eine hartnäckige und schwer zu hebende Krankheitsursache, z. B Fehler des Herzens, Anevrismen, Polypen, Verwachsungen, Geschwüre an der Oberfläche des Herzens und im Herzbeutel, anzeigt; ferner, wenn er von Krämpfen oder Würmern, Unreinigkeiten in den ersten Wegen, unterdrückten Blutflüssen, herkommt. Bleibt ein Pulsschlag nach vielen aus, so hat dieß nichts zu sagen; nach wenigen ist er von mehrerer, und nach den allerwenigsten von der allermeisten Bedeutung, so wie man ihn in bösartigen Fiebern, und öfters vor dem Tode bemerkt. Je mehrere Pulsschläge ausbleiben, desto furchtbarer wird der aussetzende Puls. Der ordentliche aussetzende Puls zeigt im Allgemeinen

J

mehr Gefahr an, als der unordentlich aussetzende, wei[l]
seine Ursache hartnäckiger zu seyn scheint (Danz §. 70.)
Uebrigens findet sich dieser Puls oft bey Alten, wo Verknöcherungen der Valveln des Herzens oder der Arterie[n]
zugegen sind, bey asthmatischen, verwachsenen, rhachiti-
schen, hypochondrischen und gichtischen Personen. Zuweilen zeigt sich ein aussetzender Puls bey ganz Gesunden
der in Krankheiten verschwindet, nach überstandener Krankheit aber sich wieder einfindet (von Haen.). Wenn
oben gesagt wurde daß der aussetzende Puls bey Krämpfe[n]
weniger bedenklich ist, so leidet dieß eine Ausnahme in de[r]
Brustbräune, der er eigenthümlich ist, und wo öfters al[le]
Bewegung des Bluts in momentane Stockung geräth.

§. 124.

Der zweymal anschlagende und hüpfende
Puls (p. dicrotus et caprizans,) wo jedesmal zwe[y]
Schläge schnell auf einander folgen, die jedesmal ein[e]
Pause nach sich haben. Ist der erste der beyden Schläg[e]
stärker und größer als der zweyte, so nennt man ih[n]
dicrotus, im entgegengesetzten Falle, caprizans. Er i[st]
zuweilen, doch stets ein unsicheres, kritisches Zeichen[;]
manchmal deutet er Entscheidung durch Schweiße (Sprengel), manchmal Blutflüsse an (Solano de Luque). I[st]
er zugleich hart und schwach, so ist er ein mißliches Ze[i]-
chen. Er geht nicht selten in hitzigen Krankheiten heftig[en]
Zuckungen voraus (Sprengel).

§. 125.

Der auslaufende, kriechende oder wurmförmige Puls. Auslaufend (intercurrens) i[st]
der Puls, wenn mehrere schnell hinter einander folgend[e]
Schläge zusammen zu hangen scheinen, und nach eine[r]
Pause dieselbe Erscheinung wiederum eintritt. Ist de[r]

erste dieser zusammenhangenden Schläge stark, und nehmen die folgenden an Stärke immer mehr ab, so heißt er myurus; kriechend oder wurmförmig aber (vermicularis oder formicans) wenn der erste nicht der stärkste ist. Diese Pulsarten sind in der Regel alle bedenklich, besonders der wurmförmige, da sie gewöhnlich auch klein und schwach sind; doch sollen sie zuweilen kritischen Entscheidungen vorangehen.

§. 126.

Die Pulslosigkeit (pulsuum defectio, asphyxia) ist von doppelter Art. Entweder stellt sich der außengebliebene Pulsschlag wieder ein (p. recurrens) oder nicht. Das erstere ist der Fall bey Hysterischen, Ohnmächtigen, Scheintodten. Auch bemerkt man den fehlenden Puls öfters in einzelnen Gliedern, wo er von örtlichen Fehlern oder von partiellen Krämpfen herkommt. Die erstere Art ist bedenklich, die leztere das sicherste Zeichen des Todes (Danz §. 72.).

§. 127.

Je mehrere üble Gattungen von Puls sich mit einander verbinden, desto gefährlicher werden sie, und so umgekehrt. So ist der häufige, schwache und kleine, der geschwinde, kleine intermittirende oder ungleiche, der kleine langsame und schwache, der geschwinde, weiche, kleine, furchtbar. In Faulfiebern, bey einem schlafsüchtigen Zustande, manchmal bey einer Anhäufung von Galle und andern Unreinigkeiten in dem Magen, ist der Puls zuweilen voll, stark, langsam, ja langsamer als natürlich; vor welchem betrüglichen Pulse man sich zu hüten hat.

§. 128.

Der Puls, der bey einem Kranken wie in dessen gesunden Tagen geht (p. sanus), ist, wenn er mit lauter übeln Zufällen verbunden ist, ein furchtbares Zeichen. (Danz §. 74.) Dieß ist der Fall bey bösartigen Fiebern. In solchen ist er oft ein Vorbote des Todes.

B. **Negative Functionen der Gestaltung in der Stoff: Ausscheidung und Ausleerung durch Lungen, Haut, Nieren, Speisekanal, Schleimhäute und drüsige Körper in der Nase, Augen, Ohren, Mundhöhle u. s. w. als Zeichen.**

Es ist schon zu Anfange des zweyten Kapitels erinnert worden, daß die Functionen der Gestaltung nicht blos positiv, durch Stoffaufnahme, Verarbeitung und Verbreitung, sondern auch negativ durch Ausscheidungen und Ausleerungen thätig sind. Die letzteren sind wesentliche Bedingungen um die erstern in Wirkung zu setzen, indem die immer zu erneuernde Erregbarkeit des Organismus, welche durch stets neugeschaffene Gebilde (Producte der Ernährung und Assimilation) bewirkt wird, nur durch Entfernung der nicht mehr tauglichen, der Erregbarkeit beraubten, zu Stande kommen kann. Und dieß ist das Geschäft der ausscheidenden und ausleerenden Organe; und die Producte derselben, welche als Zeichen der Zustände dieser Organe, und mithin der Lebensverhältnisse überhaupt dienen, gehören folglich in die Reihe der Gegenstände, welche bey dem plastischen Geschäft des Organismus betrachtet werden müssen. Die Ordnung übrigens, in welcher sie zu betrachten sind, folgt am bequemsten den Gegensätzen, in welchen die Organe stehen, als Lungen und Speisekanal, Haut und Nieren; wiewohl hier keine besondere Ordnung verletzt werden kann, weil im gegenwärtigen Falle der Organismus nicht, im Zusammenhange seiner Erscheinungen, sondern nur in Bezug auf einzelne Aeußerungen derselben gedacht wird.

1. Ausscheidungen und Ausleerungen aus den Lungen.

a. Athem.

§. 129.

Der heiße Athem, oder die aus den Lungen ausgeschiedene Luft; wenn sie vielen Wärmestoff enthält (spiratio calida), so verräth dieß ein heftiges Fieber, oder starke Entzündung der Lungen, und überhaupt große Gefahr. Noch gefährlicher ist aber der des Wärmestoffs beraubte, oder kalte Athem (spiratio frigida), und meistentheils tödtlich, besonders bey Brust- oder andern Entzündungen, als Anzeige des anfangenden Brandes. Der stinkende Athem (spiratio foetens) (von welchem der Beytritt verdorbener Stoffe aus dem Munde, bey cariösen Zähnen, Mundgeschwüren u. s. w. abgerechnet werden muß) ist oft ein Zeichen bevorstehender Krankheit, der Störung anderer organischer Processe im Darmkanal, in der Haut, in den Nieren u. s. s. w. und in letzterer Hinsicht besonders Alten eigen. Bey Kindern und schwächlichen Personen deutet er auf Verdauungsschwäche, bey weiblichen Individuen, wenn er periodisch ist, auf herannahende oder vorhandene Menstruation, in hitzigen Krankheiten, zu Anfange, auf Unreinigkeiten der ersten Wege, späterhin aber, besonders wenn er cadaverös riecht (sp. cadaverosa), ist er ein Vorbote des Todes, als ein Beweis der im lebenden Körper höchst möglichen Verderbniß der Säfte. In chronischen Fällen deutet er auf Verderbniß der Eingeweide, sie mögen nun aus innern Stockungen, oder gar aus Vereiterungen bestehen (Danz §. 91.).

b. Auswurf.

§. 130.

Unter Auswurf (sputum) verstehen wir hier Alles, was durch Räuspern, Husten, aus dem Munde ausgeleert wird, und seine Quelle theils in den Lungen, theils in den zu ihnen gehörigen, mit ihnen ein Ganzes ausmachenden Theilen, hat. Der Auswurf ist von sehr mannigfaltiger Art und Bedeutung. Er ist häufig oder geringe, dünn, wässerig, oder dick, zähe klebrig, süß, salzig, scharf, bitter, geruchlos, riechend, verschiedentlich gefärbt. Wir betrachten diese verschiedenen Beschaffenheiten der Reihe nach.

§. 131.

Ein häufiger anhaltender Auswurf eines zähen, weißen, dicken, geruch- und geschmacklosen Schleimes bey sonst Gesunden, läßt uns Auszehrung befürchten. Ein häufiger Auswurf in Krankheiten, der weiß, dick ist, leicht ausgespien wird, worauf sich der Kranke erleichtert fühlt, ist heilsam und kritisch; wie auch ein häufiger eitriger Auswurf, auf welchen die Symptome des Fiebers abnehmen. Wird aber der Auswurf schnell unterdrückt, und wird die Krankheitsmaterie durch keinen andern Weg, als z. B. durch Schweiß, Diarrhöe, ausgeleert, so ist dieß ein sehr gefährlicher Zufall in Lungen- und Brustentzündungen, hauptsächlich auch bey der Lungenschwindsucht. (Danz §. 177.).

§. 132.

Ein geringer Auswurf in Brustkrankheiten ist nie gut, wenn er nicht in der Folge häufiger wird, weil die Krankheit dadurch nicht entschieden wird. Noch schlimmer ist aber der gänzliche Mangel des Auswurfs, besonders wenn die Schmerzen auf der Brust heftig sind, und das Athmen sehr beschwerlich ist, indem dieß einen sehr hohen Grad der Entzündung, die leicht in Brand übergeht, und völlige Roheit der Krankheitsmaterie andeutet. Nur dann ist der Mangel des Auswurfs ein gutes Zeichen, wenn man aus der Abnahme aller Zufälle sieht, daß eine Brustentzündung mit dem dritten oder höchstens mit dem vierten Tage sich zertheilen will (Danz §. 177.).

§. 133.

Ein dünner, wässerichter, weisser Auswurf, besonders wenn er fortdauert, zeigt bey Lungen- und Brustentzündungen Gefahr an, und daß die Entscheidung der Krankheit noch ferne sey. Ein dünner schaumichter Auswurf ist im Anfange ein Zeichen, daß die Krankheit beträchtlich ist, in der Mitte ein Zeichen der Gefahr, in der Heftigkeit der Krankheit ein Zeichen des Todes.

§. 134.

Ein mäßig dicker Auswurf, gleich anfangs bey Brust- und Lungenentzündungen, ist gut, und ein ziemlich gewisses Zeichen, daß der Kranke seine Gesundheit wieder erhalten werde; im Fortgange der Krankheit, wenn er noch gelblich gefärbt ist, die Vorbedeutung einer glücklichen Entscheidung. Ein zäher, klebricher, zu dicker Auswurf, der mit Mühe oder gar mit Schmerzen erfolgt, ist in hitzigen Krankheiten, besonders in der Bräune, ein gefährliches Zeichen, weil leicht Ersticken folgt (Danz §. 179.).

§. 135.

Bey Gesunden ist der Auswurf ohne Geschmack, so auch in Krankheiten, wenn blos roher Schleim ausgeworfen wird. Schmeckt der Auswurf süß, so ist dieß in dem Blutspeyen, in der Schwindsucht, wenn die Kranken schon entkräftet sind, in der Brustentzündung kein gutes Zeichen; so auch ein salziges oder scharfes Sputum. Schmeckt er bitter, so zeigt er entweder gallichte Unreinigkeiten in den ersten Wegen, oder ihren Uebergang ins Blut an. Ein sehr heißer Auswurf beweist große

Fieberhitze, und ein kalter, Gesunkenheit der Lebenskräfte und die größte Gefahr (Danz §. 180.).

§. 136.

Ein guter Auswurf ist geruchlos. Wenn er übel riecht, oder gar stinket, so zeigt er in hitzigen Krankheiten große Verdorbenheit der Säfte und Gefahr an, bey Auszehrenden Geschwüre in den Lungen, besonders wenn er, auf Kohlen geworfen, einen häßlichen Geruch verbreitet, süß oder salzigt schmeckt, wenn zugleich die Haare ausfallen, stinkende, klebrichte Nachtschweiße sich einfinden, da denn der Tod nicht mehr fern ist. Einen krnichten stinkenden Auswurf findet man überhaupt öfters bey Auszehrenden, doch ohne daß immer ein Geschwür in den Lungen vorhanden ist. Stinkend ist auch der Auswurf bey Cachektischen, bey Venerischen, bey der Mundfäule, bey verdorbener Verdauung (Danz §. 180.).

§. 137.

Der Auswurf, der in Krankheiten nur aus einer Feuchtigkeit besteht (sputum sincerum s. meracum), so wie z. B. ein blos gelber, bläulicher, brauner, schwarzer u. s. w. gehört immer unter die gefährlichen Zeichen. Weniger gefährlich ist ein gemischter (Danz §. 181.).

§. 138.

Ein weisser, häufiger Auswurf zeigt Reiz oder Schwäche der Werkzeuge, die Schleim absondern. In hitzigen Brustkrankheiten, wenn er sich frühe einfindet, deutet er Kochung der Krankheitsmaterie, und nicht selten eine gute Entscheidung der Krankheit an. Ein milchartiger Auswurf bey Kindbetterinnen und in Brustentzündung gilt für ein übles Zeichen. Ein blos eitricher Auswurf, gleich im Anfange des Seitenstichs, ist sehr schlimm, der Kranke stirbt meistens, wenn er sich nicht darauf erleichtert fühlt. Ein eitrichter Auswurf aber, wornach die Brust freyer wird, und der Patient sich besser befindet, ist gut, weil nach Ausleerung des Geschwüres das Geschwür bald heilt. Ein lang anhaltender, häufiger, eitrichter Auswurf ist aber immer bedenklich. Es ist oft schwer zu bestimmen, ob wirklich Eiter im Auswurfe enthalten ist, da bloßer Schleim die Consistenz und Farbe des Eiters annehmen kann. In diesen Fällen ist er nach der Grasmeyerschen Eiterprobe zu untersuchen. S. d. Einleit. S. 60.

§. 139.

Der graue und aschfarbige Auswurf deutet auf ausgearteten Schleim und Eiter, am Ende der Brustentzündungen auf Brand und Tod. Ein safrangelber, grüner, blaulicher, besonders ein brauner und schwarzer Auswurf zeigt Gefahr, im Anfang einer Krankheit weniger, im Fortgange mehr, besonders wenn sich der Kranke darauf nicht erleichtert fühlt und die Symptomen nicht nachlassen. Ein dunkelblauer oder schwarzer Auswurf, blos des Morgens, kommt öfters vom Lichtrauch her. Man findet ihn auch bey Gesunden. Ein brauner, oder auch dunkelrother, übelriechender Auswurf zeigt bey innern Entzündungen, bey der Lungenschwindsucht, den Brand an. Ein gelblicher, mit weißen und blutigen Streifen vermischter, worauf der Kranke sich besser fühlt, ist öfters kritisch (Danz §. 182.).

§. 140.

Blut mit dem Auswurfe im Anfange der Lungenentzündungen vermischt, worauf die Schmerzen nachlassen, ist gut, und verräth einen geringen Grad der Krankheit und eine zu hoffende glückliche Entscheidung. Geht aber blos reines, schäumendes, hochrothes Blut weg, mit heftigem Husten, starken Schmerzen auf der Brust, dann is Eiterung und Lungenschwindsucht zu fürchten. In fau lichten Blattern, und überhaupt in faulichten Krankheiten ist ein solcher blutiger Auswurf meist tödtlich (Danz §. 182.).

§. 141.

Im Ganzen ist überhaupt, wenn die übrigen Zeichen gut sind, ein Auswurf, er mag beschaffen seyn wie er will, in Brustkrankheiten heilsam, wenn sich der Kranke darauf erleichtert fühlt. Besonders ist es bey Brust- und Lungenentzündungen gut, wenn der Kranke leicht aus werfen kann, wenn die Schmerzen dadurch nicht vermehrt sondern vermindert werden, indem dieß gute Kräfte und baldige Entscheidung der Krankheit anzeigt. Wenn der Kranke aber lange trocken husten muß, bis er etwas aus werfen kann, so beweist dieß immer, daß die Entscheidung der Krankheit noch fern ist. Erfolgt Auswurf mit heftigen Schmerzen, mit starkem Geräusche auf der Brust, ist das Gesicht hippocratisch, der Kranke sehr entkräftet, so zeigt dieß die größte Gefahr und meistens den Tod an. Am besten ist ein weißer, gleicher, nicht zu dicker und zäher Auswurf, der leicht ausgehustet wird; in hitzigen Brust krankheiten ein anfänglich weißer, gleicher, mit Blutstrie men vermischter, hernach gelblicher Auswurf, der früher den dritten Tag, sich einfindet und ohne Beschwerden er folgt. Alle anderen Arten zeigen mehr oder weniger Ge fahr an, wie aus dem Vorhergehenden zu ersehen ist. Am gefährlichsten ist es, wenn der Kranke gar nichts aus wirft, heftige, anhaltende Schmerzen, starkes Fieber hat, wenn Brust und Stirn brennend heiß und die Gliedmaßen kalt sind (Danz §. 176. 183.).

2. Ausleerungen aus dem Speisekanal als Zeichen.

a. Ausleerungen aus dem Magen.

aa. Das Erbrechen.

§. 142.

Das Brechen (vomitus) zeigt einen Reiz im Magen an, der entweder seinen Sitz in demselben selbst hat, wie z. B. Unreinigkeiten, oder der consensuell wirkt. Oefters rührt es auch von örtlichen Fehlern des Magens oder der benachbarten Eingeweide her, z. B. von Verhärtungen und Geschwüren. Gut ist das Brechen im Anfange der Krankheiten, wenn es von Unreinigkeiten im Magen herrührt, wenn diese dadurch ausgeleert werden, der Kranke sich darauf besser befindet; ferner bey langwierigen Bauchflüssen, die dadurch öfters gehoben werden; gleich nach genommenen Giften, wenn diese dadurch ausgeleert werden. Unbedeutend ist das Brechen, wenn es nicht anhaltend ist, und von Krämpfen, wie bey Hysterischen, Hypochondrischen, im Froste kalter Fieber, herrührt. Im Allgemeinen ist das Brechen symptomatisch, oder kritisch, materiell, consensuell, und nervös (Danz §. 122.).

§. 143.

Ein gefährliches Zeichen ist das Brechen, wenn es anhaltend ist, und Schwäche, Mattigkeit und Ohnmachten verursacht; wenn es von zurückgetretenen Ausschlägen, Gicht, Skropheln, venerischer Schärfe u. s. w. entsteht; wenn es mit andern übeln Zeichen, als: mit einem kleinen, geschwinden Pulse, Schluchzen, heftigen Magenschmerzen, verbunden ist, wo es öfters eine bedenkliche Magenentzündung verräth; wenn es von Entzündung anderer Eingeweide, als der Leber, des Zwerchmuskels, der

Nieren, Därme, des Gehirns, der Lungen, des Halses, von scharfen Giften, von einer großen Menge verdorbener Galle, wie bey der Cholera, von einer beträchtlichen Menge Würmer im Magen, von hartnäckigen Verstopfungen des Leibes, von Nierensteinen u. s. w. herrührt; wenn es sich zu Kopfwunden gesellt, sich nach chirurgischen Operationen, als dem Kaiser= oder Steinschnitte, Bruchoperation, einfindet; wenn es Leute, deren Lungen fehlerhaft sind, oder die Brüche, vorgefallenen Uterus, haben, befällt; wenn es von örtlichen Fehlern im Magen, als: Verengerung seiner untern Oeffnung, von Scirrhen in demselben, von einer fehlerhaften Beschaffenheit der Leber, seinen Ursprung hat. Auch bey Vollblütigen ist ein anhaltendes starkes Erbrechen immer bedenklich. Von Ruhrpatienten, die gleich anfangs mit einem hartnäckigen Brechen befallen werden, sterben die meisten, so auch bey Seitenstichen, Lungenentzündungen, wenn es sich schon den ersten Tag geäußert hat, und nach zwey bis drey Aderöffnungen wiederkommt. Den Ausbruch der Blattern kündigt öfters ein hartnäckiges Brechen an, welches, wenn es zu heftig und anhaltend ist, einen üblen Ausgang vermuthen läßt. Am gefährlichsten ist dasjenige Brechen, welches so heftig ist, daß Koth mit ausgebrochen wird; in welchen Fällen der Kranke in der größten Lebensgefahr ist, wenn nicht schleunige Hülfe geschafft wird. Wenn Fieberkranke nach wiederholt gegebenen Brechmitteln nicht brechen, so ist dieß ein böses Zeichen, indem es entweder eine gänzliche Betäubung des Nervensystems, oder eine Lähmung desselben anzeigt (Danz §. 123.).

§. 144.

Bey Schwangern sind Uebelkeiten und Brechen keine ungewöhnlichen Zufälle. Zuweilen finden sie sich gleich in den ersten Tagen der Empfängniß ein, mehrentheils aber nach dem ersten Ausbleiben der monatlichen Reinigung, und verschwinden wieder nach den drey ersten Monaten der Schwangerschaft. Sie kommen von dem ungewohnten Reize des Uterus her, der sich durch den großen sympathischen Nerven dem Magen mittheilt, oder von einer partiellen Blutanhäufung, oder von Unreinigkeiten. Dieses Brechen hat nichts zu bedeuten, wenn es nicht zu häufig und heftig ist; widrigenfalls verursacht es Schwäche, Verdorbenheit der Säfte, Abortus, Blutflüsse u. s. w. Im Fortgange der Schwangerschaft ist das Brechen schon bedenklicher als in den ersten Monaten, weil leicht Abortus darauf erfolgt. Zur Zeit der Geburt befördert es oft dieselbe. Wenn es aber zu heftig ist, mit Schluchzen, Ohnmachten verbunden, ferner nach dem Zutritt der Lochien, ist es meistens tödtlich.

§. 145.

Wenn das Ausgebrochene unschmackhaft, zähe, klebrig ist, so ist dieß ein Beweis von Schleimanhäufung in den ersten Wegen. Ist es safrangelb, bitter, oder grün, scharf und sauer, so zeigt es im ersten Falle Galle überhaupt, im letztern eine sehr verdorbene saure Galle an. Gallichtes Erbrechen, bey Kopfverletzungen, läßt uns Leberabscesse befürchten, denen öfters ein rosenartig geschwollenes Antlitz und ein ziegelsteinfarbiger Urin vorausgehen. Am gefährlichsten ist es, wenn der ausgebrochene Stoff braun, oder wie Grünspan gefärbt, oder schwarz und stinkend ist: weil dieß große Verderbniß der Eingeweide vermuthen läßt, wenn andere üble Zeichen zugegen sind. Das Blutbrechen ist immer bedenklich. Wenn es plötzlich und sehr stark erfolgt, so tödtet es öfters gleich durch Ersticken. Wenn es häufig repetirt, so läßt es auch kachektische Krankheiten, als Schwindsucht, Wassersucht u. s. w. zurück. Gewöhnlich zeigt es Krankheiten des Magens und der Milz an, welche Varicositäten der Venen zu ihren Begleitern haben (Danz §. 125.). Wenn Würmer ausgebrochen werden, so ist dieß öfters von keiner guten Vorbedeutung (Danz §. 144.).

§. 146.

Kritisches Brechen ist heut zu Tage seltner, als ehemals, weil wir jetzt so bald als möglich die ersten Wege vom unreinen Stoffe zu entledigen suchen; und überdieß entscheidet es auch für sich allein in Krankheiten sehr selten. Daß ein kritisches Brechen bevorstehe, verrathen: die Natur der Krankheit, die vorhergegangenen Zeichen der Kochung, heftige, drückende und fressende Kopfschmerzen, mit Schwindel, Verdunkelung der Augen, ferner unwillkührliches Bewegen und Zittern der Unterlippe, häufiger Zufluß eines dünnen Speichels in den Mund, ein übler Geschmack, Aufstoßen, Schluchzen, beschwerliches, ängstliches Athmen, ein starker, ungleicher oder aussetzender Puls, besonders ein großer (altus) oder harter Puls, Schmerzen, Drücken in der Herzgrube, große Unruhe, Schauer, Kälte der Gliedmaßen, starker Schweiß, und zwar kalter, besonders an der Stirne. Nur das Brechen ist auf heilsame Weise kritisch, das zu rechter Zeit, nach vorausgegangenen Zeichen der Kochung sich einstellt, und auf welches sich der Kranke erleichtert fühlt (Danz §. 356.). Wenn das Brechen gleich im Anfange der Krankheit, oder nach halber Kochung erfolgt, wenn es zu schwach oder zu übermäßig, mit Entkräftung und andern (schon erwähnten) schlimmen Zufällen verbunden ist, wenn das Weggebrochene ein zu widernatürliches Ansehen oder gleichen Geruch hat, kurz, wenn darauf die Krankheit nicht vermindert, sondern im Gegentheil verschlimmert wird, so ist das Brechen blos symptomatisch.

bb. Darm-Ausleerung.

§. 147.

Natürlich ist der Abgang durch den After, (alvus, faeces, excrementa,) wenn er weich, etwas härtlich, trokken ist, nicht allzu übel riecht, eine gelblich-braune Farbe hat und wenigstens in vier und zwanzig Stunden einmal erfolgt; obgleich es auch gesunde Leute gibt, die in zwey bis drey, ja acht Tagen keine Oeffnung haben; welches jedoch immer etwas widernatürliches ist. In Krankheiten weicht er vielfältig von dieser Beschaffenheit ab. Wir müssen daher hiebey auf die Zeit, in welcher er erfolgt, auf die Art der Ausführung, auf die Natur-Farbe, und den Geruch desselben Rücksicht nehmen (Danz §. 127.).

§. 148.

Der Abgang, der selten, hart und trocken, und in geringer Menge erfolgt (alvus tarda), ist nicht gut, weil er Mangel an Feuchtigkeiten im Darmkanale, wie bey entzündlichen, hektischen Fiebern, und daher große Hitze oder örtliche Fehler im Darmkanale anzeigt: als Krampf, Atonie, Würmer, Infarctus, Druck, Geschwulst, Verengerung der Gedärme u. s. w. (Danz §. 128.).

§. 149.

Einen häufigen, dünnen Abgang nennt man Durchfall (diarrhoea). Er rührt gewöhnlich von einem widernatürlichen Reize der Därme her, welcher entweder von Unreinigkeiten, als: scharfem Schleime, Galle, Würmern, oder von zurückgetretener Ausdünstung, oder von einer andern Schärfe, die sich auf den Darmkanal geworfen hat, oder von Verstopfung der Gekrösdrüsen, wie bey Kindern, Greisen, seinen Ursprung hat. Starke

Durchfälle, die nicht kritisch sind, auf die sich der Kranke nicht erleichtert fühlt, die wässerig, schaumig sind, plötzlich mit Ungestüm eintreten, wobey die Kräfte zusehends abnehmen, der Puls nach jedem Stuhlgange schneller wird, sind in hitzigen Krankheiten, als: bey dem Entzündungsfieber, beym Ausschlagsfieber, beym Seitenstiche (pleuritis), bey Pneumonien, besonders gleich im Anfange, bey Kindbetterinnen, Schwindsüchtigen, äußerst gefährlich und meist tödtlich, besonders wenn sie mit andern üblen Zeichen verbunden sind, wie: mit großem Durste, mit Schluchzen, Wahnwitz, kalten Schweißen, Ohnmachten, Nachtwachen u. s. w. Diarrhöen, bey welchen Mattigkeit, Durst, Nachtwachen zugegen sind; sie gehen in hitzigen Krankheiten gewöhnlich Delirien voraus. Am gefährlichsten sind wässerige, sehr stinkende Diarrhöen, wobey der Leib des Kranken immer mehr aufschwillt; z. B. nach großen Kopfwunden, starken Eiterungen, beym Friesel, im Kinbetterinnenfieber. Solche starke symptomatische Durchfälle zerrütten die Lebenskräfte, und hindern dadurch glückliche Entscheidungen der Krankheiten. Diarrhöen, wobey die genossenen Speisen unverdaut wieder abgehen, nennt man Magenruhr (Lienteria), so wie die Durchfälle, welche mit Brechen verbunden sind: Gallenruhr (Cholera); welches beydes gefährliche Zufälle sind. Erstere zeigen große Zerrüttung der Verdauungsorgane, und daher rührende Verderbniß aller festen und flüssigen Theile des Körpers an; daher denn meistens cachektische Krankheiten, als: Auszehrung, Wassersucht, darauf erfolgen; letztere tödten aber öfters schnell, wenn Entzündung und Brand des Magens und der Därme entsteht. Ein gewöhnlich dünner Stuhlgang bey Gesunden beweist immer Schwäche des ganzen Körpers und besonders der Därme (Danz §. 129.).

§. 150.

Diarrhöen sind häufig kritisch. Viele Krankheiten entscheiden sich durch häufige Stuhlgänge, welche zu erwarten sind, wenn diese Entscheidung mit der Natur der Krankheit übereinkommt, wenn der Puls stark, hart, ungleich, aussetzend, das Athmen frey, die Hitze stark und trocken ist, wenn die Ausdünstung und der Urinabgang vermindert oder gehemmt sind, wenn gleich bey der geringsten Luftberührung Schauer entsteht, wenn Schwere in den Knieen, Schmerzen in den Lenden und um den Nabel herum zugegen sind. Die Darmausleerungen sind nicht mehr fern, wenn der Unterleib aufgetrieben und gespannt ist, wenn stechende, reissende Schmerzen, Kneipen, Grimmen, Poltern in den Därmen entsteht, wenn öfteres Aufstoßen erfolgt, häufige Blähungen durch den After abgehen, und wenn sich nun ein starker, vermehrter Trieb zu Stuhle zu gehen, einfindet. Stellen sich aber Diarrhöen zur Zeit der Entscheidung der Krankheit ein, und es erfolgt keine Besserung darauf, so ist dieß ein gefährliches Zeichen (Danz §§. 129. 357.).

§. 151.

Erfolgt der Abgang, so wohl bey Gesunden als Kranken, mit Wissen, ohne viele Mühe, in der gehörigen Zeit, so ist dieß ein gutes Zeichen. Geschieht dieß aber ohne Wissen und wider Willen des Kranken, so beweist es meistens Verstandesverrückung, große Entkräftung, Brand der Därme, Erschlaffung oder Lähmung der Schließmuskel des Afters: wie bey starken Erschütterungen des Hirns oder Rückenmarks, bey Verenkung des Rückgrats; und deutet daher auf große Gefahr. Kommt es aber von Sorglosigkeit, besonders bey schon vorhandenen Diarrhöen, von übler Gewöhnheit her, dann hat es nichts zu sagen (Danz §. 130.).

K

§. 152.

Ein zäher, schleimiger Abgang zeigt verdorbene Verdauung, geschwächten Magen und Därme, und schlechte Galle an. Man findet ihn gewöhnlich bey Würmern und nach dem Gebrauche auflösender Mittel, bey Hypochondrischen, Hysterischen. Mit Blut vermischt, mit Tenesmus, Reissen und Schneiden im Leibe, ist er ein Zeichen der Ruhr, und deutet theils auf Schärfe, welche den in den Därmen hangenden Schleim abätzt, und eine Absonderung desselben verursacht, theils auf eine krampfhaft-inflammatorische Reizung des dicken Gedärms. Einen glänzenden, gallertartigen Abgang findet man oft bey Kindern, welche Verstopfung in den Gekrösdrüsen und daher rührende Auszehrung haben. Ein Eyweiß-ähnlicher schleimiger Abgang, mit häufigem Neigung zu Stuhle zu gehen, zeigt Schleimhämorrhoiden an (Danz §. 132.).

§. 153.

Ein weisser Abgang verräth, daß entweder die Galle übel beschaffen ist, oder daß ihre Absonderung, oder ihr Einfluß in den Darmkanal gehindert ist. Man findet ihn daher bey Gelbsüchtigen, wo er aus letzterer Ursache herrührt, bey Schwächlichen, Hypochondrischen, Hysterischen, bey Alten, auch bey scrophulösen Kindern. In hitzigen Fiebern ist immer der weisse Abgang gefährlich, als ein Beweis, daß die Galle zurückbleibe, in die Saftmasse übergehe, das Fieber vermehre, (welches letztere aber zum größten Theil durch die bey diesem Zufalle vorhandene Leberreizung geschieht,) und große Neigung zur Fäulniß verursache. Daher ist er in Blattern meistens tödtlich (Danz §. 133.).

§. 154.

Ein dünner, chylöser, fettiger Abgang nach dem Essen, wobey der Kranke abmagert, zeigt, daß die

Saugadern der Därme ihr Geschäft der Einsaugung des Milchsaftes nicht verrichten, daß die Ernährung des Kör=pers unterbrochen wird; und deutet daher bey atrophi=schen Kindern, bey Schwindsüchtigen, die größte Gefahr an. Einen weissen, dünnen, häufigen, aber nicht chylösen Abgang bemerkt man auch zuweilen bey der Milchruhr (fluxus coeliacus) und diese Krankheit charakterisirt sich durch diese Art des Abgangs, der aber zuweilen auch anders gefärbt, gelb, schleim= eiter=artig, grau, stinkend ist, mit Stuhlzwang, Brennen im Ma=gen, Poltern und Schmerzen im Leibe, mit Aufstoßen, Blähungen, verbunden. Er deutet auf Verstopfung der Leber, der Gekrösdrüsen, der Milchgefäße, oder auch auf krankhafte Beschaffenheit der Schleimdrüsen des Mast=darms, oder der Bauchspeicheldrüse, in welchem letztern Falle er als eine Salivation derselben anzusehen ist, die von einer leichten Entzündung des Pancreas herrührt. Er führt häufig zum zehrenden Fieber und ist damit ver=gesellschaftet. Wahres Eiter im Abgange, das, wenn es nicht in Menge zugegen ist, schwer erkannt wird, zeigt Geschwüre in den Därmen, oder eine Ablagerung des Eiters von andern Orten, z. B. aus der Leber, dem Ge=krös u. s. w. in den Darmkanal an (Danz §. 133.).

§. 155.

Ein grüner, oder safrangelber Abgang zeigt scharfe Galle und Säure an. Man findet ihn häufig bey säugenden Kindern, wo er, wenn sie an Säure leiden, ganz grün, oder wie gehackte Eyer aussieht. Der Abgang wird aber auch durch häufig genossene Säure unter dem Getränk, als Essig, Citronensäure u. s. w. manchmal grün gefärbt, ohne daß die Galle eine üble Beschaffenheit hat. Bey Erwachsenen findet sich ein grasgrüner Abgang in Gallenfiebern, und Wechselfie=

bern mit Schlafsucht. Bey Tobsüchtigen deutet er au heftiges Irrereden, bey Wöchnerinnen auf Gefahr, in de Ruhr, auf veränderte Mischung der Dauungssäfte, in Podagra auf Zertheilung (Danz §. 134.).

§. 156.

Ein dunkelgelber, etwas brauner Abgang besonders wenn er die gehörige Consistenz hat, ist ein gute Zeichen, und ein Beweis, daß die Verdauungsorgane i Ordnung sind. Ein sehr brauner Stuhlgang aber bewei einen Ueberfluß von Galle, und in Fiebern öfters ein Del rium. Man findet ihn häufig, zugleich noch hart, un schwer abgehend, bey Wahnwitzigen, Melancholischer Hysterischen, Hypochondrischen. Der gelbe, wie Kin derkoth, ist bey Erwachsenen, in hitzigen Fiebern gefähr lich (Danz §. 135.).

§ 157.

Der schwarze Abgang, besonders wenn er seh stinkend ist, ist in Entzündung der Därme, in bösartiger Fiebern, in der Ruhr, bey Kindern, die an Convulsionen von Würmern erregt, leiden, ein gewisses Zeichen der in nern Fäulniß, des Brandes, und des Todes, wenn e zudem noch mit kleinem geschwinden Pulse, kalten Schweis sen, Ohnmachten, Nachlaß der Schmerzen, verbunden ist. Bey solchen, die an Infarctus leiden, bey Hypochon drischen, Hysterischen, Melancholischen, findet er sich häufig ein, ist aber nicht so bedenklich, und oft kritisch. Ist er glänzend-schwarz, wie der Ruß in den Essen, so ist er ein charakteristisches Zeichen der schwarzen Krankheit (melaena), nicht selten tödtlich, wenn er sehr oft und häufig, in Gesellschaft mit ähnlichem Erbrechen erscheint, oft aber auch heilsam. Eisenfarbiger oder blaulicher Abgang, nach Blutflüssen, deutet auf Fäulniß (Danz §. 136.).

§. 158.

Ein schaumiger Abgang in hitzigen Krankheiten ist ein sehr gefährliches Zeichen, besonders wenn er sehr stinkend ist, weil er anfangende Fäulniß anzeigt, wodurch viele Luft entbunden worden ist (Danz §. 137.). Er findet sich bey heftigen Krämpfen, Ruhren und Koliken und zeigt hier nicht selten den tödtlichen Ausgang an. Bey Schwächlichen deutet er auf Darmschwäche, Unverdaulichkeit und schlechte Galle. Der hefenartige Abgang, bey Schwindsüchtigen, ist ein sicheres Zeichen des Todes.

§. 159.

Ein blutiger Abgang rührt entweder vom Durchschwitzen des Bluts aus kleinen Gefäßen, oder von Zerreissung derselben, meistens im Mastdarme, her. Ist das Blut aber innig mit dem Kothe vermischt, so kommt es höher von oben. Dieß entsteht entweder von einem heftigen Reize und einer Schärfe im Darmkanal, wie bey der Ruhr, oder von einer partiellen Blutanhäufung, die von Verstopfungen, besonders des Pfortadersystems, wie bey den Hämorrhoiden, herrührt. Ein blutiger Abgang ist bey denen, die an Verstopfungen leiden, öfters ein gutes Zeichen, wenn er nicht zu heftig und anhaltend ist, weil er, wo nicht die Krankheit hebt, doch solche Kranke vor andern üblen Folgen schützt. Gefährlich ist aber dieser Abgang, wenn er sich gleich im Anfange der Krankheiten einfindet, und der Leib dabey aufschwillt, wo der Kranke meistens stirbt. Bedenklich ist es auch, wenn nach starken Kolikschmerzen helles Blut abgeht, weil man daraus auf Zerreissung wichtiger Gefäße schließen kann. Ein röthlicher Abgang, wie Wasser, worin Fleisch gewaschen worden ist, ist ein Zeichen des Leberflusses (fluxus hepaticus). Er stammt von den Gefäßen der

Leber, der Milz, des Pancreas her, und ist eine Folg[e] von Erschlaffung, Blutanhäufung, Erosion, Vereiterung. Nicht selten folgt darauf Wassersucht, Auszehrung. Alle[-] zeit deutet er auf Langwierigkeit und Hartnäckigkeit de[r] Krankheit, oft auf Unheilbarkeit (Danz §. 138.).

§. 160.

Ein sehr stinkender Abgang beweist immer groß[e] Verderbniß des im Darmkanal enthaltenen. Bey Kinder[n] deutet er auf Cruditäten und Würmer, besonders todte, die in Fäulniß übergegangen sind; nach Entzündungen an Brand und Tod. Der aasige Abgang (cadaverosus) besonders wenn er noch mit andern üblen Zufällen verbun[-] den ist, als: mit kleinem, schwachen, geschwinden Pulse, mit Fühllosigkeit, Delirium, hippocratischem Gesicht, zeig[t] die höchstmögliche Verderbniß, den anfangenden Bran[d] und den Tod an, wie in bösartigen Fiebern, Ruhren, Entzündung der Därme, Auszehrung (Danz §. 139.). Der geruchlose Abgang deutet auf träge und fehlend[e] Galle, und ist allezeit ein übles Zeichen.

§. 161.

Einen weichen und zusammenhangenden, dunkelgelben, nicht stark riechenden Abgang, welcher zu der in gesunden Tagen gewohnten Stunde erfolgt, dem Verhältniß der Speisen entspricht, und gegen den Abfall der Krankheit dicker wird, hält Hippocrates mit Recht für gut in Krankheiten. Einen gar zu wässerigen, oder weissen, oder blassen, oder grünen, oder sehr röthlichen, oder schäu[-] menden, oder gar zu geringen und gar zu klebrigen hält er für schlimm; den schwarzen, oder fetten, oder bleyfar[-] bigen und sehr stinkenden für gefährlich. Daß verschie[-] dene Speisen und Medikamente den Abgang färben, wo[-] bey sich der Arzt hüten muß daraus auf die Beschaffenheit der Krankheit zu schließen, ist schon früherhin (Einleit. S. 59.) erinnert worden (Danz §. 140.).

§. 162.

Wenn Würmer in Krankheiten ohne Beschwerden des Kranken weggehen, so ist dieß gut, weil sie uns eine Anzeige zum Gebrauche der wurmtreibenden Mittel werden, wodurch wir öfters sehr hartnäckige chronische und gefährliche hitzige Krankheiten heilen können. Ueberhaupt ist der Abgang der Würmer das sicherste Zeichen für ihre Gegenwart, denn die übrigen Zeichen sind ungewiß, und können eben so wohl von wurmfreyen Schleiminfarcten im Unterleibe entstehen. Es sind aber die verschiedenen Arten von Würmern, welche durch den Stuhl abzugehen pflegen, nebst den Zeichen, an denen vor ihrem Abgange ihr Daseyn erkannt werden soll, folgende:

1) Der Madenwurm oder Springwurm (ascaris). Er ist den Käsemaden ähnlich, meist weiß, höchstens einen Zoll lang, und kaum eine Drittellinie breit, an den Enden zugespitzt, und am vordern Ende mit drey kleinen Warzen oder Saugröhren versehen. Diese Würmer erklären, wenn sie abgehen, das Jucken in der Nase, im Mastdarme, bey Mädchen das Brennen und Jucken der Geburtstheile; ferner den Stuhlzwang, und mancherley krampfichte Zufälle, welche die Kranken vorher empfanden oder noch empfinden.

2) Der Spulwurm (Lumbricus, s. Ascaris lumbricoides). Er ist rund, an beyden Enden zugespitzt, hat an seinem vordern Ende einen mit drey warzenähnlichen Erhabenheiten besetzten Ring, ein Maul, das aus verschiedenen Saugröhren besteht, keine Borsten, und legt Eyer, wodurch er sich wesentlich vom Regenwurme (Lumbricus terrestris) unterscheidet. Er erklärt bey seinem Abgange das blasse, aufgetriebene Gesicht der Kranken

den blauen Ring um die Augen, die Erweiterung der Pupille, das Thränen der Augen, das Jucken der Nase, den Speichelfluß, den stinkenden Athem, die Uebelkeiten, den widernatürlich starken Appetit, die häufigen Kolikschmerzen, besonders um den Nabel herum, den dicken, harten Leib, den trüben, milchichten Urin, den schleimichten Stuhlgang, worunter sich auch Speisen, die nicht gehörig verdaut sind, befinden, den unruhigen Schlaf, mit Auffahren, Sprechen, Schreyen, Knirschen mit den Zähnen, Zucken in der Lippe; und deutet zu gleicher Zeit auf schleimichte Infarctus im Unterleibe.

3) Der Bandwurm, Nestelwurm (taenia). Sein Körper ist platt gedrückt, und besteht aus in einander gelenkten Gliedern. An seinem Kopfe bemerkt man vier Saugmündungen und einen doppelten Hakenkranz. Bey dem Menschen findet man besonders vier Arten desselben: Täenia cucurbitina, T. membranacea, T. lata und T. canina. Er erklärt bey seinem Abgange die Empfindung der Kranken von der Bewegung eines kugelförmigen Körpers im Unterleibe, vom Aufsteigen und Niederfallen desselben mit heftigen Kolikschmerzen, die Empfindung vom häufigem Kollern, von Saugen, von Kälte im Unterleibe und Rücken, und heftige krampfhafte Zufälle. Er geht häufig in einzelnen Gliedern ab.

4) Der Haarschwanz oder Haarkopf (Trichura s. Trichuris). Er sieht den Madenwürmern ähnlich, nur hat er an dem einen Ende eine fadenförmige Borste, welche doppelt so lang als der Körper ist.

5) Der Riemenwurm, Fischriemen. Doppelloch, (fasciola intestinalis) ist ein langer, platter, schmaler, milchweisser, steifer, fester Wurm, der am Rande runzlicht und mit Querfurchen eingeschnitten ist.

6) Der Fadenwurm (Gordius) ist fadenförmig, cylindrisch, ganz gleich.

Alle diese Arten erklären bey ihrem Abgange das schleimichte Erbrechen der Kranken, das Jucken in der Nase u. s. w.

Es ist schlimm, wenn in Fiebern die Würmer freywillig ohne Stuhlgang aus dem After (und eben so aus dem Munde ohne Erbrechen, oder aus der Nase) kriechen. Dieß deutet große Gefahr an, besonders wenn noch andere üble Zeichen zugegen sind. Ueberhaupt verändern Würmer öfters den ganzen Gang einer Krankheit, bringen sehr gefährlich scheinende Zufälle hervor, die aber bald wieder verschwinden, wenn die Ursache entdeckt und entfernt ist. Gehen die Würmer in Krankheiten nicht ab, wiewohl sie ihr Daseyn deutlich verrathen, so ist dieß ein Beweis von der Hartnäckigkeit des Uebels (Danz §§. 143. 144.).

3. Ausscheidungen durch die Haut, als Zeichen.

a. Unmerkliche Ausdünstung.

§. 163.

Eine beständig feuchte Haut bey sonst Gesunden zeigt einen Ueberfluß an Säften, Laxität der Haut, und überhaupt Schwäche an. Solche Leute sind sehr leicht Krankheiten, die von unterdrückter Ausdünstung herrühren, als: Diarrhöen, Catarrhen, Rheumatismen u. s. w. ausgesetzt. In Krankheiten ist eine weiche, gleichförmig feuchte Haut, unter sonst guten Umständen ein gutes Zeichen; eine trockne, zusammengezogene, heiße Haut (s. §. 76.) eine üble Vorbedeutung, indem sie eine schwere Krankheit anzeigt, deren Entscheidung noch fern ist, die aber doch glücklich seyn kann, wenn die Haut in der Folge weich und feucht wird.

b. Schweiß.

§. 164.

Ein allgemeiner, warmer, starker Schweiß der zu rechter Zeit erfolgt, auf den sich der Kranke erleichtert fühlt, ist kritisch. Man hat ihn zu erwarten, wenn sich keine andere Ausleerung einfindet, wenn die Haut anfängt warm, roth, weich, feucht, aufgedunsen und juckend zu werden, wenn das Gesicht aufgetrieben, etwas roth und feucht ist, wenn bey jeder Berührung eines Lüftchens Schauer entsteht, wenn den Tag vor dem kritischen ein Erstarren (rigor) sich einfindet, wenn sich der Kranke über Müdigkeit, beschwerliches Athemholen beklagt, wenn der Puls groß, wellenförmig und weich mit aufsteigender Verstärkung einiger auf einander folgender Schläge ist, oder auch manchmal hart, groß und geschwind ist, aber bald weich, langsam, klein wird; wenn die Zeichen der Kochung vorausgegangen sind. Entstand die Krankheit von unterdrückter Ausdünstung, und half sich die Natur bey diesem Kranken gewöhnlich durch einen Schweiß, so ist dieser desto eher zu erwarten. Nehmen nun bey und nach dem Schweiße die Symptome in aller Hinsicht ab, fühlt sich der Kranke freyer und gestärkt, so ist dieß ein gewisses Zeichen, daß der Schweiß kritisch war. Geschieht dieß aber nicht, so ist der Schweiß blos symptomatisch, schwächt den Kranken und stürzt ihn in Gefahr (Danz §. 187. 352.).

§. 165.

Oertliche Schweiße in Krankheiten sind immer bedenklich, als ein Beweis von ungleicher Bewegung der Säfte, von Schwäche, von Krämpfen. Solche örtliche Schweiße am Kopfe, wie beym Schlagflusse, bey scrophulösen Kindern; an der Stirn, wie bey der Fallsucht; am Nacken, am Halse, wie bey Hysterischen; an der Brust, am Unterleibe, wie bey der

Hypochondrie; an den Füßen, wie bey der Gicht; am After und dem Mittelfleisch, wie bey den Hämorrhoiden; an den Geschlechtstheilen, wie bey Geschwächten: sind am gefährlichsten, wenn sie noch dazu kalt, und die Kranken sehr entkräftet sind, wo sie meist den bevorstehenden Tod verkündigen, hauptsächlich bey der Hirnwuth, Schlafsucht, in Lungenentzündungen. Ein örtlicher warmer Schweiß beweist öfters, daß der Theil, an dem er sich befindet, leidet, und ist im Anfange einer Krankheit ein schlimmes Zeichen, z. B. bey Brustentzündungen, Stickfluß. Sonst gesunden Personen sind zuweilen örtliche Schweiße an Händen und Füßen eigen, welche, wenn sie plötzlich unterdrückt werden, gefährliche Krankheiten verursachen, manchmal auch blos Krankheiten andeuten, die nicht von ihnen abhangen, oder doch schon gegenwärtige verschlimmern. Finden sich diese gewohnten örtlichen Schweiße wieder ein, so zeigt dieß Abnahme der Krankheit und einen guten Ausgang an (Danz §. 187.).

§. 166.

Ein schnell entstandener Schweiß bey Gesunden, ohne eine in die Augen fallende Ursache, als: starke Leibes- und Gemüthsbewegung, äußere Hitze u. s. w. verkündigt gewöhnlich eine bevorstehende Krankheit. Hat aber ein Mensch eine Zeitlang eine gewisse Unbehaglichkeit im Körper, Schwere in den Gliedern u. s. w. empfunden, und erscheint wider Gewohnheit ein starker Schweiß: so wird dadurch eine bevorstehende Krankheit verscheucht. In dieser Rücksicht sind auch Schweiße zu Frühlings- und Herbstzeiten heilsame Schweiße. Solche, die alle Nächte, oder des Morgens sich einfinden, die nicht zu heftig sind, worauf man sich besser fühlt, sind gut. Lassen sie aber Mattigkeit, Schwäche, zurück: dann sind sie bedenklich. Ueberhaupt, häufige Neigung zu Schweiß zeigt Laxität und Schwäche der festen Theile, besonders der Haut an (Dan. §. 188.).

§. 167.

Ein starker Schweiß, zu Anfange hitziger Krankheiten, ist immer gefährlich, besonders bey Schwächlichen, weil dadurch die Kräfte zerrüttet, die flüssigen Theile zerstreut, und die Bestrebungen der Natur zur Kochung gehindert werden. Weniger gefährlich ist er aber bey Starken, Vollsaftigen. Findet sich auch im Fortgange der Krankheiten, wo der Kranke schon entkräftet ist, und lauter üble Symprome vorhanden sind, ein starker Schweiß ein, so zeigt dieser die größte Lebensgefahr. Nur der Schweiß ist gut, besonders gegen das Ende einer Krankheit, der nach und nach ausbricht, der anhält, während welchem der Kranke nicht sehr unruhig, ängstlich ist, worauf er sich (s. §. 164.) erleichtert fühlt; widrigenfalls folgen Verstandesverwirrung, Friesel, Petechien, darauf. Daher ist der Schweiß, der gering und anhaltend ist, wozu große Unruhe, Aengstlichkeit, sich gesellt, worauf der Kranke sich nicht besser fühlt, der durch heftige Schmerzen, Schluchzen, Brechen, herausgetrieben wird, der einzelne Theile blos befällt, der kalt ist, in Gestalt von Hirsekörnern auf der Haut steht, ein schlimmes Zeichen. Nach Krämpfen, nach Erstarren des Körpers, zeigt ein allgemeiner starker Schweiß, daß der Krampf nachgelassen habe und daß der Umlauf der Säfte wieder gehörig von Statten gehe. Allzustarke Schweiße lassen aber immer große Schwäche zurück; daher sie bey Auszehrenden stets zu fürchten sind. Wenn sie noch überdieß kalt sind, so folgt meist der Tod darauf, sobald andere üble Symptome sie begleiten (Danz §. 189.).

§. 168.

Einen starken, anhaltenden, zähen, klebrigen, fettigen, stinkenden Schweiß, mit großer

Entkräftung verbunden, nennt man einen colliquativen, der meistens den Tod verkündiget. Ein stinkender, klebriger Schweiß ist in hitzigen Krankheiten ein Beweis der Auflösung der Säfte, der Begleiter der Faulfieber, und deutet immer große Gefahr an, besonders wenn er so scharf wird, daß die Haut davon wund wird. Sonst ist er auch bey Gichtkranken und nach Nervenkrankheiten stinkend. Bey sonst Gesunden ist zuweilen der Schweiß stinkend, besonders einzelner Theile, als: der Füße, der Haare u. s. w.

§. 169.

Ein sauerriechender Schweiß deutet immer auf Verdorbenheit der Säfte und in chronischen Krankheiten auf geschwächte Kräfte. Er geht in hitzigen Krankheiten gern dem Friesel voraus, auch findet er sich bey Katarrhal- und Nervenfiebern. Ein urinartig-riechender Schweiß deutet auf unterdrückte Harnabsonderung; der süßliche deutet auf Abartung der Säfte, und ist der Lustseuche eigen; molkenartig ist er bey Wöchnerinnen; wie Broddunst riecht er in Wechselfiebern; brenzlich bey den Flechten; schimmlicht in der Kräze; ammoniakalisch, aasigt bey Sterbenden. Bey Blattern, Masern, hat der Schweiß einen specifischen Geruch; wie Heringslake riecht er in bösartigen Blattern.

§. 170.

Ein guter Schweiß muß warm seyn, wie schon mehrmals gesagt worden ist. Der kalte zeigt in hitzigen Krankheiten innere Entzündungen, den angehenden Brand und den Tod an; in chronischen Krankheiten Langwierigkeit und Hartnäckigkeit derselben. Weniger zu sagen hat er, wenn er von Krämpfen herrührt, wie bey Hysterischen, Hypochondrischen. Kritisch kann er auch werden, wenn

er bald warm wird, der Kranke noch nicht sehr entkräft[et]
ist, und die üblen Symptome nachlassen (Danz §. 191.).

§. 171.

Ein jeder gefärbter Schweiß ist übel; doch ist de[r]
Schweiß in heftigen Katarrhalfiebern, welcher die Wäsch[e]
braun färbt und zugleich stark riecht, nicht selten heilsam
wie das bessere Befinden der Kranken nach solcher
Schweiße beweist. Der safrangelbe deutet auf Ueberfluß von Galle und bevorstehende oder vorhandene Gelbsucht; in Faulfiebern aber beweist er Auflösung und Verdorbenheit der Säfte und große Gefahr. Bey Gichtpatienten kündigt er zuweilen Besserung an. Der grün[e]
Schweiß deutet auf Abnormitäten der Galle, der bläuliche und schwarze auf atrabiliarische Constitution und
bevorstehende oder vorhandene Melancholie; der dinten-
farbige, in bösartigen Fiebern, und bey Schwindsüchtigen auf nahen Tod. Der blutige Schweiß in bösartigen Fiebern, zeigt von Auflösung der Säfte und großer
Gefahr. Weniger hat er zu bedeuten, wenn dadurch eine
gewohnte Ausleerung ersetzt wird, oder wenn er von
Krämpfen herrührt (Danz §. 192.).

§. 172.

Wenn in Krankheiten, die durch Schweiß entschieden
werden, wie z. B. in katarrhalischen, sich keiner einfindet, so ist dieß schlimm, hauptsächlich wenn keine andern
Ausleerungen seine Stelle vertreten, wie etwa ein Durchfall, ein häufiger Urin. Bleibt die Haut bey Mitteln, die
sie befeuchten sollen, anhaltend trocken, so ist dieß allemal
ein gefährlicher Zustand, wenn der Harn nicht desto stärker abgeht. Wenn in Krankheiten der Schweiß schnell
unterdrückt wird, so haben wir Verschlimmerung, Recidive, gefährliche Metastasen, und andere bedenkliche Zu-

fälle zu fürchten. Auch wenn sich der Kranke nach starken Schweißen nicht völlig erleichtert fühlt, ist die Genesung noch unsicher (Danz §. 193.).

c. Haut-Ausschläge als Zeichen.

§. 173.

Ehemals hielt man hitzige Haut-Ausschläge, wie Friesel, Petechien, Schwämmchen u. s. w. öfters für kritisch, welches sie doch äußerst selten sind. Man muß sich nicht durch die Ruhe täuschen lassen, welche sich oft nach dem Ausbruche eines solchen Hautausschlags einstellt, und die gewöhnlich von keiner langen Dauer ist. In den meisten und gewöhnlichsten Fällen sind sie symptomatisch, wie hauptsächlich Petechien, Friesel, Schwämmchen, und vermehren die Gefahr, in der sich der Kranke befindet, besonders wenn seine Kräfte sehr aufgerieben sind und diese Hautausschläge plötzlich zurücktreten (Danz. §. 361.). Es sind hier alle diejenigen aufzuführen, die nicht mit bestimmten und eigenthümlichen Krankheiten verbunden sind und zum Hauptcharakter dieser Krankheiten gehören, wie Pocken, Masern, Scharlach, sondern nur solche, die als Zufälle und Zeichen anderer krankhaften Zustände zu betrachten sind.

aa. Schwämmchen.

§. 174.

Die Schwämmchen (aphthae) sind linsenförmige, weiße oder grauliche, mit einer klebrigen oder eiterartigen Feuchtigkeit angefüllte Blasen auf der Zunge und im Umfange des Mundes, welche als Ausscheidungen des in der innern Fläche des Körpers fortgesetzten Hautorgans anzusehen sind. Sie finden sich häufig bey neugebohrnen oder ganz jungen Kindern, besonders bey solchen, die im Winter von schwächlichen Müttern gebohren sind. Bey ihrer

Erscheinung hören oft Durchfall, Erbrechen, Schlaflosi
keit, Hitze und Unruhe der Kinder auf; und sie sind
diesem Falle, wo sie nicht über einige Tage vorhand
sind, als kritisch anzusehen. Allein wenn sie lange stehe
schwer abtrocknen, von gelber, brauner oder blauroth
Farbe sind, bleiche, aschfarbne Ränder haben, so sind s
ein Zeichen der Gefahr und des Todes. Sie deuten dan
auf entkräftende Durchfälle und Abzehrung. Im Ganz
deuten sie auf Anhäufung des Kindspechs, auf unverda
te, zu fette Milch, auf unterdrückte Ausdünstung dur
Erkältung und Unreinlichkeit (Lentin.), so wie auf schw
ren Durchbruch der Zähne. Bey Erwachsenen erschein
die Schwämmchen auch in Nerven- und Faulfiebern, i
gastrischen, Schleimfiebern und Ruhren. Sie sind in di
sen Krankheiten kritisch, wenn dabey die Kräfte nicht a
nehmen und die Säfte keine Neigung zur Verderbniß ze
gen, besonders bey Nervenfiebern, wenn Magenkram
vorhergeht, welcher aber bey Erscheinung der Schwämm
chen verschwindet, wenn der Puls voll, schnell und star
der Blick lebhaft, die Ausdünstung nicht unterbrochen is
und besonders wenn das Fieber bey der Erscheinung de
Schwämmchen etwas nachläßt. Außerdem kann ma
noch auf einen guten Ausgang schließen, wenn die Bläs
chen bleich, mit einem rothen Rande umgeben sind, nich
zu lange stehen, und, nachdem sie aufgeplatzt sind, au
dem Grunde die reine Haut durchscheinen lassen. Wo sich
aber äußerste Entkräftung, gesunkener Puls, bleiches ent
stelltes Ansehen, trüber Blick, Neigung der Säfte zu
Auflösung zu ihnen gesellt, wenn sie braun oder mißfarbig
aussehen, lange stehen ohne sich abzuschilfern, unter sich
fressen und die nahe gelegenen Theile zerstören, sind
sie ein Zeichen der höchsten Gefahr und verkündigen
den Tod. Dieß letztere ist auch allezeit der Fall in chroni
schen Krankheiten, wo sie den Uebergang in den Tod durch

Auflösung der Säfte anzeigen, wie in der Schwindsucht, im Skorbut, in der vollendeten Lustseuche.

bb. Friesel.

§. 175.

Der Friesel (exanthema miliare) hängt mit den Schwämmchen seiner Natur nach sehr zusammen und erscheint auch in denselben Krankheiten, unter denselben Umständen, so wie er ihnen ähnlich sieht und öfters ihre Stelle vertritt, nur daß er eine Ausscheidung des äußern Hautorgans ist. Er findet sich meistentheils an der Brust und den bedeckten Theilen der Gliedmaßen ein, und besteht in hirsenförmigen, weißröthlichen Bläschen, die mit rothen Rändern umgeben sind, und Spannung und Anschwellung der Haut verursachen. Er zeigt sich besonders bey Weibern im Kindbette, und ist hier, wie in vielen andern Fällen, meistentheils eine Folge von zu hitziger Behandlung. Hitzige Krankheiten, zu denen er sich gesellt, geben dadurch den nervösen Charakter zu erkennen. Wenn er von erzwungenen Schweißen entsteht, ist er selten als Krise zu betrachten. In den ersten Tagen der Krankheiten ist seine Erscheinung eben so bedenklich, als wenn er sich zu Ende derselben einstellt. Im ersten Falle deutet er Neigung der Säfte zur Auflösung, im letztern Erschöpfung der Kräfte an. Wenn dem Ausbruche des Friesels Schlaflosigkeit, Angst, Delirien, kleiner, krampfhafter Puls, schmelzende Schweiße, trockne Zunge, öftere Ohnmachten vorhergehen, so ist die Gefahr größer, und der tödtliche Ausgang wahrscheinlich, besonders wenn bey anscheinender Gelindigkeit des Fiebers die Kräfte zusehends sinken und große Niedergeschlagenheit des Gemüths des Kranken sichtbar ist. Schläft aber der Kranke vor dem Ausbruche des Ausschlags viel, hebt sich der Puls in dem Maße wie

L

jener zum Vorschein kommt, verbreitet sich ein warme gelinder Dunst über den ganzen Körper, tritt zugleich mi dem Ausbruche ein mäßiges Nasenbluten ein ohne Zeiche von Neigung der Säfte zur Auflösung, ist das Fieber zwa stark aber ohne nervösen Anstrich, so ist Hoffnung zur Genesung vorhanden. Den rothen Friesel hält man für weniger bedenklich als den weißen, wenn er von keinen ander üblen Zeichen begleitet ist. Erheben sich die Bläschen sta mit heftigem Jucken, sind sie mit einem rothen, geschwollenen Rande umgeben, bleiben sie einige Tage stehen, so i dieß ein günstigeres Zeichen, als wenn sie bey ihrem Durchbruch gar keine Empfindung in der Haut erregen, tief i derselben liegen, bleiche Ränder haben, die Haut trocke oder eingefallen ist, und wenn sie bald verschwinden, bal wiederkommen. In diesem Falle sind sie ein sehr bedenkliches Zeichen. Besonders gefährlich ist es aber, wenn nac dem Ausbruche das Fieber, die Angst, das Einschlafen de Glieder oder die gänzliche Gefühllosigkeit (welches alles vo dem Ausbruche von weniger Bedeutung ist) zunimmt, wen der Puls gespannter, schneller, unregelmäßiger wir wenn Zittern, Geschwulst des Körpers, Zuckungen, Ohnmachten, Schwämmchen, Durchfälle entstehen, und de Kranke große Furcht vor dem Tode zeigt. Tritt der Fries schnell zurück, so entstehen darauf Krämpfe, innere Entzündungen, und der Tod ist zu fürchten.

cc. Petechien.

§. 176.

Die Petechen (Petechiae) sind Flecken von rother rothbrauner, blauer, schwarzer Farbe, die anfangs di Größe eines Flohstiches haben, zuweilen aber sich weiter bis zum Umfange einer Handfläche, verbreiten, über de Haut nicht hervorragen, kein besonderes Gefühl erregen und meistentheils an den bedeckten Stellen des Körpers erscheinen. Sie deuten stets auf verdünntes, ausgeartetes Blut, welches in das Zellgewebe ausgetreten ist, und sind die gewöhnlichen Gefährten der faulichten Krankheiten. Gewöhnlich wird nach ihrem Ausbruche der Puls kleiner und unregelmäßiger, das Ansehen zerstörter, die Stimme schwächer; die Delirien nehmen zu; Blutungen, colliquative Schweiße und alle Zeichen der Auflösung der Säfte verkündigen den nahen Tod. Zuweilen, doch sehr selten, hat man die Krankheiten auf den Ausbruch der Petechien gelindert gefunden, so daß mit ihrer Erscheinung der Puls größer und regelmäßiger, der Kopf und die Brust freyer, die Haut feuchter wurde, das Bewußtseyn wiederkehrte, der Urin einen ziegelfarbnen Bodensatz annahm, und so durch Schweiße und Urin die Krankheit entschieden wurde. Jedoch auch in den besten Fällen soll dieser Ausschlag nie für sich entschieden haben, und wenigstens eine sehr langsame Beendigung der Krankheiten darauf erfolgt seyn.

dd. Juckgeschwürchen.

§. 177.

Die Juckgeschwürchen (prurigo, intertrigo,) sind Blätterchen, die, das Gesicht ausgenommen, überall am Körper mit heftigem Jucken, Brennen, Stechen, oder Gefühl von Ameisenkriechen hervorbrechen, und durch das Reiben oder Kratzen sich oft in Buckeln oder Knoten umwandeln, aber in der Kälte wieder zurücktreten. Sie sind der Krätze, zuweilen auch den Flechten ähnlich, nur daß sie sich von jener dadurch unterscheiden, daß sie nicht blos an den Gelenken entstehen, für sich nicht ansteckend sind, und den Krätzgeruch nicht haben; von den Flechten aber unterscheiden sie sich dadurch, daß sie nicht im Gesicht vorkommen, keinen brenzlichten Geruch haben, sich nicht im

L 2

Kreise ausbreiten, und gemeiniglich in größeren Pusteln erscheinen. Oft zeigen sie sich bey Gesunden im Frühjahr nach dem Genuß hitziger Sachen, oft sind sie Begleiter des Ungeziefers. Aber auch in der Genesungsperiode nach hitzigen Krankheiten erscheinen sie, verbreiten sich über den ganzen Körper, und erregen heftiges Brennen; aber sie fördern auch alsdann die Krisen, besonders durch Ausdünstung. In chronischen Krankheiten sind sie ein Zeichen hartnäckiger Verstopfungen im Unterleibe. Bey Alten kommen sie häufig vor (prurigo senilis). Bey Kindern sind sie ein Zeichen der Scropheln, bey Personen des andern Geschlechts ein Zeichen der stockenden Menstruation, bey Männern, wo sie sich besonders am After einstellen, ein Zeichen von Hämorrhoiden; auch finden sie sich bey der Gelbsucht und Melancholie.

cc. Flechten.

§. 178.

Die **Flechten** (herpes), sind kleine rothe oder weiße zusammengehäufte Bläschen auf der Haut, die bald hier bald da erscheinen, mit Jucken, Brennen, Geschwulst der benachbarten Theile verbunden sind, und beym Zerplatzen niemals wahres Eiter, sondern eine scharfe, fressende Jauche von sich geben, woraus eine unförmliche Borke entsteht, die sich abschuppt ohne zu vergehen. Dieser Ausschlag ist chronisch und deutet auf scrophulöse Beschaffenheit, auf Leberkrankheiten, auf Unterdrückung der Menstruation, der Hämorrhoiden, des weissen Flusses, gewohnter Fußschweiße, alter Geschwüre, auch auf scorbutische und venerische Dyscrasie.

d. Ausscheidungen aus Hautgeschwüren.

§. 179.

Diese Ausscheidungen kommen hier blos in Betrachtung, wiefern die Geschwüre, deren Product sie sind, mit innern Zuständen zusammenhängen und Zeichen krankhafter Veränderungen im Organismus sind, welche oft durch kein Merkmal sicherer und geschwinder als durch sie erkannt werden: z. B. die Lustseuche, die Scrophelkrankheit, der Scorbut, die Gicht u. s. w. Im Allgemeinen gilt von den Ausscheidungen der Hautgeschwüre dieß: Je reichlicher und anhaltender sie aus großen Flächen geschehen, je schärfer und verdorbener das Eiter oder die Jauche ist, aus welcher sie bestehen, desto nachtheiliger sind sie für den Kranken, besonders wenn er schwächlich und alt ist; allgemeine Entkräftung und Auszehrung ist die endliche Folge, theils wegen des Säfte-Verlusts, theils wegen der Resorbtion, wenn die Jauche von besonders übler Beschaffenheit ist, theils wegen der um sich greifenden Zerstörung; wie beym Krebsgeschwür. Inzwischen sind solche Ausscheidungen manchmal heilsam, indem dadurch schädliche Stoffe aus dem Körper geleert und krankhafte Thätigkeiten innerer Organe auf das Hautorgan abgeleitet werden. Zuweilen verschwinden Krankheiten, so bald Geschwüre entstehen, und zwar nicht immer blos Geschwüre von beträchtlichem Umfange, sondern auch wohl von geringem, wie es bey denen der Fall ist, die in hitzigen und intermittirenden Fiebern an den Lippen entstehen und die Abnahme dieser Krankheiten anzeigen (Danz §. 395.). Dagegen wenn, besonders alte, Geschwüre schnell austrocknen, so haben wir eine bevorstehende Krankheit zu befürchten, die entweder Folge oder Ursache jener Erscheinung ist. Genesung aber ist in diesen Fällen zu hoffen, wenn jene unterbrochenen Ausscheidungen wieder zum Vorschein kommen (Danz §. 384.).

§. 180.

Wenn Geschwüre, bey nicht üblem Ansehen des Ausgeschiedenen und bey scheinbarem Wohlbefinden der Kranken gar nicht heilen wollen, so läßt sich schon daraus auf verborgene arthritische, scrophulöse, venerische Schärfe u. s. w. schließen, welche diese widernatürlichen Ausscheidungen unterhält. Wenn sich bey Personen des andern Geschlechts Geschwüre alle Monate verschlimmern, sich entzünden, schmerzhaft, ungewöhnlich feucht, ja manchmal blutig werden, wie es denn Fälle giebt, wo nach Verlauf jedes Monats ein starker Blutfluß aus solchen Geschwüren entsteht, oder sich eine Lage coagulirten Blutes auf der Oberfläche des Geschwürs sammlet: so ist dieß ein Zeichen der stockenden oder vielmehr gänzlich gehemmten monatlichen Reinigung; es mag nun diese die Ursache jener Ausscheidungen, oder beyde mögen die Folge einer andern Ursache seyn: z. B. der venerischen Affection. Gemeiniglich ist dann die gehemmte Menstruation eine Folge der Ausscheidungen des Geschwürs, wenn diese sehr bedeutend sind, der Körper aber schwächlich ist. Auch bey solchen weiblichen Individuen, wo die Menstruation den Jahren zu Folge aufhört, oder wo sie hätte erscheinen sollen und noch nicht erschienen ist, oder nur langsam und unter mancherley Beschwerden erscheint, finden sich Geschwüre ein. Auch nach unterdrückten Hämorrhoiden entstehen zuweilen hartnäckige Geschwüre, am häufigsten an den Schamtheilen, wo sie oft aus Irrthum für venerisch gehalten werden. Eben so nach zurückgetriebenen Hautausschlägen, wie: Krätze, böser Kopf, Flechten; oder, bey Alten und Kindern, von verminderter Absonderung des Urins, wo sie gemeiniglich eine wässerige scharfe Jauche von sich geben, am häufigsten bey Alten an den Füßen. So auch entstehen Geschwüre von gehemmter Ausdünstung, besonders einzelner Theile, als: des Kopfs, der Füße. Geschwüre, die sehr hartnäckig und bösartig sind, verrathen oft stockende Reize in den Eingeweiden des Unterleibes: in den ersten Wegen, der Leber, der Milz u. s. w.

Auch in diesen Fällen, besonders bey ältern Personen von atrabiliarischer Constitution, finden sie sich am häufigsten an den Füßen. Oft entstehen Geschwüre ohne alle merkbare Veranlassung, und werden dadurch zu Verräthern einer allgemeinen Schwäche und fehlerhaften Beschaffenheit der Säfte. Wenn sich reine Wunden und Abscesse in Geschwüre verwandeln, so deutet dieß auf dieselben Ursachen hin.

§. 181.

Auf Gicht deuten die Geschwüre hin, wenn sie ohne örtliche Ursache sehr hartnäckig sind, im Herbst und Winter, oder bey feuchter Witterung, oder überhaupt zu den Zeiten, wo sonst Gichtschmerzen zu entstehen pflegen, sich verschlimmern, bey trockner, warmer Witterung sich bessern, oder wohl gar schließen. Sie haben gemeiniglich eine wässerige, scharfe Jauche, welche sogar die Leinwand zuweilen schwarz färbt. Am häufigsten werden sie an den Füßen bemerkt. Ein Zeichen des Scorbuts ist es, wenn die Geschwüre schlaff, schwammig sind, dunkelblau, braun aussehen, leicht bluten, das ausfließende Blut schwarz ist und langsam oder gar nicht gerinnt. Das scrophulöse Geschwür ist gemeiniglich welk, bleich, hat aufgedunsene Ränder und eine dünne, scharfe, wässerige Jauche. Die venerischen Geschwüre, wenn sie ursprüngliche, d. h. nach Ansteckung entstanden sind, verrathen sich theils durch den Ort, wo sie entstehen: an der innern Seite der Vorhaut, an dem Bändchen, oder in dem Winkel unter dem Bändchen, an der innern Seite der Schamlefzen, an den Nymphen, der Clitoris, zuweilen auch an den Augenliedern, an den Lippen, den Brustwarzen u. s. w. selten am männlichen Gliede und dem Hodensack, noch seltner an der Eichel; theils durch die Art, wie sie entstehen, als kleine rothe oder blos durchsichtige, mit Wasser angefüllte Bläschen, welche stark jucken, sich entzünden, aufserst schmerzhaft werden, aufbrechen, und sich in ein kleines eiterndes Geschwür verwandeln, das um sich frißt harte Ränder bekommt, und einen speckartig-weißen Grund hat Ihre Ausscheidung sieht grünlichgelb, und wird immer häufiger und schärfer, so daß leicht alle nahen Theile, welche sie berührt, davon angefressen werden.

4. Ausscheidungen durch die Nieren.

Die Nieren stehen mit dem Hautorgan in offenbarer Wechselwirkung. In der Regel: je mehr Schweiß, desto weniger Harn, und umgekehrt. Daher im Winter der Harn reichlicher abgeschieden wird, im Sommer spärlicher. Ueberhaupt hängt der Zustand der Nieren mit den Affectionen der übrigen Abscheidungsorgane durch Consensus zusammen, und man kann daher die allgemeinen Verhältnisse der Absonderungen im Organismus in Fiebern, Krämpfen, Darm- und Gallen-Krankheiten, so wie bey denen der Harnwerkzeuge selbst, aus dem Harn, in vielen Fällen mit mehr oder minder Zuverlässigkeit beurtheilen, je nachdem die krankhaften Verhältnisse mehr oder weniger dunkel und complicirt sind. Wir betrachten demnach zuerst, als eigenthümliche Ausscheidung aus den Nieren, den Harn.

a. Der Harn.

§. 182.

Der Harn (urina, lotium) dient als Zeichen bey Krankheiten, in Beziehung auf seine Consistenz, Farbe, Geruch, Menge, und der in ihm enthaltenen Stoffe. Der Urin der Gesunden ist gleichsam der Maßstab für die Beurtheilung des Urins bey Kranken. Bey Gesunden ist er meistentheils mehr oder weniger gelb, mäßig dick, ohne Bodensatz, von flüchtigem, ammoniakalischen Geruch, und richtet sich in Hinsicht auf seine

Quantität, nach der Menge des genossenen Getränks (Danz §. 196.).

§. 183.

In Ansehung der Consistenz ist der Harn fehlerhaft, wenn er 1) zu dünn ist (tenuis). Ein dünner Harn verräth, daß die Krankheitsmaterie noch nicht zum Auswurf geschickt ist, daß Krämpfe zugegen sind und bevorstehen. Wenn er in großer Menge und wässerig abgeht, deutet er auf Schwäche und Laxität der festen Theile. Ein dünner, farbloser Harn, der so fortdauert, zeigt in hitzigen Krankheiten, besonders in inflammatorischen Fiebern, einen großen Reiz im Körper, und verkündigt daher Schlaflosigkeit, Delirien, Convulsionen, Brand und Tod. Sind die übrigen Zeichen nicht schlimm, so entscheiden sich die Krankheiten dabey zuweilen durch Abscesse. Ein anfangs dünner Harn, der bald darauf dick wird, läßt vermuthen, daß die Natur an einem Abfalle arbeite. Ueberhaupt ist aber ein dünner Urin, er mag gelb oder roth seyn, in hitzigen Krankheiten, besonders im Fortgange derselben, kein gutes Zeichen. In chronischen Krankheiten zeigt ein dünner Harn Schwäche, Laxität der festen Theile, Verstopfung, Krämpfe, langwierige Krankheiten. Dünn und wässerig geht er neuen Anfällen hypochondrischer, hysterischer, epileptischer Personen, den Paroxysmen intermittirender Fieber, voraus. Nach Kopfverletzungen beweist ein dünner, durchsichtiger, wässeriger Urin, daß sie nicht geringfügig sind. 2) Wenn er zu dick ist, (crassa). Ein zu dicker Harn, der dick bleibt, beweiset üble Absonderung, und in hitzigen Krankheiten heftige und unordentliche Bewegung der Saftmasse. Läßt er aber um die Zeit der Entscheidung der Krankheit einen Bodensatz fallen, so ist er meist kritisch. Ein dicker, rother Urin zeigt große Hitze im Körper an, und bey Wassersüchtigen und Schwindsüchtigen die Gegenwart eines schleichenden

Fiebers. Ein dicker, weißer Urin, der einen dicken, weißlichen Bodensatz fallen läßt, ist öfters Anzeige von eingesogenem Eiter. Ein im Anfange der Krankheit dicker Harn, der im Fortgange derselben dünne wird, und dünne bleibt, ist kein gutes Zeichen, und meist ein Beweis daß die Entscheidung noch fern ist. Hieher gehört auch der trübe Urin (turbida), der schlechte, gestörte Verdauung, einen Ueberfluß an schlechten, verdorbenen Säften, Schwäche, besonders Erschlaffung der Nierengefäße anzeigt. Ein trüber Urin, der von Unreinigkeiten der ersten Wege, von starker Ueberladung des Magens, von Infarcten im Unterleibe herrührt, bey der Gicht sich einfindet, hat nichts zu bedeuten, ist öfters heilsam, besonders wenn er einen Bodensatz fallen läßt. Ueberhaupt ist ein solcher trüber Urin, in den sich ein weisser, dicker Satz niedersenkt, wenn die übrigen Zeichen gut sind, ein Beweis, daß die Entscheidung nahe ist. Geht aber der Urin helle ab, wird darauf trübe und läßt keinen Bodensatz fallen, so ist dieß kein gutes Zeichen. Einen ganz trüben Urin nennt man urina jumentaria oder jumentosa. Etwas öhlichtes auf der Oberfläche des Urins hielt man ehemals für ein Zeichen der Abzehrung; man findet es aber auch oft bey Gesunden, und in dem Harne vieler Auszehrenden nicht (Danz §. 197.).

§. 184.

In Ansehung der Farbe muß bemerkt werden: 1) der weisse Harn (urina alba). Er zeigt Verstopfung in der Leber oder in den Nieren, Krämpfe u. s. w. an; daher geht er fast immer den Anfällen hysterischer, hypochondrischer, epileptischer Beschwerden, auch Krampfkoliken, dem Fieberfroste u. s. w. voraus. Wenn der Krampf nachläßt, so färbt er sich wieder. Doch hat man ihn auch in Anfällen der Hypochondrie und Hysterie, obgleich selten, sehr roth gefunden, ohne daß ein Fieber zugegen war. Ein weißer Urin ist ein gewöhnlicher Begleiter der Harnruhr. Ein weisser, farbloser Harn ist in hitzigen Krankheiten kein gutes Zeichen, besonders wenn die Hitze groß ist, und wenn er nicht nach Leidenschaften plötzlich entstanden ist: denn es folgen darauf, wenn er anhält, Delirien, Nachtwachen, tödtliche Convulsionen; in der Hirnwuth, der Tod. Doch hat man auch in Entzündungskrankheiten, wenn die übrigen Zeichen gut waren, auf das plötzliche Erblassen des Harns eine gänzliche Besserung erfolgen sehen. 2) Der saffrangelbe Urin (u. flava, s. crocea). Diesen findet man besonders in der Gelbsucht und in Gallenfiebern, und er zeigt, insbesondere wenn er die Wäsche gelb färbt, den Uebergang einer Menge Galle ins Blut an. Man findet ihn aber auch in andern hitzigen Fiebern. Ein dünner, gelber Urin, der so bleibt, verräth meist in hitzigen Krankheiten, daß die Entscheidung der Krankheit noch fern ist. Einen gelben, dicken, trüben Urin findet man öfters bey gestörter Verdauung, bey Unreinigkeiten der ersten Wege. 3) Der citrongelbe, blaßgelbe Urin (u. citrina, subflava). Dieser Urin, wenn er dünn, wässerig ist, zeigt öfters Krämpfe an, und in chronischen Krankheiten Langwierigkeit derselben. In hitzigen Krankheiten, in welchen mehrere üble Zeichen vorhanden sind, wenn er gelb, dünn und durchsichtig bleibt, verkündigt er Gefahr. Wird er aber, nachdem er kalt geworden ist, weiß, läßt er einen gleichen weissen Bodensatz fallen, so ist er meistens heilsam. Bey der Abnahme der Krankheit zeigt ein gelber, durchsichtiger Urin gute Verdauung und Genesung an. 4) Der dunkelgelbe (fulva, s. aurea), der orangengelbe (aurantia), der braune (fusca), der rothe (rubra), der hellrothe (rosea), der feuerrothe, dunkelrothe, (flammea, rutila, rufa) sind blos dem Grade nach verschieden. Aus einem dunkelgelben Harne, der in geringer Menge, aber häufig, gelassen wird, der gleich im Anfange der Krankheit etwas zu Boden sinken läßt, schließt man auf gallichte oder andere Unreinigkeiten der ersten Wege. Ein mehr oder weniger rother Harn zeigt mehr oder weniger ungewöhnlich schnellen Umlauf des Bluts und dadurch vermehrte thierische Wärme an. Er wird daher roth nach starker Bewegung, nach dem Genusse hitziger Getränke u. s. w. Bey Weintrinkern ist er auch in Krankheiten röther gefärbt als es sonst die Heftigkeit derselben mit sich bringt. Je röther der Harn ist, desto stärker ist gewöhnlich das Fieber, und er geht dann meistens nur in geringer Menge ab. Er ist hauptsächlich inflammatorischen Fiebern gemein. Dauert er lange, zeigt er gar keine Wolke oder Bodensatz, so ist die Entscheidung noch fern: und je röther er ist, desto größer ist die Gefahr, weil er dann gefährliche Entzündungen, Brand und den Tod verkündiget. In chronischen Krankheiten verräth ein rother Urin ein schleichendes Fieber. Wirklich blutiger Urin ist in Faulfiebern, faulichten Blattern und andern faulichten Krankheiten ein gefährliches, meist tödtliches Zeichen, da er ein Beweis der großen Auflösung der Säfte ist. (Vom Blutharnen s. weiterhin lit b.). Der braunrothe Harn (u. lateritia) ist ein gewöhnlicher Begleiter intermittirender Fieber. Man findet ihn auch in manchen katarrhalischen Fiebern, im Scorbut, bey Venerischen u. s. w. überhaupt bey Cachektischen. 5) Der grüne Harn (viridis). Er soll der Begleiter einer schwarzgallichten Materie seyn, und in hitzigen Krankheiten Gefahr andeuten. Man findet ihn äußerst selten, daher einige seine Existenz bezweifelt haben und noch bezweifeln. Oft ist er vielleicht nur von einem kupfernen Gefäße, in dem er gestanden hat, gefärbt. 6) Der schwarze Harn (nigra). Dieser rühret in Krankheiten entweder von großer Hitze, oder Auflösung und übler Beschaffenheit der

Säfte, von schwarzgallichten Infarcten im Unterleibe, von zerrissenen Gefäßen, Geschwüren in den Nieren, gestopften Blutflüssen u. s. w. Er ist nicht immer ein tödtliches Zeichen, wie man ehemals wähnte. In hitzigen Krankheiten, wenn die Symptomen abnehmen und der Kranke sich erleichtert fühlt, wenn heilsames Nasenbluten, Schweiße sich dazu gesellen, ist er öfters kritisch. Verbindet er sich freylich mit lauter üblen Zufällen, so wächst dadurch die Gefahr, besonders wenn er einen rusigen Bodensatz hat. Rührt er von schwarzgallichten Infarcten her, wie bey Melancholischen, Hysterischen, im viertägigen Fieber, oder von unterdrückter monatlicher Reinigung, Kindbetterinnen-Reinigung, von Nierensteinen, Blasenhämorrhoiden, findet er sich in der Bleykolik ein, dann ist er für sich allein gar nicht zu fürchten. Nur dem Grade nach ist der wie rother Wein aussehende (vinea) und der schwarzbleiche (livida) Harn vom schwarzen verschieden (Danz §. 198.).

§. 185.

Was den Geruch des Urins anbelangt, muß bemerkt werden: 1) der natürliche Uringeruch: dieser ist ein Beweis, daß die Verdauung und die Absonderungen gehörig von Statten gehen. In hitzigen Fiebern ist der Harn von stärkerem Geruche wegen der Hitze, und weil nur sehr wenig aus dem Blute abgesondert wird. 2) ein angenehm riechender Harn (suaveolens), der meist von genossenen Speisen oder Arzneyen herrührt, wie z. B. von Spargel, Terpentin, Rad. Ireos florent. hat gar weiter keine Bedeutung. 3) ein stinkender Harn (foetens), zeigt eine starke Verderbniß der Säfte an, und ist sowohl in hitzigen als in chronischen Krankheiten ein schlimmes Zeichen, besonders wenn er sich gleich im Anfange einer Krankheit einfindet. Sind aber gute Zeichen zugegen, so ist er zuweilen heilsam, wie in intermittirenden Fiebern, indem die verdorbenen Theile dadurch ausgeleert werden. Aeußerst stinkend und scharf wird auch der Urin, wenn er lange zurückgehalten wird, wie bey Harnverhaltungen (Danz §. 199.).

§. 186.

In Ansehung der Menge des Urins, der abgeht, unterscheidet man: 1) einen häufigen Urin (multa). Dieser zeigt, wenn er nicht von zu vielem Getränke, oder von Arzneyen verursacht wird, einen Ueberfluß von wässerichten Theilen im Körper, Schwäche und Laxität, besonders der Nieren, gehinderte Ausdünstung, unterdrückte Schweiße oder Diarrhöen, partielle Krämpfe. Durch einen zu häufigen, anhaltenden Abfluß des Urins wird das Blut seiner wässerigen Theile beraubt, es wird scharf, es entstehen Verstopfungen, Infarcten im Pfortadersysteme, Mattigkeit, Schwäche, Auszehrung. In chronischen Krankheiten, besonders bey Melancholischen, Hypochondrischen, Hysterischen, in viertägigen Fiebern hat man ihn nicht gern, weil die Infarcten, die gewöhnlich die Ursache jener Krankheiten ausmachen, dadurch hartnäckiger werden. In der Wassersucht hingegen, in manchen Gattungen der Schwindsucht, in Hautkrankheiten, ist er öfters heilsam, wenn nur nicht die Kräfte des Kranken dadurch zu sehr abnehmen, weil er zu häufig ist. In hitzigen Krankheiten ist ein häufiger Urin, der keinen weissen gleichen Bodensatz fallen läßt, auf den sich der Kranke nicht erleichtert fühlt, bey welchem vielmehr das Fieber mit allen seinen Zufällen zunimmt, kein gutes Zeichen, besonders im Anfange einer Krankheit, wenn er dünn, wässerig, oder dick, trübe, braun, schwarz, stinkend ist, oder wenn ein mehlichter, kleyenartiger, schwarzer Bodensatz in demselben niedersinkt. Ein häufiger, wässeriger Urin geht öfters den Anfällen Hypochondrischer, Hysterischer voraus, läßt aber bald darauf nach. Bey kalter

Witterung, in kalten Gegenden, im Winter geht der Urin häufiger, und die Ausdünstung ist geringer. Ein häufiger, anhaltender Abgang des Harns, der bald wässerig, dünne, bald trübe, dick, bleich, meist süß ist, ist ein Kennzeichen der Harnruhr. 2) Einen in geringer Menge abgehenden Urin (pauca). Diesen findet man bey und nach starken Schweißen, daher im Sommer, und in heißen Gegenden, wo die Ausdünstung vermehrt ist, nach starken, wässerigen Diarrhöen, nach starken Bewegungen, nach vermehrter thierischer Wärme in Fiebern, wo wenig getrunken wird. Wird die gehörige Absonderung des Urins durch Krämpfe im Unterleibe gehindert, entsteht ein rothes Gesicht, rothe Augen, so strömt das Blut nach dem Kopfe, verursacht Raserey, Schlafsucht, Convulsionen, Schlagfluß und den Tod. Daher, wenn der Harn nur in geringer Menge abgeht, wenn er beym Abgange brennt und schmerzt, kein gutes Zeichen, und die Entscheidung ist meist noch fern, wie man dieß noch gewisser aus der Vergleichung mit den übrigen Zeichen wahrnehmen kann. Rührt die verminderte Absonderung des Harns von gehinderter Verrichtung der Saugadern her, befindet sich an den Füßen schon eine Geschwulst, in welcher Dellen zurückbleiben, so steht Wassersucht bevor. Gewöhnlich sind Wassersüchtige, wo der Urinabfluß durch kein Mittel befördert werden kann, schwer zu heilen, denn die Ausleerung des Wassers durch Stuhlgang, Schweiß, u. s. w. ist immer zweifelhaft. 3) Einen gänzlich verhinderten Abgang des Harns (ischuria), ein schmerzhaftes und mit Mühe erfolgendes Harnen (dysuria), ein Harnen, wo der Urin blos Tropfenweis und mit Schmerzen abgeht, obgleich immer lästiger Trieb zum Harnen zugegen ist (stranguria). Alle diese Gattungen sind blos dem Grade nach verschieden. Sie deuten aber auf Zufälle, entweder

a) In den Nieren, in welchen Verstopfungen oder ein Reiz, wie z. B. von einer Schärfe, die sich auf dieselben geworfen hat, von zurückgetretener Ausdünstung, von Nierensteinen u. s. w., durch Krampf, oder Entzündung, oder Eiterung die Absonderung des Urins verhindern.

b) Oder in den Harngängen, die entweder durch Steine, oder geronnenes Blut, oder Schleim oder Krämpfe verengert sind.

c) Oder in der Blase, wenn diese zu schwach, die Menge des Urins zu groß ist, weil er lange zurückgehalten worden, oder Paralysis zugegen ist, daß sie sich nicht zusammenziehen kann; wenn Steine, geronnenes Blut, Eiter, Schleim u. s. w. die Mündung der Blase verstopfen; wenn sich die Blase nicht ausdehnen läßt wegen verhärteter, scirrhöser Wunden, wegen angehäuften Unraths im Mastdarme, wegen ausgedehnter Gebärmutter u. s. w., wenn sie oder ihr Hals durch Krämpfe, durch den Druck einer ausgedehnten, schiefliegenden, umgebeugten Gebärmutter, Blasenbruch u. s. w. verengert ist.

d) Oder in der Harnröhre, wenn diese durch Krampf, Entzündung, Steine, Auswüchse u. s. w. verengt, verschlossen ist.

Wo die Verhaltung des Harns ihren Sitz hat, erkennt man leicht aus der Empfindung von Schwere, von Schmerz des leidenden Ortes.

Nach diesen verschiedenen Ursachen ist auch die Gefahr der Harnverhaltungen verschieden. Die von Lähmung herrührt, z. B. in hitzigen Krankheiten, oder von großer Schwäche, die nach Verrenkungen oder Erschütterungen des Rückgrats, nach Fällen, Schlägen u. s. w. entsteht, ist am gefährlichsten. Weniger gefährlich ist die, welche von Krämpfen herrührt. Die aber, die von einer Entzündung ihren Ursprung hat, oder doch endlich dieselbe nach sich zieht, bey welcher das Fieber stark ist, Rasereyen,

Nachtwachen, Aengstlichkeit, Brechen, Schluchzen, kalte, stinkende, urinöse Schweiße u. s. w. entstehen, sind meist tödtlich, wenn nicht bald Hülfe geschafft wird. Daher ist auch Verhaltung des Harns kein gutes Zeichen in hitzigen Krankheiten, besonders wenn sie hartnäckig ist. Eine beständige Neigung zu harnen, oder gar nicht harnen können, oder doch nicht ohne Schmerzen, ist in Blattern eine ungünstige Erscheinung. Zuweilen, jedoch selten, geht Unterdrückung des Harnabflusses kritischen Schweißen voraus. 4) Ein wider Willen und Wissen abgehender Harn (enuresis, seu incontinentia urinae). Rührt dieß von übler Gewohnheit, von Würmern, von einem vom Kothe zu stark ausgedehnten Mastdarme u. s. w. her, so hat es nichts zu bedeuten, besonders wenn es blos des Nachts geschieht. Kommt es aber von örtlichen, angebornen Fehlern her, oder von Verletzung der Blase und Harnröhre, nach dem Schambeinschnitte, dem Steinschnitte u. s. w. oder von Schwäche, wie bey Alten, dann ist es schwer und meistens gar nicht zu heilen. Ein wider Wissen und Willen abgehender Harn nach Kopfwunden, Erschütterungen und Verrenkungen des Rückgrats, in hitzigen Krankheiten bey äußerster Entkräftung und andern üblen Zufällen, wenn es auch während dem Wachen des Kranken erfolgt, ist eine Erscheinung, die Gefahr andeutet (Danz §. 200.).

§. 187.

In Ansehung dessen, was im Harne der Kranken enthalten ist, ist zu bemerken:

1) Ein Wölkchen (nubecula), das mehr nach oben schwimmt, und das man, wenn es sich mehr in der Mitte befindet, enaeorema, s. suspensum nennt. (Einen hellen, durchsichtigen oder trüben Urin, der weder Wolke noch Bodensatz zeigt, nannten die Alten, wie schon gesagt,

M

urina cruda. Er beweist gewöhnlich, daß die Entscheidung der Krankheit noch fern ist, besonders wenn er schaumig ist, und dieser Schaum sich lange hält.) Eine weisse oder röthliche, gleiche, dunkle Wolke zeigt, wenn die übrigen Zeichen gut sind, öfters einen bevorstehenden Abfall der Krankheit an. Dagegen verkündigt eine sehr rothe, braune, bleyfarbne, schwarze, oder ganz helle Wolke, mit andern üblen Zufällen verbunden, Verrückung, andere üble Zufälle und Gefahr. Eine schwarze Wolke soll in Herbstfiebern den Uebergang in viertägige Fieber anzeigen. Eine Wolke im Urin, die immer mehr in die Höhe steigt und zuletzt verschwindet, ist meistens ein günstiges Zeichen. 2) Ein Bodensatz (sedimentum, hypostasis, hypostema). Diesen findet man hauptsächlich im Harne bey Kranken. Findet man ihn auch in großer Menge bey Gesunden, so dient er meistens zum Beweise, daß ihre Verdauungsorgane mit Speisen oder Getränken überladen waren, und er ist ihnen heilsam, indem sich die Natur dadurch der rohen in das Blut übergegangenen Stoffe entledigt. In Krankheiten ist es gut, wenn nebst andern guten Zeichen baldigst ein nicht zu starker, aber auch nicht zu geringer, weißer oder röthlicher, leichter, wie Flocken aussehender, ebener, sich durchaus gleichbleibender, aufgethürmter, nicht stinkender, an einander hängender Bodensatz, erscheint, indem dieser eine baldige heilsame Entscheidung verkündigt. Einen diesem entgegengesetzten hält man für bös, welches er aber für sich allein nicht ist, wenn nicht andere üble Zufälle zugegen sind. Ein Bodensatz, der wieder zerfällt, zeigt einen bedenklichen Zustand an. Zuweilen zeigt sich der gute Bodensatz erst sechs bis zwölf Stunden nachdem der Harn gelassen worden ist. Ein sehr gelber Bodensatz zeigt den Uebergang der Galle ins Blut an. Ein röthlicher oder rother Bodensatz zeigt zwar meistens, daß die Krankheit noch nicht zum

Abfalle geschickt, und daß das Fieber heftig ist; man hat aber doch auch, bey andern guten Zeichen, Gesundheit darauf erfolgen sehen. Ein grüner, schwarzer, bleyfarbiger Bodensatz ist in hitzigen Krankheiten gefährlich, da er große Hitze und Neigung der Säfte zur Fäulniß andeutet, daher man ihn auch meistens in faulichten Krankheiten findet. Wenn die Theile des Bodensatzes wie Körner (orboides), oder wie Schuppen (petaloides), oder wie Kleyen (pityroides), die schmäler als Schuppen sind, oder wie Mehl (crimnodes), aussehen, so ist dieser selten kritisch, sondern meistens ein Beweis einer üblen Mischung und Beschaffenheit der Säfte, und daß die Entscheidung noch fern ist. Man findet diese Gattungen besonders in kachektischen Krankheiten. Ist der Bodensatz noch dazu roth oder schwärzlich, so zeigt er große Hitze an. Ein braunrother, mehlichter, gepülverten Ziegelsteinen ähnlicher Bodensatz (sedimentum lateritium), ist ein gewöhnlicher Begleiter intermittirender, rheumatischer, schleichender Fieber; zuweilen geht er auch Recidiven voraus. In Faulfiebern hat man den Tod darauf erfolgen sehen. Man nimmt ihn aber auch bey Gesunden nach starker Bewegung wahr. Ein ziegelmehlartiger Bodensatz im Harne bey solchen, die mit Krebsschäden behaftet sind, läßt wenig Hoffnung von der glücklichen Ausrottung des Krebses vermuthen. Ein schleimiger, schlammiger Bodensatz verräth, nebst andern Zeichen, die mit zu Hülfe müssen genommen werden, eine schleimige Kachexie, und eine langwierige Krankheit. Ein dünner oder dicker, sparsamer oder häufiger Bodensatz, dessen Theile sich in ihrer Lage verändern und hin und her schwimmen, ist selten kritisch Danz §. 201.).

M 2

b. Fremde Theile die mit dem Harne ver- vermischt sind.

§. 188.

Hiehin gehören a) Sand, der eine Neigung zu Steinen anzeigt. b) Kleine Salzkrystallen, die wie ein weisser, durchsichtiger, zarten Spießchen ähnlicher, glänzender Sand aussehen, aber länglich und glänzend sind. Man findet sie besonders bey starken Weintrinkern, in faulichten Krankheiten, und sie deuten meistens einen guten Ausgang an.

c) Steine, die, wenn sie klein sind, zuweilen ganz, sind sie aber größer, öfters in einzelnen kleineren Stücken oder Brocken abgehen. Sie kündigen sich, wie schon gesagt, durch schleimigen, sandigen Harn an, der den Veilchensyrup grün färbt, durch häufiges Uriniren, wobey der letzte Tropfen mit heftigen Schmerzen abgeht, durch plötzlichen während des Urinabflusses verstopften Abgang; wenn es Blasensteine sind, durch ein Gefühl von Schwere in der Blase, vorausgegangene Nierenkoliken, beträchtliche Schmerzen in der Unterbauchsgegend, blutigen Harn, der auf starke, erschütternde Bewegungen, Reiten, Fahren u. s. w. erfolgt, heftiges Brechen, Jucken im männlichen Gliede, besonders in der Eichel, zurückgezogene Hoden u. s. w.

d) Stücken von Häuten, kleinere oder größere Schuppen (furfures, lamellae). Sie zeigen Geschwüre in den Nieren oder der Blase, oder in der Harnröhre an, einen Reiz entweder von einer gichtischen, venerischen oder Hämorrhoidal-Schärfe, oder von Steinen. Man bemerkt sie häufig bey Weibspersonen, die am weissen Flusse leiden, wo sie aus der Scheide kommen.

e) Schleimflocken. Diese können von den eben angegebenen Ursachen entstehen. Am häufigsten findet man sie bey Steinen und nach dem übermäßigen Gebrauche scharfer, urintreibender Mittel, besonders der Canthariden. Man muß sich jedoch hüten, nicht gleich einen gelblichen oder grünen Schleim für Eyter zu halten.

f) Eyter. Dieses zeigt eine Verletzung der Nieren an, wenn Nierenkoliken mit heftigen, stechenden, brennenden Schmerzen in den Lenden vorausgegangen sind, wenn sich immer noch ein stumpfer Schmerz in derselben Gegend findet, wenn schleichendes Fieber zugegen ist. Er deutet hingegen auf Vereiterung der Blase, wenn ein unerträglicher, brennender Schmerz in der Schamgegend, der sich beym äußerlichen Berühren vermehrt, wenn beschwerliches, schmerzhaftes Urinlassen mit häufigen Erectionen vorausgegangen, besonders wenn er mit dem Urine nicht genau vermischt ist. Manchmal rührt aber der im Urin befindliche Eyter weder aus den Nieren, noch aus der Blase her, sondern er ist an einem andern Orte eingesogen worden, und wird hier wieder abgesetzt. In diesem Falle ist er meistens genau mit dem Urin vermischt; und man erkennt diesen Fall, wenn keine von den oben genannten Zufällen vorausgegangen sind, und der Eyter an andern Orten verschwunden ist.

g) Würmer, welche sich entweder in den Nieren oder in der Blase befinden. Sie durchbohren zuweilen den Mastdarm, und kommen in der Blase zum Vorschein (Danz §. 201.).

c. Fremde Stoffe statt des Harns.

aa) Eyter. Wenn dieser ohne Urin abgeht, oder demselben vorausgeht, so erkennt man daran Geschwüre in der Harnröhre.

bb) Blut. Ein Bluthabnen unter heftigen Rückenschmerzen, vor dem Ausbruche der Pocken, läßt diesen nie zu Stande kommen, und ist absolut tödtlich. Sonst ist das Blutharnen auch ein Zeichen von Hämorrhoiden, von Steinen. Nach Fällen oder Schlägen ist es nicht gleichgültig anzusehen: denn es rührt hier entweder von Zerreissung innerer Gefäße, oder von starker Erschütterung her; und wenn auch diese Ursachen nicht sogleich tödten, so bleiben doch öfters schädliche Folgen zurück. Blutflüsse aus der Blase sind selten kritisch (Danz §. 198.).

§. 189.

Der Urin wie bey Gesunden (u. naturalis), ist in hitzigen Krankheiten, besonders in ihrem Fortgange, kein gutes Zeichen, weil er mit den andern widernatürlichen Veränderungen nicht übereinkommt, und wenigstens zeigt, daß die Entscheidung der Krankheit noch fern sey. Stellt er sich am Ende hitziger Krankheiten, mit andern üblen Zufällen ein, so ist er ein Zeichen von gesunkener Lebenskraft, und verkündigt den Tod. In langwierigen Krankheiten deutet er auf ungewissen Ausgang. Wenn sich der üble Urin auf einmal, und ohne andere gute Zeichen, in den scheinbar guten verwandelt, so ist dieß ein bedenkliches Zeichen. Eben so ist es schlimm, wenn sich der Urin häufig abändert, bald dünn, bald dick, bald weiß, gelb, bald roth ist, weil dieses auf eine sehr veränderliche Stimmung in den Organen und auf Mangel der zu den Absonderungen nöthigen Kraft hindeutet.

5. Ausscheidungen und Ausleerungen aus den Gefäßen, Schleimhäuten, und drüsigen Körpern in Augen, Ohren, Nase, Mund, Rachen, u. s. w.

§. 190.

Thränen und Augenlieder-Schleim. Wird die Absonderung und Ausführung der Thränen mit Wissen und Willen vermehrt, weinen z. B. die Kranken bey traurigen Gegenständen, so ist dieß ein gutes Zeichen, als Beweis, daß die innern Sinne und das Band zwischen Seele und Körper noch unverletzt sind. Weinen sie aber bey der geringsten Gelegenheit, ohne daß dieß vorher ihre Gewohnheit war, so zeigt dieß eine sehr erhöhte Empfindbarkeit, die nie gut ist, und läßt hauptsächlich bey solchen, die zu Schlagflüssen geneigt oder schon wirklich davon befallen worden sind, neue Anfälle und Rückfälle befürchten. Mit der unwillkührlich vermehrten Absonderung und dem Ausflusse der Thränen aber in Krankheiten hat es eine andere Bewandniß. Diese kann von einem starken Andrange des Bluts nach dem Kopfe, von einem Reize auf die Zahnnerven der obern Kinnlade, von einem Reize auf die Nasennerven, auf die Nerven des Magens, der Därme, herrühren, weil diese mit den Augennerven in Verbindung stehen. Ein solcher Abfluß der häufiger abgesonderten Thränen, kündigt öfters, wenn die übrigen Zeichen gut sind, ein kritisches Nasenbluten an. Sind aber die übrigen damit verbundenen Zeichen schlimm, ist keine Krisis zu erwarten, so ist das Thränen der Augen eine ungünstige Vorbedeutung, besonders wenn die Gesichtsbildung sehr verändert traurig aussieht, ohne daß es der Kranke wirklich ist, und wenn er weint ohne daß er es weiß. Ist die Absonderung der Thränen in hitzigen Krankheiten vermindert, sind die Augen trocken, so steht Raserey. Hirnwuth bevor. Am schlimmsten ist es, wenn dann die Augen schmutzig, wie mit Staub bedeckt, aussehen. Eine häufige, zähe, klebrige Feuchtigkeit an den Augenliedern (lemae), zeigt eine Schärfe an, die sich auf die Meibomischen Drüsen geworfen hat, und hier eine fehlerhaft vermehrte Absonderung des Augenschleims hervorbringt. Oefters häuft sich eine solche eyterige Materie nach unterdrücktem Tripper, bey säugenden Kindern, deren Ammen venerisch sind, bey alten Weibern, nach dem Ausbleiben der monatlichen Reinigung, in großer Menge im innern Augenwinkel an (Danz §. 263.).

§. 191.

Das Ohrenschmalz ist bey Gesunden braungelb und bitter. Wenn es diese Eigenschaften verliert, so ist dieß in Krankheiten ein ungünstiges Zeichen, und deutet meistens auf fehlerhafte Beschaffenheit der Galle. Zu reichliches Ohrenschmalz findet man bey dem Weichselzopfe. Dickes und hartes Ohrenschmalz deutet in Fiebern auf große Hitze. Dünnes und eyterhaftes verräth örtliche Ohrengeschwüre. Ueberhaupt, nach heftigen Kopf- und Ohrenschmerzen, auch nach andern Krankheiten, die sich nicht gehörig entscheiden und eine Ablagerung auf die Ohren verursacht haben, entsteht öfters ein Eyterausfluß aus den Ohren, worauf sich der Kranke erleichtert fühlt, der aber leicht Taubheit, besonders wenn er plötzlich unterdrückt wird, und manchmal andere üble Folgen zurückläßt.

§. 192.

Ausleerungen aus der Nase. Die natürlichen Schleim-Ausscheidungen aus der Nase, wenn sie auch verändert, zu reichlich, zu sparsam, von widernatürlicher Dicke oder Dünnheit sind, haben keine große semiologische Bedeutung. Bekanntlich treten alle diese Erscheinungen bey der verschiedenen Beschaffenheit und Zeit des Schnupfens ein. Von größerer Wichtigkeit aber ist das Bluten aus der Nase, sowohl wenn es symptomatisch, als wenn es kritisch ist. Bey jungen, vollblütigen Leuten, die schon mehrmals Nasenbluten bekommen haben, hat man in Krankheiten, die durch Blutflüsse entschieden werden, wenn die übrigen Ausleerungen verschlossen sind, Nasenbluten zu erwarten. Demselben gehen voraus: Nachtwachen, Aengstlichkeit, die öfters schnell den Kranken befällt, Auffahren, Erschrecken im Schlafe, Schauer, heftige, brennende, klopfende Kopfschmerzen, mit einer gewissen Empfindung von Schwere im Kopfe, Spannen im Nacken, Gefühllosigkeit, rothes aufgetriebenes Gesicht, rothe, vor den Augen zu fliegen scheinende Funken, Thränen, Verdunkelung der Augen, Ohrenbrausen oder Taubheit, angeschwollener Rachen, beschwerliches Schlucken, gespannte Herzgrube, mühsames Athemholen, großer, starker, wellenförmiger Puls mit Verdoppelung einzelner Schläge, aufgeschwollene Präcordien, wässeriger Urin, Gefühl von Schwere in der Nase, unauslöschliches Jucken; an dem angezeigten Tage gehen öfters einige Tropfen Blut ab, z. B. den vierten: worauf alsdann den siebenten reichliches Nasenbluten erfolgt. Oefters erfolgt das Nasenbluten aus dem Nasenloche der nehmlichen Seite, auf welcher das leidende Eingeweide liegt, z. B. bey Leberentzündungen aus dem rechten, bey Milzentzündungen aus dem linken. Kritisch und heilsam ist das Nasenbluten, wenn es nach vorausgegangenen Zeichen der Kochung erfolgt, wenn es der Natur der Krankheit und der Leibesbeschaffenheit des Kranken angemessen ist, wenn es einige Zeit anhält, wenn gehörig Blut abgeht, wenn der Kranke sich darauf erleichtert fühlt, die Fiebersymptomen nachlassen und abnehmen. Widrigenfalls ist es symptomatisch und ein übles Zeichen, besonders wenn es in zu großer Menge erfolgt: z. B. in faulichten Krankheiten; oder in zu geringer Menge blos tropfenweise (stillae sanguinis), wo es Langwierigkeit und Bösartigkeit der Krankheit verkündigt. Nasenbluten geht auch oft den Blattern und Masern, dem Friesel, voraus, wo es öfters die heftigen Symptome des Fiebers vermindert und den Kranken erleichtert; wenn es aber zu stark ist, von Neigung des Bluts zur Fäulniß herrührt, ist es ein gefährlicher Zufall. Nasenbluten begleitet auch häufig Infarcten, Krämpfe,

Unreinigkeiten im Unterleibe, Würmer, und rührt von denselben her (Danz §. 348.).

§. 193.

Ausscheidungen aus der Mundhöle. Die vorzüglichste und natürlichste ist der Speichel. Ein zu häufiger Abgang des Speichels, oder ein Speichelfluß (salivatio) zeigt entweder erschlaffte, geschwächte, oder angefressene, verwundete Ausführungsgänge der Speicheldrüsen, oder einen Reiz an, der die Gefäße zu häufigern Absonderungen antreibt, und entweder unmittelbar wirkt, wie z. B. beym Gebrauche des Quecksilbers, beym Zahnen, oder consensuell. Daher gesellt er sich zu Unreinigkeiten der ersten Wege, zu Würmern, besonders zum Bandwurme, zu Hypochondrie, Hysterie, Scorbut, Onanie; welche Mitleidenschaft von der Verbindung des großen sympathischen Nerven mit dem fünften Gehirnnerven herrührt. Ein häufiger Abfluß des Speichels, der lange anhält, schwächt außerordentlich, besonders die Verdauungsorgane, und verursacht Magerkeit und Abzehrung des Körpers. Daher seine Erscheinung bey kachektischen Krankheiten nie gut ist (Danz §. 171.). Viel Speichel im Munde mit Ekel vor Speisen, zeigt einen verdorbenen Magen, und, mit Uebelkeit verbunden, Brechen an. Bey Hypochondrischen, Hysterischen erfolgt darauf ein neuer Anfall. Häufige Absonderung des Speichels erscheint öfters nach einem fruchtbaren Beyschlafe. Symptomatisch gesellt sie sich häufig zu Schwämmchen, Epilepsie, Scorbut, Geschwüren im Munde, faulen Zähnen, zur Schwindsucht. In intermittirenden, dreytägigen und viertägigen Fiebern beweiset sie eine hartnäckige Krankheit, in der Bräune meist Gefahr, zuweilen ist sie aber auch in derselben kritisch. Häufiges Ausspucken kündigt öfters in Fiebern ein Delirium an; in chronischen

;ällen gilt es für ein Zeichen der Verstopfung des Pancreas.
:in Speichelfluß gesellt sich häufig zu zusammenfließenden
3lattern. Seine zu frühe Erscheinung aber, z. B. schon
eym Ausbruche, ist nicht gut, besonders in Verbindung
iit andern üblen Zeichen. Beym Abtrocknen der Blattern
t er ein gutes Zeichen, und nicht selten kritisch. Wird er
ber dann schnell und plötzlich unterbrochen und gestopft,
) erfolgen darauf öfters gefährliche Metastasen und der
:od, wenn nicht bald häufiger Bauch- oder Harnfluß ent-
eht. Beym Zahnen ist er auch heilsam, weil das Zahn-
eisch zum Durchbruch der Zähne geschickter gemacht wird.
:rfolgt er in Krankheiten nach Unterdrückung einer andern
lusleerung als z. B. des Schweißes, so ist er nicht selten
eilsam (Danz §. 172.). Mangel an Speichel,
) daß der Mund trocken ist, ist in Krankheiten ein übles
eichen. Man schließt daraus auf Mangel der flüssigen
:heile, oder auf zu zähe und zu dicke Consistenz derselben,
uf Verstopfung der Speicheldrüsen, Verschließung der klei-
eren Gefäße, und auf große Hitze im Körper. Am gefähr-
chsten ist es, wenn beym Mangel an Speichel, bey trock-
em Munde, der Kranke doch nichts zu trinken begehrt.
Danz §. 173.). Ein gesunder Speichel hat kei-
en Geschmack. Beklagt sich aber der Kranke über einen
›idernatürlichen Geschmack desselben, so kommt dieß ent-
:eder von Unreinigkeiten der ersten Wege, oder von einer
ßerdorbenheit der ganzen Masse der Säfte, oder von
ıner Verstandesverwirrung her; in welchen beyden letzte-
:n Fällen es ein gefährliches Zeichen ist (Danz §. 174.).

§. 194.

Außer dem Speichel sind noch einige andere Ausschei-
ıngen in der Mundhöhle als Zeichen zu bemerken.
:chaum vor dem Munde bey Schlagflüssen ist oft ein
ödliches Zeichen. Eine zähe, klebrige Feuchtigkeit, welche

in hitzigen Krankheiten die Zähne bedeckt, ist eine ungü stige Erscheinung; bey sonst Gesunden verräth sie schlec Verdauungsorgane. Geschwüre am Zahnfleisch rühr meist von cariösen Zähnen her, und heilen gewöhnlich ni eher als bis diese ausgerissen sind. Blutendes Zah fleisch zeigt Laxität der festen Theile und Mangel gesündem Blute. Blutet es bey dem geringsten Reize, verräth dieß eine scorbutische Kakochymie. In faulicht Krankheiten ist das Bluten des Zahnfleisches ein gefähr cher Zufall. Geschwüre in der Mundhöhle las auf Verdorbenheit der Säfte, besonders auf venerisc und scorbutische Kakochymie schließen. Bey Diarrhöe faulichten Krankheiten, bey der Wassersucht, Schwin sucht, sind sie gefährliche Zufälle (Danz §. 396. 397.

6. Eyter, Abscesse, als semiologische Au scheidungen.

§. 195.

Wahres Eyter ist allezeit ein Zeichen vorhanden oder vorhanden gewesener Entzündung. Es wird blos a dem Orte, welcher entzündet ist, erzeugt, kann sich ab auch von dieser Stelle an eine andere ablagern, wo es al dann ohne vorhandene Entzündung zugegen ist. Ma erkennt deshalb das Eyter auch am sichersten aus den Ze chen vorhandener oder vorhanden gewesener Entzündung Eyterung nehmlich haben wir bey der Entzündung zu e warten, wenn letztere, ungeachtet der gehörigen Anwen dung schicklicher Mittel zunimmt, die Geschwulst hart dunkelroth und in der Mitte nach oben spitzig wird, wen der Kranke öfters Frösteln bekommt, wenn die Schmerze klopfend werden. Beträchtliche Entzündungen, die länge als neun bis vierzehn Tage gedauert haben, gequetscht Wunden, Blutschwären, gehen meist in Eyterung über

daß aber wirklich Eyter schon zugegen ist, erkennt man
araus: den Kranken überfällt Schauer, Frösteln, das
ieber läßt nach, Unruhe, Hitze, Durst nehmen ab, die
ulsschläge vermindern sich, ohne daß eine Krisis erfolgt
t, die heftigen, stechenden, brennenden Schmerzen in
em entzündeten Orte verwandeln sich in stumpfe, der
ranke empfindet ein Gefühl von Schwere und Kälte in
em leidenden Theile, der obere spitzige Theil wird bleich,
eiß und weich, und man fühlt die Schwappung einer
euchtigkeit; die beyden letztern Zeichen finden jedoch nur
Statt wenn das Eyter gleich unter der Haut liegt.
Bird das Eyter nicht ausgeleert, liegt es zu tief,
nd wird daher nicht erkannt, so entsteht ein schleichendes
ieber mit Nachtschweißen und andern Symptomen, eine
dematöse Geschwulst, die anfänglich über der Stelle der
yterung sich befindet, nachher sich über den ganzen Theil
erbreitet. Wenn diese Zufälle vorausgegangen sind, so
st die Erkenntniß des Eyters gewiß und leicht. Oefters
verden aber vorausgegangene Entzündungen und ihr
lebergang in Eiterung verkannt, entweder aus Unachtsam-
eit des Kranken oder des Arztes, oder wegen Unempfind-
ichkeit der entzündeten Theile, obgleich eine Ausleerung
iner eyterartigen Feuchtigkeit entsteht; oder es entsteht
chnell, öfters in einer Nacht, eine schwappende Geschwulst.
Hier ist es oft sehr schwer wahres Eyter von andern Flüs-
igkeiten zu unterscheiden und zu erkennen, besonders wenn
s mit diesen vermischt ist, wie z. B. mit Schleim, der
vorzüglich die Gestalt des wahren Eyters zuweilen annimmt;
denn die weißgelbliche Farbe, die meistens dem Eyter eigen
ist, beweist hier nichts (Danz §. 165.).

§. 196.

Ein gutes Eyter, welches sich, außer der weißgelbli-
chen Farbe, durch Geruchlosigkeit, Mildigkeit und mitt-

lere Consistenz unterscheidet, hat man zu erwarten, wenn die Entzündung nicht zu heftig ist, (weil sonst leicht Brand entsteht) aber auch nicht zu gering (in welchem Falle meist übles Eyter erzeugt wird), wenn der Kranke gesundes Blut, thätige Lebenskräfte, gesunde Eingeweide hat, wenn die Verdauung, Ernährung, und alle Absonderungen und Ausführungen gehörig von Statten gehen, wenn sich keine Schärfen an dem entzündeten Ort abgelagert haben, wenn der Zutritt der Luft verhindert wird. Sehr häufig hängt aber die gute oder schlechte Beschaffenheit des Eyters von der Beschaffenheit des Geschwürs ab, indem sich in gesunden Körpern oft ein schlechtes, und in kränklichen ein gutes Eyter erzeugt, und öfters blos örtliche Mittel ein schlechtes Eyter in ein gutes verwandeln können (Danz §. 166.). Gut ist das baldige Entstehen eines guten Eyters bey Entzündungen, die nicht zertheilt werden können; bey kritischen Abscessen, bey gequetschten Wunden. Gefährlich ist es aber, wenn Entzündungen edler Theile in Eyterung übergehen, als z. B. des Hirns, worauf Wahnsinn, Schlagflüsse folgen; der Lungen, welche Lungenschwindsucht, plötzliches Ersticken hinterlassen. Eyterung im Auge verursacht Blindheit, im Ohre Taubheit. Wunden, Geschwüre, in denen sich ein schlechtes Eiter befindet, heilen nicht eher, als bis sich dieses in gutes Eyter verwandelt hat (Danz §. 167.). Starke Eiterung in einer großen Fläche ist immer mit Gefahr verbunden, besonders bey alten, schwächlichen Personen. Das Blut wird dadurch seines nährenden Stoffes, nehmlich der Lymphe, beraubt, es wird aufgelöst, die festen Theile leiden dadurch, es entstehen: Entkräftung, Abzehrung, wässerige Geschwülste, die Saugadern werden gereizt, nehmen Eyter auf, führen es in die Blutmasse; daher kommen: aufgelöstes Blut, schleichendes Fieber, nächtliche entkräftende Schweiße, wässerige Diarrhöen. Entsteht zuletzt Schluchen, Heiserkeit, so ist der Tod nicht mehr fern. Daß esorbirtes Eiter wirklich öfters die Ursache des schleichen- en Fiebers und der dasselbe begleitenden Zufälle ist, ist icht zu bezweifeln; daß aber auch häufig nicht das resor- irte Eyter, sondern blos Beraubung der im Blute ent- altenen Lymphe, daher rührender Mangel an gehöriger rnährung, und Verderbniß der Säfte Ursache sind, ist ben so wahr (Danz §. 168.). Befindet sich Eyter in er Nachbarschaft großer Blutgefäße, großer Nerven, so t dieß immer gefährlich, weil es eine Eigenschaft des yters ist, die festen Theile des thierischen Körpers, selbst nochen, aufzulösen und zu zerstören. Besonders thut ieß die Jauche. Es dauert aber doch gewöhnlich sehr ange bis die Häute der Arterien angefressen werden; da- er auch Eyter die Substanz mancher Theile ganz durch- ressen kann, ohne daß tödtliche Verblutungen entstehen. efährlich wird aber doch immer eine große Menge Eyter der Nachbarschaft großer Gefäße und Nerven durch inen Druck auf dieselben, besonders wenn dessen Ausfluß ehindert ist. Gefährlich ist auch seine Gegenwart in der ähe von Gelenken. Am liebsten löset Eyter geronnene Lym- he auf: daher ist Eyterung das beste Auflösungsmittel bey erhärtungen die nach Entzündungen zurückbleiben Danz §. 170.). Gefährlich ist es, wenn in einer ternden Wunde plötzlich das Eyter verschwindet, und rauf Schlafsucht, oder Wahnwitz, heftiges Fieber, chluchzen, Convulsionen, Schmerzen auf der Brust, ent- äftender Husten, eyteriger Auswurf, stinkende, ermat- nde Schweiße erfolgen, weil alles dieß eine gefährliche etastase andeutet. Eyter kann sich aber nicht allein, in- m es eingesaugt worden, sondern auch durch Wege, die sich selbst im Zellgewebe macht, nach einem dritten Orte nbegeben (Danz §. 170.).

§. 197.

Starke Eyteransammlungen in entzündeten Theilen oder Abscesse sind nicht selten kritisch. Entscheidungen der Krankheiten durch Abscesse haben wir zu erwarten bey kalter Witterung, wenn keine Zeichen einer Ausleerung des Krankheitsstoffes sich einstellen, oder wenn diese gestört und unterbrochen worden ist; wenn der Zeitpunkt der Rohheit immer noch fortdauert und die Krankheit sich in die Länge zieht, ohne daß sie sich sehr verschlimmert; wenn die Kräfte etwas erschöpft oder so unterdrückt sind, daß sie nicht fähig sind den Krankheitsstoff zum Auswurf geschickt zu machen und ihn auszuleeren; wenn Schwere, Müdigkeit, Schmerzen, örtlicher Schweiß an einem Theil entstehen, wenn Schauer, Frost und darauf folgende Hitze den Kranken befällt. Ist der Kopf sehr eingenommen, schwer, schmerzt er, klopfen die Schlafarterien sehr, ist das Gesicht aufgetrieben, bleich oder roth, sind Ohrenbrausen, Taubheit, Schlafsucht, Convulsionen zugegen, wobey das Athmen frey und die Präcordien weich und unschmerzhaft sind, so hat man Entstehung von Abscessen an den obern Theilen, besonders hinter den Ohren zu vermuthen (Danz §. 359.). Heilsam und kritisch sind Abscesse in Krankheiten, wenn sie nach vorausgegangenen Zeichen der Kochung zur rechten Zeit sich einstellen, d. h. wenn die Kräfte des Kranken noch nicht ganz aufgerieben sind; wenn sie unedlere Theile befallen, gleichförmig reif werden, gehörig eytern, ein gutes Eyter von sich geben, und wenn der Kranke sich darauf erleichtert fühlt. Sind aber zu viele oder zu große Abscesse zugegen, eytern sie zu stark oder gar nicht, sind sie sehr roth, blau oder schwarz, befinden sie sich in edlen Theilen, verschwinden sie bald wieder, und vermehrt und verschlimmert sich die Krankheit: so sind sie symptomatisch und der Kranke ist in Gefahr. Sehr häufig entstehen in den Ohrendrüsen

Abscesse, die öfters symptomatisch, und ein Beweis der Bösartigkeit der Krankheit, manchmal kritisch und heilsam sind. In Faulfiebern hat man bemerkt, daß die Eyterung der Parotis gewöhnlich tödtlich war. Uebrigens gilt hiervon das Nehmliche, was eben von den Abscessen im Allgemeinen gesagt worden. Ueberhaupt sind meist die Geschwülste, welche schnell, innerhalb zwölf bis vier und zwanzig Stunden sehr wachsen und weich sind wie eine Windgeschwulst, mit oder ohne Entzündung, oder welche sehr heftige Schmerzen verursachen, allemal gefährlich; so auch, wenn sie Ringe von verschiedenen Farben um sich haben, oder roth, blau, schwarz werden (Danz §. 360.).

7. Ausscheidung durch Brand.

Diese Art der Ausscheidung ist freylich nicht mit den vorigen zu vergleichen; indessen werden doch durch den Brand, besonders wenn er kritisch ist, Theile ausgeschieden, nehmlich die abgestorbenen von den gesunden. Und in dieser Hinsicht verdient diese Art von Thätigkeit oder Leiden des Organismus hier einen Platz, besonders da sie nicht ohne semiologische Beziehung ist.

§. 198.

Die Entscheidung einer Krankheit durch den Brand ist äußerst selten, doch aber möglich, und ereignet sich wirklich, wenn der ganze Krankheitsstoff sich auf einen äußern unedlen Theil wirft, wodurch der übrige Körper befreyt wird, jener Theil aber abstirbt. Muthmaßlich läßt sich eine Entscheidung durch den Brand in solchen Krankheiten voraussehen, wo die Saftmasse sehr verdorben ist, wenn die vorhandenen üblen Zufälle verschwinden oder doch nachlassen, wenn sich die Krankheitsmaterie auf einen äußern Theil, wie auf die Hinterbacken, Hoden, auf den Rücken, die Arme und Beine u. s. w. wirft, Gefühllosig-

N

keit in dem Theile entsteht, und wenn sich der Kranke darauf erleichtert fühlt, ohne daß andere üble Zufälle zugegen wären, welche uns beunruhigen könnten, weil öfters ein falsches Gefühl von Wohlbefinden beym Brande dem Tode vorausgeht. Den Tod müssen wir aber dann verkündigen, wenn der Brand edle Theile befallen hat, oder wenn die Krankheit darauf nicht nachläßt, und der Kranke schon sehr abgemattet und entkräftet ist (Danz §. 362.).

8. Das (durch die Kunst) ausgeleerte Blut, als Zeichen.

§. 199.

Gesund nennen wir das aus der Ader gelassene Blut, wenn seine Farbe das Mittel zwischen hell- und dunkelroth hält, wenn es weder zu dick noch zu dünn ist, mit einer gewissen Stärke aus der Ader fließt, mäßig warm ist, nach dem Erkalten gerinnt, aber nicht zu schnell, und wenn dann nicht zu viel Blutwasser um den Blutkuchen herumschwimmt, wenn der Kuchen recht fest ist, indem alsdann eine gehörige Menge gerinnbarer Lymphe zugegen ist. Alles dieß beweiset, daß die Verdauung, Blutbereitung und Ernährung gut von Statten gehen (Danz §. 147.). Fehlerhaft ist das Blut, wenn es zu dünn ist, und langsam oder gar nicht gerinnt, weil es Ueberfluß an Serum und Mangel an Cruor anzeigt; daher man es so bey Cachektischen findet. In hitzigen Krankheiten zeigt aber das dünne Blut vermehrte Wärme, eine Neigung der Blutmasse zur Fäulniß an, und daher Gefahr; besonders wenn es mit einem grünlichglänzenden, öhlichten Häutchen überzogen ist (Danz §. 148.). Ist das Blut zu dick, so daß es gleich, wenn es aus der Ader kommt, gerinnt, so zeigt dieß Mangel an Serum, Ueberfluß an Lymphe, gute Verdauungsorgane, Thätigkeit der festen Theile, Neigung zu Stockungen, Polypen u. s. w. an. Entsteht auf dem aus der Ader gelassenen Blute eine dicke, weiße, gelbliche, gleichfarbige, feste, speckartige Haut, so nennt man dieß ein Entzündungsfell (crusta inflammatoria). Dieses entsteht dadurch, daß theils die plastische Kraft des Blutes verhältnißmäßig verstärkt, theils die Energie der Arterien-Wände krankhaft vermehrt ist. Wenn wir dieses Entzündungsfell bey starken Fiebern, hartem, geschwinden Pulse finden, so können wir daraus immer auf Entzündung schließen, nur aber nicht aus seiner Abwesenheit auch auf Abwesenheit der Entzündung, da seine Entstehung durch eine zu kleine Aderöffnung, verhinderten Abfluß des Blutes, durch ein tiefes Gefäß, in das es gelassen wird, auch wohl durch allgemeine asthenische Beschaffenheit des Körpers bey entzündlicher Reizung eines einzelnen Organs, verhindert wird. Es zeigt sich manchmal erst bey dem zweyten oder dritten Aderlasse. Man findet aber auch die Speckhaut des Blutes ohne Entzündung wie z. B. manchmal bey der Wassersucht, Gicht, dem Scorbut, bey Schwangern, sogar in Begleitung eines kleinen, matten Pulses bey Nervenfiebern, Ruhren, selbst bey den gesundesten Menschen in kalten Gegenden, in kalten Wintern, bey fetten Personen. Für sich allein darf man also nicht aus der Gegenwart der Speckhaut auf Entzündung schließen, sondern man muß andere Zeichen mit zu Hülfe nehmen, als: einen örtlichen Schmerz, einen geschwinden, harten Puls u. s. w. Das wahre Entzündungsfell ist w e i ß oder w e i ß g e l b und g l e i c h f a r b i g. Zuweilen ist es g r ü n; was vielleicht auf gallichte Complication deutet. Je geschwinder, größer und härter der Puls ist, je dunkelrother das Blut aus der Ader springt, um desto dickeres Fell hat man zu erwarten, welches meistentheils, doch nicht immer, eine heftige Krankheit voraussetzt. Nicht immer verschwindet bey Abnahme der

Krankheit das Entzündungsfell; und umgekehrt. Eine nicht sehr dicke, weiße, ins Blauliche fallende, leicht zu zerschneidende, nicht zähe Haut zeigt gemeiniglich eine gelinde Krankheit an. Zuweilen ist bey einem ganz gesunden Ansehen des Bluts, in entzündlichen Krankheiten, der Zustand des Kranken nicht so gut, als bey einer mäßigen Rinde auf dem Blute, und um so bedenklicher, je heftiger die Entzündungskrankheit ist. Dennoch gibt es auch hiervon Ausnahmen. Bey entzündlichen Fiebern, welche, ungeachtet einer antiphlogistischen Heilmethode, ungeachtet einer mehrmaligen reichlichen Aderlaß, sich nichts desto weniger verschlimmern und zunehmen, befindet sich der Kranke in großer Lebensgefahr (Danz §. 149.). Spritzt das Blut mit Gewalt aus der gemachten Oeffnung der Ader, und ist es sehr heiß, dann zeigt dieß einen sehr beschleunigten Umlauf des Bluts, sehr vermehrte thierische Wärme und ein heftiges Fieber an. Fließt es aber sehr langsam heraus, so kann dieß entweder von Furcht, oder von einer zu engen Oeffnung der Ader, oder von einem trägen Umlaufe des Bluts, verminderter Reizbarkeit, verminderter Energie der Gefäße, von allzudickem Blute, herrühren (Danz §. 150.).

§. 200.

Die Farbe des Bluts ist sehr veränderlich und verschieden, nach dem Alter, der Nahrung, dem Temperamente, der Leibesbewegung, dem Clima, der Jahreszeit, ja nach den Krankheiten selbst. Auch, so bald es von der Luft berührt wird, verändert sich seine Farbe. Lebensluft macht es hellroth, mephitische dunkelroth. Aus einem sehr hellrothen Blute schließt man auf Schärfe in demselben, weil es von Salzen röther wird; daher findet man es so in der Gicht, Krätze, dem Scorbut, der Schwindsucht. Ein dunkelrothes, schwarzes Blut beweiset eine große Menge Cruor und Kohlenstoff, und Mangel an Serum. Man findet es gemeiniglich in der Hypochondrie, Melancholie, in viertägigen Fiebern; wo es eine langwierige Krankheit vermuthen läßt. In hitzigen Krankheiten beweiset es einen hohen Grad von Affection. Am gefährlichsten ist es, wenn es dünn, aufgelöst ist, nicht gerinnt, und mit einem bläulichen oder grünlichen Häutchen überzogen ist, wo es eine große Neigung zur Fäulniß andeutet. In cachektischen Krankheiten, bey denen man aber selten das Blut zu beobachten Gelegenheit hat, findet man zuweilen seine Farbe bis zur allerblässesten Röthe verwandelt, wie in der Schwindsucht, Wassersucht u. s. w. Gelblich findet man es in der Gelbsucht und in hitzigen Krankheiten, wo Galle in das Blut übergegangen ist. Zuweilen findet man auch weisse Streifen von Chylus darin, welches schlechte Verdauung, Absonderung und Mischung andeutet (Danz §. 151.). Ein sehr schaumiges Blut rührt meistentheils daher, wenn das Blut mit Stärke aus der Ader springt, und tief in ein Gefäß fällt. Ist es aber sehr flüssig, aufgelöst, bleyfarben, und gibt viele Blasen, dann ist es ein Zeichen der Fäulniß (Danz §. 152.). Mangel an Blutwasser bemerkt man nach starker Hitze in Fiebern, nach starken Schweißen, oder nach andern wässerigen Ausleerungen, wenn nicht durch häufiges Trinken der Verlust ersetzt wird. (In der Blutmasse macht das Serum ungefähr die Hälfte aus; bey starken Leuten wird es bis auf ein Drittel vermindert, in Fiebern bis auf ein Viertel, ein Fünftel. In cachektischen Krankheiten, und bey Schwäche wird es vermehrt.) Ist das Blutwasser saffrangelb, so beweiset es Uebergang der Galle in das Blut, und wenn es roth, oder trübe, oder sonst gefärbt ist, so zeigt es an, daß die Theile des Bluts nicht gehörig gemischt sind, daß das Blut aufgelöst ist (Danz §. 153.).

II.

Zeichen aus den abnormen Functionen der Geschlechts-Organe.

A. Männliches Geschlecht.

§. 201.

Erection und Erschlaffung der Ruthe. Häufige und lange dauernde Erectionen bey gesunden, robusten Männern zeigen Ueberfluß an gutem Samen an. Mit sehr reizbaren Frauen ist ihr Beyschlaf unfruchtbar, weil diese weit eher in Ecstase gerathen, als der männliche Samen ergossen wird, und die Gesundheit der Frau leidet auch darunter. Die erkünstelte Steifigkeit beweist Kraftlosigkeit. Uebermäßige Steifigkeit deutet auf idiopathischen oder sympathischen Reiz. Ein anhaltendes Steifseyn des männlichen Gliedes ohne Lust zum Beyschlafe (priapismus), oder mit einer unersättlichen Geilheit verbunden (satyriasis), rührt entweder von Krämpfen, (wie bey Epilepsie) Entzündung, Geschwüren, von einer Schärfe, die sich auf die Zeugungstheile geworfen, oder von entfernten Reizen, als von Steinen in der Blase und in den Nieren, von Würmern in den Därmen her. Podagristen, solche, bey denen die Hämorrhoiden in Unordnung sind, sind diesem Zufalle öfters ausgesetzt. Auch erfolgt Satyriasis manchmal nach einer langen Enthaltung vom Beyschlafe. In hitzigen Krankheiten ist sie ein ungünstiges Zeichen. Sie wird zu den charakteristischen Zeichen der wahren Wasserscheu gerechnet. Eine große Neigung zum Beyschlafe geht auch öfters dem Tode Schwindsüchtiger voraus. Ueberhaupt sind Gichtpatienten, solche, die eine juckende Hautkrankheit haben, meist sehr verliebt. Erigirt sich der Penis zwar leicht, erschlappt er aber bald wieder, bevor der Same ausgesprützt ist, so ist dieß Ursache zur

Unfruchtbarkeit. Es beweiset überspannte Einbildungskraft, zu große allgemeine Reizbarkeit des Körpers, oder örtliche der Zeugungstheile, mit Schwäche verbunden. Kann der Penis nicht erigirt werden, ist er immer schlapp, so entsteht dadurch Unvermögen zum Beyschlafe. Die Ursachen sind Reizlosigkeit, Schwäche, Entkräftung des Körpers, örtliche Schwäche der Zeugungstheile nach Onanie, zu häufig getriebenem Beyschlafe, Mangel an einem guten Samen, Uebermaß oder Mangel an Zuneigung gegen das andere Geschlecht u. s.. In hitzigen und chronischen Krankheiten ist dieses Unvermögen (impotentia) unbedenklich, wiewohl ein Zeichen von Schwäche; im Genesungszustande ist sie das muthmaßliche Zeichen von fortdauernder Nervenschwäche. Die Rückkehr der Gesundheit aber wird angezeigt, wenn der Penis sich von freyen Stücken ohne Reiz erigirt; sind aber andere üble Zeichen mit diesen Erectionen verbunden, so verkündigt dieß Convulsionen (Danz §. 310. 311.).

§. 202.

Hoden. Je größer sie sind, desto geiler sind gewöhnlich solche Leute. Sind Männer durch Unglücksfälle, chirurgische Operationen derselben beraubt worden, so sind sie zur Zeugung unfähig, so auch, wenn die Hoden verhärtet, scirrhös sind. Auch sehr große Leistenbrüche (herniae scrotales), Wasserbrüche (hydrocele), Fleischbrüche (sarcocele), Krampfaderbrüche (cirsocele) u. s. w. verhindern manchmal die Absonderung des Samens, und, wegen Verkürzung des Penis und wegen der großen Geschwulst des Hodensacks den Beyschlaf. Entzündungen, Quetschungen oder andere Verletzungen der Hoden sind sehr schmerzhaft, gehen gern in Brand über, oder lassen Verhärtungen, Wasserbrüche u. s. w. zurück. Das Zurückziehen der Hoden an den Bauchring geht zuweilen einem kritischen Urine voraus; in Begleitung mit andern üblen Zeichen kündigt es heftige Schmerzen, Steine in den Nieren, Harngängen, in der Blase, Convulsionen, und bey Wassersüchtigen den innern Brand und den Tod an. Oedematöse Geschwulst des Hodensacks, die in hitzigen Fiebern sich plötzlich und unvermuthet einfindet, ist meist den zweyten oder dritten Tag tödtlich. In chronischen Fällen ist sie, wie früherhin bemerkt worden, ein Zeichen der Brustwassersucht. Schlappe, herunterhängende Hoden deuten auf Schwäche und Impotenz (Danz §. 313.).

§. 203.

Der Same und seine Ausführung ist fehlerhaft beschaffen und zur Schwängerung untauglich, 1) wenn er zu dünn, wässerig, ungeistig, oder zu dick, zähe, in zu geringer Menge vorhanden ist; welches hauptsächlich bey Onanisten und alten Venusrittern der Fall ist. 2) wenn er nicht gehörig ausgespritzt werden kann, woran Verhärtungen der Vorsteherdrüse, Narben, Geschwüre und Geschwülste in der Harnröhre, Lähmung oder Schwäche der Harnröhrenmuskeln (musculi acceleratores urinae), Mangel an Samen u. s. w. Ursache seyn können. Krämpfe, Convulsionen, Epilepsie, während des Beyschlafs, können dieß auch, und dadurch Unfähigkeit zur Zeugung bewirken. 3) Wenn nach einem jeden geringen Reize auf die Zeugungstheile der Same gleich ausgespritzt wird. Geschieht dieß des Nachts (pollutio nocturna) durch geile Träume, oder durch einen mechanischen Druck z. B. einer angefüllten Blase, oder des Mastdarms, auf die Samenbläschen: so hat dieß nichts zu bedeuten, besonders bey gesunden Männern. Rühren aber solche nächtliche Samenergießungen von allgemeiner oder örtlicher Schwäche der Zeugungstheile, wie nach Onanie, zu häufigem Beyschlafe, oder von Krämpfen, von einer Schärfe, die entweder die Zeugungstheile unmittelbar oder durch Consens reizt, wie bey hypochondrischen, melancholischen Leuten, bei Podagristen, bey Tripper- oder venerischen Patienten, entstehen sie im tiefsten Schlafe ohne geile Bilder und ohne Empfindung: so zerrütten sie, wenn sie zu häufig sind, die Gesundheit noch mehr, und solche Personen sind meist zur Zeugung unfähig. Entstehen aber auch bey Tage, nach einem jeden gelinden Reiben der Zeugungstheile, wie z. B. beym Reiten, oder beym Anblicke einer schönen Weibsperson, Samenergießungen, so zeigt dieß eine überspannte Reizbarkeit des ganzen Körpers, oder örtliche der Zeugungstheile, mit Schwäche verbunden, an. Solche Leute sind zu einem fruchtbaren Beyschlafe untauglich, weil ihnen der Same zu früh abgeht (Danz §. 314.). Zu häufige Samenergießungen schwächen die Geisteskräfte, machen dumm, blödsinnig, erschöpfen die Kräfte des Körpers, stumpfen Reizbarkeit und Empfindbarkeit ab; zuweilen erhöhen sie dieselbe aber zu einem schrecklichen Grade und verursachen dadurch Convulsionen, Epilepsien, und andere Nervenkrankheiten. Sie haben Auszehrung, Rückendörrsucht, Blindheit, Taubheit, und andere fürchterliche Zufälle zur Folge. Samenabgang mit dem Urine, wovon der Kranke keine Empfindung hat (pollutio diurna Wichmanni) ist eine häufige, leicht zu übersehende Ursache der Abzehrung bey Mannspersonen (Danz §. 315.).

B. Weibliches Geschlecht.

§. 204.

Monatliche Reinigung. Wenn sie sich zu früh, z. B. schon im eilften und zwölften Jahre (in unsern Gegenden nehmlich) zugleich mit der Mannbarkeit, oder gar vor derselben im dritten oder vierten Jahre einstellt, beweiset dieß Laxität, Schwäche, besonders der Gefäße des

Uterus, wodurch der Körper in seinem Wachsthume und seiner Vervollkommnung gehindert wird. Gemeiniglich je früher sie erscheint, desto früher bleibt sie wieder aus. Findet sie sich zu spät ein, im zwanzigsten, vier und zwanzigsten Jahre, so ist dieß auch ein widernatürlicher Zustand, der uns Mangel an Blut, Rigidität des Körpers, besonders der Gefäße des Uterus, vermuthen läßt. Wenn sie gänzlich mangelt, oder wenn sie wieder ausbleibt, nachdem sie sich vorher gezeigt hatte, wenn sie plötzlich unterdrückt worden, oder wenn sie überhaupt in Unordnung ist: so können sehr mannigfaltige Krankheiten entstehen, als: Schlagflüsse, Lähmungen, Blutspeyen, Blutbrechen und andere Blutflüsse, Verstopfungen im Unterleibe, Hysterie, Melancholie, Wahnsinn, Convulsionen und andere Nervenkrankheiten, Engbrüstigkeit, Verdorbenheit der ganzen Saftmasse, Cachexie, Bleichsucht, Wassersucht, Auszehrung, Magenkrampf, Aufschwellen des Magens, Brechen, Geschwüre, besonders an den Füßen, Geschwülste, Krebs u. s. w. Selten gibt es einen weiblichen Körper, der ohne Nachtheil den Mangel oder das Ausbleiben der monatlichen Reinigung erträgt. Ob dieser Fehler aber gefährlich oder zu heilen sey, muß uns die Kenntniß der Ursachen lehren. So hat das Ausbleiben der Menstruation nach schweren Krankheiten, nach starken Ausleerungen, nach starken Arbeiten u. s. w. nichts zu bedeuten, wenn keine andern üblen Zufälle zugegen sind, weil es hier blos von Mangel an Blut herrührt. Ist ein scirrhöser, krebsichter Uterus daran schuld, so ist es selten zu heilen. Nur muß man sich hüten, daß man nicht die häufigste Ursache des Ausbleibens der Menstruation, nehmlich die Schwangerschaft übersieht, indem während dieser die Reinigung ausbleibt. Doch findet sie sich in seltenen Fällen zuweilen zwey- bis dreymal ein. Daß dieß aber kein widernatürlicher Blutfluß oder Hämorrhagie ist, lehrt uns die Zeit, wo die monatliche Reinigung sonst gewöhnlich erscheint, der mindere Abgang des Bluts, besonders Abwesenheit von Blutklumpen oder dickem geronnenen Blute, Abwesenheit von Wehen, und daß sich der Muttermund nicht erweitert. Sind diese Zufälle aber zugegen, so ist dieß ein Mutterblutfluß (haemorrhagia uteri), der vermuthen läßt, daß sich die Placenta löst und daß ein Abortus oder zu Ende der Schwangerschaft die Geburt bevorstehe. Am häufigsten findet man solche Mutterblutflüsse während einer Schwangerschaft, wenn die Placenta auf dem Muttermunde aufsitzt. Personen, bey denen während der Schwangerschaft dieser periodische Blutfluß nicht aussetzt, gebären meist schwächlichere und kränklichere Kinder als andere. Bey Vollblütigen ist dieser Abfluß zu Anfange der Schwangerschaft gut, weil dadurch öfters Abortus verhütet wird. Bey jungen, vollblütigen Personen, die an entzündlichen Krankheiten leiden, kann die Menstruation kritisch werden, besonders wenn jene Krankheiten von Unterdrückung derselben herrühren. Gewöhnlich geht ihr große Müdigkeit, Zerschlagenheit in den Gliedern, Schmerz im Kopfe, in den Lenden, im Halse, im Unterleibe, besonders im Rücken, im Kreuze, beym Harnlassen, gelinder Schauer, voraus. Symptomatisch und gefährlich wird dieser Blutfluß in Krankheiten, wenn er in den Zeitpunkt der Schwäche fällt, und wenn sich mehrere üble Symptome dabey einfinden. Nach dem Ausbleiben der Reinigung, vom vierzigsten bis funfzigsten Jahre an, sind leider häufig der Wassersucht, Auszehrung, Geschwülsten, chronischen Entzündungen, Scirrhen, Krebsen, hartnäckigen Geschwüren u. s. w., ausgesetzt. Vor dieser Periode, wenn die Menstruation zu häufig oder in zu großer Menge erfolgt, verursacht diese cachektische Beschaffenheit des Körpers Wassersucht, Auszehrung, hartnäckigen weissen Fluß, Unfruchtbarkeit; oder es verhindert nach einem fruchtbaren Beyschlafe die Fortdauer der Schwangerschaft, und bewirkt Abortus. Geht die Menstruation mit großen Schmerzen von Statten, so ist dieß ein Zeichen von großer Empfindlichkeit und Reizbarkeit: von Krämpfen, von widernatürlichen Reizen im Körper (Danz §. 318.).

§. 205.

Weisser Fluß (fluor albus), deutet entweder auf allgemeine Cacochymie, oder auf örtliche Schwäche, Laxität des Uterus und der Scheide, wie z. B. nach zu häufigem Beyschlafe, Onanie; von einer Schärfe, die hier Reiz verursacht, als: Gichtschärfe, venerisches Gift; auf Geschwüre, Polypen u. s. w. Ein anhaltender weißer Fluß, auch wenn er gutartig ist, verhindert fruchtbare Empfängniß, noch mehr aber der bösartige, venerische, oder er verstattet doch wenigstens nicht die Fortdauer der Schwangerschaft, und bewirket Abortus (Danz §. 318.).

Die Zeichen der unverletzten oder verletzten Jungfrauschaft, der Schwangerschaft, in ihren verschiedenen Perioden u. s. w., (Danz §. 320. 321. 322. 323.), gehören nicht hieher, sondern theils der gerichtlichen, theils der geburtshülflichen Zeichenlehre an.

§. 206.

Zeichen von krankhaften Zuständen, die den Schein der Schwangerschaft an sich tragen.

Wenn der Leib schnell anschwillt, hart und ausgespannt ist, das untere Segment des Uterus weich, nachgebend, pelzig, teigig, anzufühlen ist: so ist dieß ein Zeichen vom Vorhandenseyn eines fremden Körpers im Uterus, als: eines verdorbenen Eyes, Blutes, Wassers. Wenn coagulirtes Blut den Uterus ausdehnt, so schwillt der Leib blos gegen die Zeit der Menstruation an, und sinkt nach einigen Tagen wieder. Die Personen empfinden einen Druck nach dem Schoße, und einen Schmerz in den Schenkeln. Wenn Wasser im Uterus ist, so erkennt man dieß daraus: das untere Segment des Uterus ist breit ausgespannt elastisch, der Leib prall anzufühlen, die Füße schwellen an, die Personen sehen cachektisch aus, und spüren immer einen innerlichen heimlichen Frost (Danz §. 324.).

§. 207.

Wenn der Leib mehr auf eine Seite ausgedehnt ist, und sowohl durch die äußern allgemeinen Bedeckungen des Unterleibes, als durch die Scheide ein unebener Klumpen gefühlt wird, wenn die Frauen an dieser Stelle einen beständigen Schmerz spüren, der sich um die Zeit wo man eine natürliche Entbindung vermuthen könnte, sehr vermehrt, wobey aber der Mutterhals unverändert bleibt: so sind dieß Zeichen einer widernatürlichen Schwangerschaft, wo der Fötus in einem Eyerstocke, einer Muttertrompete u. s. w., kurz, außerhalb des Uterus enthalten ist. Dieser Zustand ist äußerst schwer von andern Geschwülsten im Unterleibe, von Sackwassersucht, Wassersucht der Eyerstöcke, zu unterscheiden (Danz §. 325.).

§. 208.

Abortus sind wegen der sie meist begleitenden heftigen Blutflusse mit mehr Gefahr verbunden, als reife Geburten, und sie sind, weil die Kräfte dadurch so sehr aufgerieben werden, ein unangenehmer, gefährlicher Zustand in hitzigen Krankheiten. Oeftere Abortus lassen gern cachektische Krankheiten: Auszehrung, Wassersucht u. s. w. zurück (Danz §. 326.).

§. 209.

Weiber, die häufig und schwer geboren, und öfters viel Blut verloren haben, bekommen leicht Infarcten im Unterleibe, und werden hypochondrisch, melancholisch, verfallen in Auszehrung, Wassersucht, Apoplexie, Lähmungen. So auch wenn sie zu jung Mütter werden. (Danz §. 330.).

§. 210.

Wird bey Kindbetterinnen die Reinigung (lochia) plötzlich unterdrückt; so entsteht ein aufgetriebener, gespannter Leib, Frost, Hitze, überhaupt ein hitziges Fieber, Entzündung, Eyterung, Brand und nicht selten der Tod. Ein widernatürlichstarker Abgang der Lochien, wenn er von einem zurückgebliebenen Stück Mutterkuchen herrührt, hat nichts zu bedeuten: denn sobald dieß abgegangen ist, läßt er nach. Ist aber ein solcher starker Abgang mit Aufgetriebenheit des Leibes, mit Ohnmachten, großer Entkräftung, Aufschwellen der Füße, verbunden: so ist meist der Uterus nicht gehörig zusammengezogen, lax, atonisch, und die Kranken sind in Gefahr. Faulicht riechende, sehr stinkende Lochien rühren meist von zurückbleibendem Mutterkuchen, oder Stücken desselben, von Geschwüren des Uterus her. (Danz §. 331.).

§. 211.

Eine allzustarke Absonderung der Milch, und zu langes Säugen der Kinder, macht kachektisch, erschöpft die Kräfte, erhöht die Reizbarkeit, und verursacht dadurch Convulsionen, Herzklopfen, Ohnmachten, Schwindel, Auszehrung, Wassersucht. Eine zu große Menge Milch in den Brüsten, besonders wenn Weiber ihre Kinder nicht säugen können und wollen, verursacht Geschwülste, Entzündung, Eyterung, Verhärtung, doch selten, bey übrigens gesunden Personen, Scirrhus und Krebs. Mangel an Milch, von örtlichen Fehlern in den Brüsten, oder von Mangel an Nahrung, an Blut, nach starken Ausleerungen, schweren Krankheiten, hat im Ganzen nichts zu bedeuten. Das schnelle Verschwinden der Milch in den Brüsten verursacht Metastasen, die, wenn sie edle Theile befallen, gefährlich werden. Eyterung, Brand, und den Tod nach sich ziehen (Danz §. 332.)

III.

Zeichen aus den abnormen Functionen der Bewegung *).

Die Bewegungsorgane geben eben so wohl in ihrer Ruhe, als in ihrer Thätigkeit, die letztere mag nun exaltirt, oder deprimirt, oder sonst widernatürlich verändert seyn, mannigfaltige Zeichen verschiedener Krankheitsbeschaffenheiten her, und sind eben so reich an Stoff für die Semiotik, als die Organe und Functionen der Gestaltung. Im Allgemeinen läßt sich aus den Functionen der Bewegung, bestimmter beynahe als aus allen andern, das Maß der physischen Kraft, sowohl in Absicht auf Reizbarkeit als Wirkungsvermögen erkennen. Insbesondere aber verrathen sie die verschiedenartigsten Reize, Stimmungen und Affectionen des Organismus in den verschiedenen Stufen und Perioden der Krankheiten. Wir verfolgen sie nach den angegebenen Gegensätzen.

*) Daß hier allein von den willkührlichen Bewegungen und ihren Organen die Rede seyn kann und darf ist von sich selbst klar, aber auch schon früherhin (Einleit. §. 32. und im Eingange des 2ten Kapit.) bestimmt und ausführlich aus einander gesetzt worden.

A. Die Functionen der Bewegung, positiv, oder in Beziehung auf Thätigkeit betrachtet.

1) Exaltirte Bewegung des ganzen Körpers oder einzelner Theile.

§. 212.

Sehr gefährlich, und meist ein Vorbote des Todes ist es, besonders bey Brust- und Lungenentzündungen, wenn ein sehr entkräfteter Kranker auf einmal aufrecht zu sitzen oder gar herumzugehen versucht. Ein ängstliches, ungestümes Hin- und Herwerfen im Bette beweist einen großen Reiz im Körper, Heftigkeit des Fiebers, öfters geht es auch Nasenbluten und andern kritischen Ausleerungen voraus, gemeiniglich folgen aber üble Zufälle, wie: Convulsionen, Delirien, Schlafsucht, Abscesse, Friesel, symptomatisches Brechen, Durchfälle, besonders nach dem Zurücktritt einer Krankheitsmaterie (Danz §. 414.) Wenn in hitzigen Krankheiten die Patienten aus dem Bette springen, dem Fenster, der Thüre zueilen, so daß sie kaum von ihren Wärtern zurückgehalten werden können, so ist dieß ein Beweis von der Höhe der Krankheit, der Heftigkeit des Fiebers, und ein Zeichen des idiopathisch oder sympathisch heftig gereizten Gehirns. In chronischen Fällen verräth sich die Verstandesverrückung durch heftiges Hin- und Herschreiten, Gestikuliren, Sprechen, Singen u. dergl.; und durch gewaltsame und mächtige Anstrengungen des Körpers auf mancherley Weise, die Tollheit: beyde, wiefern sie theils körperliche Krankheiten sind, theils Störungen im körperlichen Organismus zur Folge haben. Das Rollen der Augen ist ebenfalls ein Zeichen der letztern Krankheit. Auch in hitzigen Krankheiten, wenn die Augäpfel nicht still stehen, sondern immer hin und her bewegt werden, ist dieß ein übles Zeichen, auf welches leicht Raserey erfolgt, weil es große Unordnung im Gehirn und Nervensystem andeutet. Daher rechnet man es auch unter die Zeichen des innern Wasserkopfs. Ist es aber consensuell, und rührt es von Unreinigkeiten der ersten Wege her, so hat es weniger zu sagen (Danz §. 266.). Das Lachen, ohne Ursache, in Krankheiten, zeigt gewöhnlich Verstandesverrückung an. Geschieht es aber ohne Delirium, wider Willen des Kranken, (risus sardous,) dann ist es ein sehr gefährliches Symptom, das üble Krämpfe und innere Entzündungen verräth. Wenn Kinder wachend, ohne Ursache, oder schlafend lächeln, so folgen gewöhnlich Gichter darauf (Danz §. 102.). Wenn Kranke sehr gesprächig sind, sehr hastig sprechen, so deutet dieß in acuten Fällen große Kraftererschöpfung und übermäßige Reizbarkeit an (Danz §. 99.), in chronischen ist es ein Zeichen der Narrheit oder des Wahnsinns.

2) Deprimirte Bewegung des ganzen Körpers oder einzelner Theile.

§. 213.

Das Erstarren, oder die Steifigkeit und Unbeweglichkeit der Gliedmaßen, ist kein gutes Zeichen in Fiebern, wenn es anhält, öfters wieder erscheint, mit andern üblen Zeichen verbunden ist; wenn es gleich im Anfange hitziger Krankheiten, oder in der Heftigkeit derselben mit großer Hitze, Nachtwachen sich einfindet; wenn die Kräfte schon erschöpft sind, und sich noch Schlafsucht dazu gesellt; wenn eine Entscheidung der Krankheit noch nicht zu erwarten ist; wenn es an kritischen Tagen den Kranken befällt, ohne daß Schweiß oder eine andere Krankheit darauf erfolgt; wenn es nach starken Blutflüssen, Diarrhöen, ere

O

scheint. Es folgen darauf öfters Deliria, Convulsionen, Schlagflüsse, üble Ablagerungen der Krankheitsmaterie, bey Entzündung, Eyterung u. s. f. (Danz §. 225.) Heilsam ist das Erstarren in hitzigen Krankheiten, wenn es sich an kritischen Tagen einfindet, nach vorausgegangenen Zeichen der Kochung, wenn es nicht anhält, der Körper bald wieder gleichförmig warm wird. Es erfolgen alsdann heilsame kritische Ausleerungen durch Schweiß, Urin, Brechen, Diarrhöen, Blutflüsse. So geht auch vor dem Ausbruche der Ausschläge, als der Blattern, Masern, Friesel, öfteres Erstarren des Körpers voraus, das uns nicht erschrecken darf, wenn nur keine andern üblen Zufälle zugegen sind, weil darauf bald ein erleichternder Ausbruch des Ausschlags erfolgt. Der nehmliche Fall ist dieß bey Kreisenden, wo meistens starke, die Geburt befördernde Wehen darauf sich einfinden. Geschieht dieß nicht, so ist das Erstarren ein übler Zufall, wo alsdann die Kunst der Natur zu Hülfe kommen muß. Bey Hypochondrischen, Hysterischen, überhaupt sehr Reizbaren hat das Erstarren weniger zu bedeuten, weil hier geringe Reize heftige Wirkungen hervorbringen. Bey sehr reizbaren Weibspersonen geht es öfters dem Eintritte der monatlichen Reinigung voraus (Danz §. 226.).

§. 214.

Ohnmacht. Da bey der Ohnmacht, im geringern wie im stärkerm Grade (lipothymia, syncope, asphyxia, sind diese drey Grade, wo Empfindung und Bewußtseyn immer mehr und dauernder verloren geht) mit der Empfindung auch nothwendig das Vermögen der willkührlichen Bewegung gehemmt ist: so erhält billig dieser Zustand auch hier seine Stelle. Ohnmachten stehen bevor, wenn der Puls immer schwächer, langsamer, ungleich, aussetzend; das Athem beengt, beschwerlich, ängstch oder klein, selten wird, wenn sich Herzklopfen, Schwindel, verdunkeltes neblichtes Sehen, blasse Farbe es Gesichts, der Lippen, Ekel, Uebelkeit, anfangendes, der nicht zu Stande kommendes Brechen u. s. w. einfindet Danz §. 242.). Ohnmachten an sich sind nie gute Zeisen; ob sie aber Gefahr oder nicht andeuten, das muß e Erforschung ihrer Ursachen lehren. Bey sehr reizban, schwächlichen, scorbutischen, überhaupt bey cachekschen, bey hysterischen, hypochondrischen, schwangern ersonen entstehen leicht nach geringen Gemüthsbewegunn, nach dem Anblicke eines häßlichen Gegenstandes, ch einem starken, durchdringenden Geruche, nach gerinn Wunden, z. B. Aderlassen, überhaupt nach geringen eizen, Ohnmachten, welche für sich allein nichts zu beuten haben. Werden hingegen solche Personen mit einer ftigen Krankheit befallen, so kommen sie in Gefahr, egen der überspannten Reizbarkeit, und zugleich wegen r großen Entkräftung. Daher sind immer Ohnmachten Anfange und Fortgange hitziger Krankheiten, besonders r Ausschlagskrankheiten, als der Blattern, Masern, s Friesels, der Petechien, ungünstige Zeichen. Nach r Entscheidung, wenn sie blos von Schwäche herrühren, ben sie nichts zu bedeuten (Danz §. 243.). Rühren e Ohnmachten her von wahrer Erschöpfung der Kräfte: B. nach starken Ausleerungen, Blutflüssen, Eyterunn, innerlichen Abscessen, die aufgebrochen sind, und man dem Eyter keinen Ausfluß verschaffen kann, entben sie nach heftigen Convulsionen, unerträglichen, anltenden Schmerzen, kommen sie her von starker Verletzng und Verderbniß edler Eingeweide des Hirns bey pfverletzungen, Hirnentzündungen, der Lungen, bey ngenentzündungen, Schwindsucht der Eingeweide des terleibes bey Entzündung, hartnäckigen Verstopfungen, ngeklemmten Brüchen, Wassersucht u. s. w. vom Brand, von genossenen Giften, vom übermäßigen und unrech[illegible] Gebrauche des Opiums, von Metastasen auf edle Ei[illegible] weide, von schweren und langdauernden Geburten: d[illegible] ist der Kranke immer in Gefahr. Diese Gefahr wä[illegible] und der Tod ist unvermeidlich, wenn kalte, hän[illegible] Schweiße die Stirn, Schläfe, Hals, Brust, Hä[illegible] einnehmen, wenn Puls und Respiration kaum bemerk[illegible] sind, wenn die innern und äußern Sinne abgestum[illegible] sind, das Gesicht hippocratisch aussieht, und noch Zitt[illegible] Convulsionen, hinzukommen. Bey heftigen Entzünd[illegible] gen, großen Wunden, lassen öftere Ohnmachten [illegible] Brand befürchten, wenn sie von wahrer Entkräftung [illegible] rühren (Danz §. 244.).

§. 215.

Lähmung (paralysis). Lähmung der Gli[illegible] maßen ist in hitzigen Krankheiten ein schlimmes Zeich[illegible] besonders in Verbindung mit andern üblen Zufäll[illegible] Weniger gefährlich ist sie am Ende hitziger Krankheit[illegible] wenn noch Gefühl im Gliede vorhanden ist. Meist unh[illegible] bar ist sie, wenn das Glied mager wird, schwindet, [illegible] thierische Wärme sich darin vermindert, die Haut e[illegible] häßliche Farbe erhält. Lähmungen nach Kopfwund[illegible] Hirnerschütterungen, Verrenkungen des Rückgrats, [illegible] schlimm, wenn sie nicht nach der Anwendung der erfor[illegible] lichen Mittel bald verschwinden (Danz §. 212.) Gä[illegible] liche Lähmung der Zunge nach Schlagflüssen, n[illegible] Kopfverletzungen, ist, besonders bey Alten, selten gä[illegible] lich heilbar. Leichter sind die nöthigen Bewegungen d[illegible] selben zum Schlucken und Kauen, als zum Sprechen h[illegible] zustellen (Danz §. 402.).

§. 216.

Depression einzelner willkührlicher Bewegungen.

a) In Stimme und Sprache. Die zitternde timme (vox tremula) verräth, erschöpfte Kräfte, rstandesverwirrung und den Tod in hitzigen Krankhei. Eben so gefährlich ist die sehr helle (acuta), oder ufzende (suspiriosa), die klagende (querula), die inerliche (plorabunda, flebilis), wenn andere üble chen damit verbunden sind. Diese Veränderungen der imme sind am bedenklichsten, wenn sie von Schwäche, er sehr heftigen Entzündungen, weniger, wenn sie von ht vorübergehenden Krämpfen herrühren, obgleich sol partielle Krämpfe in hitzigen Krankheiten nicht gut sind. erhaupt etwas Ungewöhnliches in der Sprache: Stamn, langsames Antworten, beständiges vor sich hin rmeln, zeigt immer, in Verbindung mit den übrigen fällen, mehr oder weniger Gefahr an. Eine rauhe mme (vox rauca), deutet in hitzigen Krankheiten auf ckenheit, Entzündung der Luftröhre, und ist, mit an übleu Zeichen verbunden, von keiner guten Vorbetung. In auszehrenden Krankheiten beweiset sie mehtheils das nahe Ende (Danz §. 99.). Gänzliche rachlosigkeit (vocis defectio s. aphonia) rührt weder von großer Schwäche, oder von heftigen Krämı, oder von Lähmung der Zunge her, und ist daher böses, sehr gefährliches Zeichen, besonders in Verbing mit andern üblen Erscheinungen, und wenn keine leerung, als: Brechen, Nasenbluten, Schweiß u. s. w., auf erfolgt, und der Zufall dadurch nicht gehoben d. Daher verräth Sprachlosigkeit bey Schwangern hts Gutes, wenn sie nach der Geburt fortdauert; nichts tes nach zurückgetretener Gicht oder andern Schärfen;

bey der Bräune, wo sie in der Heftigkeit der Krank
wenn der Kranke vorher hat sprechen können, zuw
den anfangenden Brand andeutet; überhaupt nichts
tes in hitzigen Krankheiten, wo öfters Raserey, Con
sionen, Schlagflüsse, darauf erfolgen; nach einem F
von großer Höhe u. s. w. Entsteht sie von scharfen Un
nigkeiten im Magen, von Würmern, durch Schrecken u.
dann läßt sie sich bald nach ihrem Entstehen mehrentl
glücklich heben. Bey Kopfwunden ist sie ein häuf
Symptom. In diesem Falle verräth sie entweder st
Verletzung oder Erschütterung des Gehirns, und ist d
besonders, wenn sie lange anhält, ein gefährliches Zei
(Danz §. 100.).

b) Das verhinderte Kauen (manducatio lae
in Krankheiten deutet entweder auf Krämpfe in den
Kauen dienenden Muskeln, wie beym Tetanus und T
mus, oder auf Entzündung dieser Theile, oder auf V
renkung der Unterkinnlade, oder auf Metastasen, auf ca
se Zähne u. s. w. Am gefährlichsten ist das verhind
Kauen, wenn es von Lähmung, oder von großer Sch
che herrührt.

c) Das beschwerliche oder verhinde
Schlucken (deglutitio morbosa s. dysphagia), de
1) auf Krämpfe. Sind diese heftig und anhaltend,
ist dieß, besonders in hitzigen Krankheiten, ein gefäh
ches Zeichen, und am gefährlichsten, wenn der Kra
nicht einmal Getränke hinunter bringen kann. Weniger
fährlich ist es aber auch hauptsächlich in chronischen Kra
heiten, wenn die Krämpfe nicht anhalten, wie bey Hy
rischen, Hypochondrischen u. s. w.; 2) deutet es
Schwäche oder Lähmung, in welchen Fällen es
sehr gefährliches und meist tödtliches Zeichen ist, besond
in hitzigen Krankheiten, nach Schlagflüssen, heftigen Co
vulsionen, Kopfwunden, Verrenkungen der Halswirb

beine u. s. w.; 3) auf zu große Trockenheit des Rachens, Schlundes u. s. w., wo es eine heftige Krankheit anzeigt. 4) auf Entzündung des Rachens und Schlundes, oder der benachbarten Theile, oder auf Congestionen, Anhäufung von Schleim; in welchen Fällen es für sich allein keine Gefahr zeigt, wenn die gehörig angewendeten Mittel baldige Linderung verschaffen; 5) auf Brand, der plötzlich entstanden ist, oder in den die Entzündung übergegangen ist, wo er meist tödtlich wird; 6) auf Geschwüre, Schwämmchen. Dieses beweiset zwar in chronischen Krankheiten, wie im Scorbut in der Lustseuche, einen hohen Grad der Krankheit, an und für sich aber keine Gefahr. Dagegen ist es in hitzigen Krankheiten ein bedenkliches Zeichen, da die Geschwüre sehr leicht und geschwind brandig werden; 7) auf örtliche Fehler, als: Verhärtungen der Häute des Schlundes, Scirrhen, chronische Geschwülste. Diese Fälle sind zwar schwer zu heilen, aber nicht gefährlich, wenn das Schlucken nur nicht ganz gehindert ist (Danz §. 108.). Ueberhaupt, wenn in hitzigen Krankheiten das Hinunterschlucken plötzlich beschwerlich, oder ganz gehindert wird, so ist dieß meistens ein sehr gefährliches Zeichen. Am schlimmsten ist es aber, wenn das Hinunterschlucken mit einem Geräusche verbunden ist, und dieß nicht von der Lage oder Angewohnheit des Kranken herrührt; wenn das genossene Getränk immer einen heftigen Husten erregt, und zu der Nase wieder herauskommt. Wenn Kranke sich im Schlafe bemühen etwas hinunter zu schlucken, das im Schlunde herauf will: so ist dieß ein Zeichen des Bandwurms und der Würmer überhaupt, besonders wenn sie sich im Magen befinden (Danz §. 109.).

d) Das Auswerfen. Wenn der Kranke den Auswurf nur mit Mühe heraufbringt, lange trocken husten muß, bis er etwas auswerfen kann, so beweiset dieß immer, daß die Entscheidung der Krankheit noch fern ist. Erfolgt Auswurf mit heftigen Schmerzen, mit starkem Geräusch auf der Brust, ist das Gesicht hippocratisch, der Kranke sehr entkräftet: so zeigt dieß die größte Gefahr und meistens den Tod an (Danz §. 176.).

3. Widernatürliche Bewegungen des ganzen Körpers oder einzelner Theile.

§. 217.

Sehnenhüpfen. Das Aufhüpfen der Sehnen (subsultus tendinum), welches man besonders an der Handwurzel am deutlichsten bemerkt, ist für sich allein kein so gefährliches Zeichen, wie man gewöhnlich glaubt. Man bemerkt es oft bey Gesunden, während eines unruhigen Schlafs, so auch häufig bey Hypochondrischen, Hysterischen, und eben so gut in nicht gefährlichen, als in gefährlichen Krankheiten. Bey sonst gesunden Leuten kündigt manchmal ein ungewöhnliches Sehnenhüpfen eine bevorstehende Krankheit an (Danz §. 227.). Ein gutes Zeichen ist das Sehnenhüpfen, wenn es sich in Begleitung von andern guten Zeichen, nach vorausgegangenen Zeichen der Kochung, an kritischen Tagen einfindet: es folgen darauf kritische Ausleerungen, heilsame Abscesse u. s. w., eben so ist es gut, wenn bald darauf Ausschläge, wie Blattern, Masern, Friesel, zum Vorschein kommen. Bey Solchen, die an chronischen Nervenkrankheiten leiden, geht öfters das Sehnenhüpfen neuen Anfällen voraus, und bey Kindern kündigt es zuweilen Gichter an (Danz §. 228.). Von übler Vorbedeutung ist das Aufhüpfen der Sehnen, wenn es in Gesellschaft schlimmer Zeichen, als: eines kleinen, geschwinden Pulses, beschwerlichen Athmens, kalter Schweiße, großer Entkräftung, stiller Verstandesverwirrung, erscheint; nach dem Zurücktritte von Ausschlägen, nach dem Zurücktreten der Gicht, oder einer andern Krankheitsmaterie, die sich auf innere edle Theile geworfen hat, die nicht wieder zum Vorschein kommt; beym weißen Friesel, bey Petechien, bey innern Entzündungen, bey starken Kopfverletzungen (Danz §. 229.).

§. 218.

Krämpfe. Diese widernatürlichen Erscheinungen der Muskeln, wenn sie anhaltend sind, heißen Krämpfe κατ᾽ ἐξοχὴν, (spasmi tonici), wenn aber die Zusammenziehungen der Muskeln mit Ausdehnungen derselben abwechseln: Convulsionen (spasmi clonici). Die Zeichen derselben, wenn sie muthmaßlich bevorstehen, sind: ein kleiner, härtlicher, gespannter Puls; ein beschwerliches, oft unterbrochenes Athemholen, Gähnen, Seufzen; eine feine, hohe, traurige Stimme; Herzklopfen; ein Gefühl von Kälte im Nacken, im Rücken; ein dünner, wässeriger, bleicher, schaumiger, oder auch manchmal ein dicker, trüber Urin; Reissen in den Gliedern, im Kopfe, Rücken, Magen; Leibschmerzen; Aufgetriebenheit des Leibes; abgestumpftes Sehen, Nebel vor den Augen; Ohrensausen; Schwindel; Ohnmachten; unruhiger Schlaf mit Auffahren, schreckenden Träumen; unüberwindliche Neigung zum Schlafe; langes Nachtwachen; Verstandesverwirrung; Unruhe, Angst, Bangigkeit, Hin- und Herwerfen im Bette; ein unerträgliches Kitzeln, Jucken in der Haut, der holen Hand; ein Spannen in den Fußsohlen; Sehnenhüpfen (Danz §. 231.). Ueber die Krämpfe selbst aber, als Zeichen, ist folgendes zu bemerken. In Fiebern, wobey keine Erschöpfung der Kräfte zugegen ist, sind sie selten für sich allein gefährlich, mehr aber in solchen, womit Kraftlosigkeit verbunden ist. Man muß nur hierbey auf ihre Ursache sehen, ob diese heftig ist, oder nicht, ob sie leicht entfernt werden kann, oder nicht. Daher haben Convulsionen bey jungen, vollblütigen, reizbaren hysterischen, hypochondrischen Personen, wenn sie nicht anhaltend sind, nichts zu bedeuten, weil bey ihnen, schon nach geringen Reizen, nach einem gelinden Fieber, nach Unreinigkeiten der ersten Wege, nach dem Zahndurchbruche, nach geringen Wunden, dieselben entstehen. Daher sind nicht anhaltende Convulsionen und Krämpfe, im Anfange hitziger Krankheiten, für sich nicht schlimm, besonders bey bevorstehenden Ausschlagskrankheiten, als Blattern, Masern, deren Ausbruch öfters dadurch befördert wird. Es gehen auch zuweilen Convulsionen kritischen Ausleerungen durch Schweiß, Brechen, Durchfall voraus, wenn Zeichen der Kochung vorhanden sind, sie dürfen aber nicht zu lange anhalten, sonst wird die Entscheidung gehindert (Danz §. 232.). Schlimm sind Convulsionen, wenn sie lange anhalten, und wenn sie häufig zurückkommen, weil bey jungen, vollblütigen Personen leicht Schlagflüsse, Blindheit, Taubheit, Epilepsie, daraus entstehen; bey Alten Lähmungen, Schlafsucht, Blödsinn. Bedenklich sind immer solche Convulsionen, die mit anhaltender Verstandesverwirrung, Raserey, Ohnmachten verbunden sind, die an kritischen Tagen, nach vorausgegangenen Zeichen der Kochung erscheinen, ohne daß eine Ausleerung darauf erfolgt, als ein Beweis übler Ablagerung; die nach heftigen Kopfschmerzen, anhaltenden Nachtwachen, nach der Schlafsucht, nach zurückgetretenen Hautausschlägen, während des Abtrocknens der Blattern, nach unterdrückter monatlicher oder Kindbetterinnen-Reinigung, nach starken Blutflüssen, Diarrhöen, überhaupt bey großer Entkräftung sich einfinden. Am gefährlichsten ist unter diesen Umständen, das Zucken in einzelnen Gliedern, besonders in den Gesichtsmuskeln (spasmus cynicus), ein Starrwerden der Zunge (glossocoma), ein Verdrehen der Augen, Starrsehen (strabismus), ein unwillkührliches Zuschließen des einen oder des andern Auges (cataclasis), ein unwillkührliches Schiefziehen der Mundwinkel (tortura oris), wobey man gewöhnlich auf Entzündung innerer Eingeweide zu schließen hat. Bey heftigen Entzündungen, die sich weder zertheilen lassen wollen, noch in Eyterung übergehen, verkündigen Convulsionen öfters den Brand. Häufige Krämpfe und Convulsionen bey Schwangern sind nicht gut, weil sie leicht Blutflüsse, Abortus zur Folge haben; so auch bey Gebärenden, wo die Natur in ihrer Wirkung gestört und irre geleitet wird. So sind auch heftige Convulsionen nach Kopfverletzungen, nach Wunden, bey nicht sehr reizbaren, nicht empfindlichen Personen, nicht gleichgültig anzusehen, weil sie einen starken Reiz auf das Gehirn, große Zerrüttung seiner Verrichtungen, Verletzungen der Nerven oder der sehnichten Theile andeuten. Heftige Convulsionen nach genossenen Giften, bey Schwindsüchtigen, Wassersüchtigen, deren Krankheit schon einen sehr hohen Grad erreicht hat, wo edle Eingeweide zerstört und ihre Verrichtungen gehemmt sind, sind meistens tödtlich (Danz §. 233). Chronische krampfhafte und convulsivische Krankheiten sind schwer zu heilen, besonders wenn sie schon eine Zeitlang gedauert haben, hauptsächlich über die Mannbarkeit hinaus, und wenn man keine leicht zu hebende Ursache, als Vollblütigkeit, Unreinigkeiten, Würmer, Verstopfungen des Unterleibes, Zurücktritt einer Schärfe u. dergl. entdecken kann. Am hartnäckigsten sind sie meistens, wenn sie von Onanie oder zu häufigem Beyschlafe entstehen. Zuweilen werden sie durch ein dazukommendes Fieber geheilt (Danz §. 234.). Einen allgemeinen Krampf des ganzen Körpers, bey welchem der Körper ganz starr ist, nennt man den Todtenkrampf (tetanus), wobey der Körper entweder nach vorn (emprosthotonus), oder nach hinten (opisthotonus), oder seitwärts (pleurototonus) gezogen seyn kann. Diese Starrsucht ist vom Erstarren (rigor) blos dem Grade nach verschieden. Sie ist aber eine seltene Krankheit, und auch ein seltener Zufall bey Krankheiten in unsern Gegenden. In heißen Gegenden findet sie sich häufig, und gesellt sich gern zu Wunden. Von ihr gilt das nehmliche, was oben von den Krämpfen im Allgemeinen gesagt worden ist. Ist sie anhaltend, oder repetirt sie öfters, so ist sie meistens tödtlich, wenn nicht bald thätige Hülfe geleistet wird, oder, wenn die gehörig angewendeten Mittel nichts fruchten. Als Symptom bey Fiebern, bey Wunden, ist es ein höchst gefährlicher Zufall (Danz §. 235.). Einen Krampf in den Muskeln der untern Kinnlade, wobey sie fest an die obere angeschlossen ist, nennt man das Wangenschürchen oder Flüßchen (trismus), das man häufig bey neugebornen und säugenden Kindern, bey Unreinigkeiten der ersten Wege, nach Quetschungen durch Instrumente, bey schweren Geburten, nach übler Behandlung des Nabels und nach andern Reizen entstehen sieht, das man aber auch bey Erwachsenen zuweilen bemerket, und das, mit andern üblen Zeichen verbunden, ein gefährlicher Zufall ist (Danz §. 236.).

§. 219.

Zittern. Das Zittern (tremor), zeigt gestörte und unordentliche Wirkung der Nerven auf die zitternden Theile an, es mag nun von Fehlern im Gehirne, oder Rückenmarke, als: Druck, Erschütterung, oder von Lähmung, oder von Schwäche, oder von Vollblütigkeit, oder von örtlicher Anhäufung des Bluts in einem Theile herrühren (Danz §. 237.). Im Anfange der Fieber hat das Zittern nichts zu sagen, wenn es nicht heftig, anhaltend ist, und wenn es blos von Vollblütigkeit, oder von andern leicht zu entfernenden Reizen, wie von Unreinigkeiten der ersten Wege u. s. w. herrührt. Im Fortgange derselben, wenn es sich zur Zeit einer zu erwartenden Krisis, nach vorausgegangenen Zeichen der Kochung einfinden, erfolgt darauf öfters eine heilsame Entscheidung. So zeigt das Zittern der Lippen unter diesen Umständen öfters ein kritisches Brechen an (Danz §. 238.). Ein übles Zeichen ist das Zittern in Fiebern, wenn es heftig und anhaltend ist: denn es erfolgen darauf leicht Convulsionen, Delirien; wenn es nach starken Ausleerungen, überhaupt nach Entkräftung, nach Metastasen, nach Delirien entsteht, wenn es an kritischen Tagen sich einfindet, ohne eine darauf folgende Entscheidung. Es zeigt hier meistens eine überspannte Reizbarkeit, große Entkräftung und eine hartnäckige Ursache an, und reibt die Kräfte immer mehr und mehr auf. Wir haben immer eine gefährliche Krankheit zu erwarten, wenn der Kranke gleich Anfangs mit Zittern der Hände und Füße, der Zunge, mit großer Zerschlagenheit in den Gliedern befallen wird. Je wichtiger der Theil ist, welcher zittert, desto schlimmer ist dieses Zeichen. Zittern (zugleich mit Fühllosigkeit in den Händen und Schwindel) geht zuweilen Schlagflüssen oder Lähmungen voraus. Bey wichtigen großen Wunden ist starkes Zittern ein bedenkliches Zeichen. Bey sehr reizbaren, sehr empfindlichen, hysterischen, hypochondrischen Leuten hat im Ganzen das Zittern weniger zu bedeuten, weil hier öfters seine Ursachen sehr geringfügig sind (Danz §. 239.). Das Zittern, das schon lange gedauert hat, öfters zurückkommt, von Lähmung, von zurückgetretener Schärfe, von Quecksilber- oder Schwefeldämpfen, von Schrecken, häufigem Beyschlafe oder Onanie, vom übermäßigen Genusse geistiger Getränke, vom Alter, herrührt, nach Kopfverletzungen zurückbleibt, ist selten oder gar nicht zu heilen. Vor der Geburt, oder einem Abortus, geht öfters ein unwillkührliches, schnell entstandenes Zittern voraus (Danz §. 240.). Unwillkührliches Zittern der Lippen und der Unterkinnlade ist öfters der Begleiter von Unreinigkeiten der ersten Wege, und geht kritischen Brechen (s. oben,) voraus (Danz §. 395.). Eine zitternde, schwache, zusammengezogene Zunge verräth oft große Erschöpfung der Kräfte, und verkündigt Verstandesverwirrung, Schlafsucht, Lähmung, Convulsionen, Diarrhöen, und den Tod, je nachdem die begleitenden Zeichen mehr oder weniger gefährlich sind. Bisweilen geht aber auch eine zitternde Zunge kritischem Nasenbluten, Brechen, Darmausleerungen, voran (Danz §. 402.).

§. 220.

Dem Zittern verwandt ist das öftere Blinzeln mit den Augenliden. Es zeigt dieß einen Reiz auf die Muskeln an, welche die Augenlide bewegen, und Krämpfe. Daher findet man es bey Hysterischen, Hypochondrischen, in Gallenfiebern, bey einem Andrange des Bluts nach dem Kopfe, wo es folglich auf alle die Zufälle deutet, die mit diesem in Verbindung stehen können (Danz §. 262.). Außerdem schließen sich noch an die den Convulsionen verwandten Erscheinungen: die unwillkührliche, dem Kranken unbewußte Verzerrung des Mundes, wie bey Menschen, welchen ekelt. Diese zeigt eine verborgene Magen- oder Darm-Entzündung an. Verdrehen des Mundes geht öfters Schlagflüssen, Convulsionen, der Epilepsie, bey Melancholischen, Rasenden, neuen Anfällen voraus. Das (scheinbare) Lächeln bey Kindern, ohne Ursache, oder im Schlafe, geht gewöhnlich, wie schon früher bemerkt worden, Convulsionen voraus. Hieher gehört auch, der ebenfalls erwähnte, risus sardous, welcher üble Krämpfe und innere Entzündungen verräth. Das Zähnknirschen und Klappern hat nichts zu bedeuten, wenn es von Gewohnheit, von Unreinigkeit der ersten Wege, von Würmern, besonders bey Kindern, herrührt. Mit andern üblen Zeichen verbunden, verkündigt es Gefahr, und geht neuen Anfällen intermittirender Fieber, dem Wahnsinne, und nach Rasereyen, dem Tode voraus (Danz §. 396.). Ein beständiges Kauen in hitzigen Krankheiten, ohne daß Speisen im Munde sind, verräth meistens Verstandesverwirrung. Das Ausspucken der Arzneyen oder der Speisen und des Getränks, in hitzigen Krankheiten ist ein Zeichen gesunkener Kräfte und großer Lebensgefahr; in chronischen Fällen ist das häufige Ausspucken von nichts als etwas Speichel, oder auch das bloße Bestreben auszuspucken, bey Trockenheit des Mundes, ein Zeichen von Wahnsinn, Tobsucht, Verstandesverrückung. Ein Zukken in der Stirn und in den Augenbraunen, und öfteres Berühren derselben, zeigt Verstandesverrückung und Gefahr an. Es ist auch manchmal der Begleiter von Unreinigkeiten der ersten Wege (Danz §. 393.). Eben so deutet die bewußtlose Entblößung des Körpers, der Füße, der Hände, das Flockenlesen, oder das Herumfahren der Hände in der Luft oder Zupfen auf der Bettdecke (carpologia), in hitzigen Krankheiten auf Gesunkenheit der Lebenskräfte und auf Verstandesverwirrung, so wie das beständige Herumwerfen innere Reize und Angst anzeigt, wie sie sich z. B. bey Entzündungen, die in Brand übergehen, einfindet. So deutet auch das bewußtlose Reiben des Kopfes auf Affection des Gehirns, Entzündung desselben, und Verstandesverwirrung.

B. Die Functionen der Bewegung, negativ, oder in Beziehung auf Ruhe betrachtet.

Weder die Ohnmacht noch der Schlaf können hier eine Stelle der Betrachtung finden. Die erstere nicht, weil sie nicht sowohl Ruhe, als vielmehr Depression der Bewegung, wie der Empfindung ist; sie hat auch deshalb ihren Platz unter der Rubrik deprimirten Bewegungen erhalten. Der letztere nicht, weil sein Charakter nicht in der Ruhe der Bewegungsorgane, sondern in der des subjectiven Organismus, d. h. des Hirns, und höhern Nervensystems besteht, und die Ruhe der Bewegungsorgane im Schlafe nur etwas zufälliges ist. Man kann alle Bewegungsorgane ruhen lassen, und doch nicht schlafen: und umgekehrt, schlafen und doch die Muskeln in Bewegung setzen; wie so viele unruhige Schläfer beweisen. Die wahre Ruhe der Bewegungsorgane bezieht sich allein auf die Richtung oder Lage, die der Mensch angenommen hat oder annehmen muß, und welche, wenigstens eine Zeitlang, unverändert bleibt; und diese ist hier zu betrachten.

§. 221.

Richtung oder Lage des Kranken. Von der Lage und Richtung des Kranken können wir auf die Kräfte desselben schließen, so wie auch, indem wir dabey auf die andern gegenwärtigen Zeichen Acht haben, Verstandesverrückung, Krämpfe, Nasenbluten, Abscesse, Ausschläge, Entzündungen u. s. w. vorher verkündigen. Wenn ein Kranker so liegt, wie er in gesunden Tagen zu liegen gewohnt war, wenn er leicht aufstehen, sich herumwenden, und die beste und bequemste Lage suchen kann: so ist dieß ein sehr gutes Zeichen in hitzigen Krankheiten. Beklagt sich hingegen der Kranke über Schwere des ganzen Körpers, der Gliedmaßen, des Rückgrats, so daß er wie ein todtes Stück Fleisch unbeweglich liegt, ohne daß eine vorausgegangene zu bemerkende Ursache dieß bewirkt hätte; liegt er wider Gewohnheit auf dem Rücken (cubitus supinus), und hat Füße und Arme von seinem Körper entfernt gelegt; liegt sein Kinn sehr erhaben, oder auf der Brust aufgedrückt; liegt er auf dem Bauche (cubitus pronus), oder beständig nur auf einer Seite (cubitus in alterutrum latus): so sind dieß keine guten Zeichen. Die ungewohnte Lage auf dem Rücken verräth öfters Kraftlosigkeit, besonders wenn der Kranke immer im Bette herabrutscht. Sind hingegen die Kräfte noch nicht aufgerieben, so macht eine unruhige Lage auf den Rücken bey wahrer Hirnentzündung, oder auch bey Kopfverletzungen, Hoffnung zur Genesung. Die Lage auf dem Bauche läßt uns auf eine verderbliche Kraftlosigkeit, oder auf Verstandesverwirrung, oder auf Leibschmerzen schließen. Kann der Kranke blos auf einer Seite liegen, so leidet gewöhnlich die Seite, auf der er liegt, z. B. die Lunge, die Leber ist entzündet, es befinden sich Geschwüre darin, oder in dem Lungensacke befindet sich Wasser, Eyter u. dergl., doch ist dieß auch nicht immer der Fall. Beym Seitenstechen ohne Lungenentzündung liegt der Kranke meist auf der gesunden Seite. Sind hingegen beyde Lungen entzündet, oder befinden sich in beyden Geschwüre, in beyden Brusthölen Wasser: so kann der Kranke blos auf dem Rücken liegen. Muß er mit der Brust hoch liegen, oder gar aufrecht sitzen (cubitus erectus), wenn er nicht ersticken will: so haben wir auf örtliche Fehler in den Lungen, oder auf Krampf, oder auf Brustwassersucht, oder auf Fehler im Unterleibe, wodurch die Verrichtungen der Bauchmuskeln und des Zwerchfells gehindert werden, daher nicht selten auf Melancholie und Raserey, auf Unheilbarkeit, Gefahr und möglichen Schlagfluß, zu schließen. Der Tod ist nicht mehr fern, wenn bey einem röchelnden Athmen der Kranke sehr hoch liegen muß, damit er nicht ersticke (Danz §. 413.). Die Brustlage, mit vorwärtssinkendem Kopfe deutet auf örtlichen Schmerz oder Angst, in Fiebern auf heftige Unruhe mit schweren Zufällen, auf Erschlaffung der Halsmuskeln, und folglich zunehmende Schwäche und Gefahr. Das ruhige Liegen (cubitus quietus), ist ein

P

schlimmes Zeichen in Nerven- und Faulfiebern, besonders wenn der Kranke ohne Bewußtseyn, schlummernd, und betäubt, liegt. Doch deutet diese ruhige Lage zuweilen auch auf kritische Entscheidungen hin, wenn die Zeichen der Kochung vorausgegangen sind. Ein übles Zeichen ist es in Krankheiten, wenn der Kranke immer von seinem Lager herunterrutscht, wenn er mit zusammengezogenen Knieen, offnem Munde, daliegt, wenn er häufig seine Lage verändert, wenn er sich beständig, obgleich er bey sich ist, an den Rand des Bettes wälzt; welches alles große Entkräftung und Gefahr andeutet. Mit dem Kopfe sich zu den Füßen neigen, ist überhaupt in hitzigen Fiebern ein Zeichen einer gefährlichen Unruhe; in der hitzigen Gicht aber, in sehr schmerzhaften Krankheiten, bey Kindern, und am meisten bey mürrischen Kranken, beweist dieses Zeichen für sich allein keine Gefahr.

Zwey-

Zweyter Abschnitt.

Zeichen körperlicher Krankheitsformen und Affectionen an dem subjectiven Organismus (Sphäre der Empfindung und des Bewußtseyns).

Ist es wahr, daß der Mensch nur eine Kraft ist, daß Leib und Seele nur zwey verschiedene Seiten, Richtungen, Pole, oder wie man es sonst nennen will, dieser Kraft sind, die sich einander wechselsweise nicht blos berühren, sondern durchdringen; und wer wollte dieß läugnen, wenn er jemals den Menschen vorurtheilsfrey und gründlich beobachtete, und den Einfluß des Körpers auf die Seele, so wie dieser auf jenen bemerkte, der unmöglich die Wirkung disparater Kräfte seyn kann; ist also diese Behauptung wahr, welche eigentlich nichts anders in sich enthält, als daß Körper und Seele die Natur der Kraft an sich tragen, die nach außen zu wandelbar, nach innen unwandelbar ist: so ist nichts natürlicher, als daß die Veränderungen des Körpers sich in der Seele gleichsam abspiegeln, ihre körperlich-bedingten Thätigkeiten afficiren, und die Erscheinungen derselben durch jenen Einfluß mannigfaltig bestimmt und modificirt zeigen werden. Wir müssen dieß auch selbst dann zugeben, wenn wir die Seele als eine selbstständige und von dem körperlichen Organismus wesentlich verschiedene Kraft anerkennen: weil sich nicht läugnen läßt, daß im Allgemeinen die Receptivität sowohl als die Spontaneität der Seele durch die des Körpers determinirt wird; denn die Seele des jungen, gesunden und starken Menschen ist in eben dem Maße empfänglich und rüstig, als die des alten, kranken und schwächlichen sich verhältnißmäßig stumpf oder krankhaft, reizbar und ohnmächtig zeigt. Opium macht den Feigen beherzt, und den Dummkopf witzig, die Ausschweifung in der Geschlechtslust aber zerstört das größte Genie. Was aber die besondern Thätigkeiten der Seele betrifft, so ist es unwidersprechlich gewiß, daß die ganze Welt ihrer Vorstellungen von der Structur und der Wirkung der Nerven und des Gehirns abhängt. Es ist also kein Wunder, wenn die mannigfaltigen Sörungen des körperlichen Organismus sich durch Zeichen in der subjectiven Sphäre zu erkennen geben, die in ihrer Art von eben solcher Deutlichkeit und Zuverlässigkeit sind, als jene, welche wir bis jetzt betrachtet haben. Wir wenden uns nun auf diese Seite, und verfolgen diese Zeichen in der Ordnung, welche eine natürliche Classification der Seelenerscheinungen an die Hand gibt. Hier drängen sich aber zwey ganz entgegengesetzte Zustände des subjectiven Organismus auf, welche von einander geschieden und nach einander betrachtet werden müssen. Der erste dieser Zustände ist positiv, und hält alle Thätigkeiten dieser Sphäre in sich; nehmlich das Wachen. Der zweyte ist negativ, und begreift in sich den Zustand der Ruhe jener Thätigkeiten, welcher, wenn er vorübergehend und natürlich ist, Schlaf, wenn er zwar möglicher Weise vorübergehend, aber nicht natürlich ist, Scheintod, und wenn er für diese Erscheinungs-Welt permanent ist, und Auflösung des Körpers zur Folge hat, Tod heißt. Eigentlich ist der letztere die Aufhebung alles Zustandes in Beziehung auf diese Welt und folglich an sich kein Object des Arztes mehr; allein weil doch die Möglichkeit da ist, den Scheintod mit dem wahren Tode zu verwechseln, und sich so den Wirkungskreis zu schmälern: so ist wenigstens die Kenntniß der Zeichen für den Arzt vonnöthen, welche zu erkennen geben, ob wahrer Tod oder Scheintod vorhanden sey.

Und die Sammlung dieser Zeichen macht mit Recht in jeder somatischen Semiotik den Schluß ihrer Darstellungen.

Erstes Kapitel.

Zeichen aus dem positiv-subjectiven Zustande, oder dem Wachen.

Das Wachen ist in doppelter Beziehung zu betrachten: nehmlich erstlich, wiefern es in Krankheiten die Stelle des Schlafes vertritt, und selbst als krankhafter Zustand erscheint; wo es dann Schlaflosigkeit heißt. Zweytens wiefern es den Inhalt aller subjectiven Thätigkeiten in sich faßt, in welchem Falle es nicht unter dem allgemeinen Namen des Wachens, sondern unter denen der besondern Thätigkeiten abzuhandeln ist, welche als Zustände des Wachens erscheinen. Diese Zustände aber sind von entgegengesetzter Art: einer nehmlich der Receptivität des Subjects, und der andere der Spontaneität desselben. Der erste äußert sich in Gefühlen und Empfindungen; der letztere in Vorstellungen, Willensacten und Trieben. Die Gefühle beziehen sich auf die innere Affection des Subjects, und sind sämmtlich unter der Rubrik der Lust oder des Schmerzes befaßt. Die Empfindungen hingegen gehen auf die äußere Affection des Subjects von Seiten der Sinne, und sind so mannigfaltig als diese verschieden sind. Was die Vorstellungen, Willensacte und Triebe betrifft, so sind sie, eben so wenig als die Gefühle und Empfindungen, unmittelbar für die Anschauung des Beobachters erkennbar, sondern sämmtlich ein Eigenthum des Subjects, welches nur, entweder durch freywillige Mittheilung dem Arzte anvertraut werden kann, oder sich unwillkührlich durch Sprache und Bewegungen verräth, welche im krankhaften Zustande entweder aufhören der

Willkühr und dem Bewußtseyn zu gehorchen, oder bey deren Erscheinung alle Willkühr und alles Bewußtseyn aufgehoben ist. Wir betrachten zunächst das widernatürliche Wachen, oder die Schlaflosigkeit, wiefern sie als Zeichen mannigfaltiger krankhafter Zustände erscheint.

§. 222.

Die Schlaflosigkeit, das Wachen (pervigilium s. vigilia), ist im Ganzen nicht schlimm, in Krankheiten bey Solchen, die viel zu schlafen nicht gewohnt sind, bey Greisen, bey Hypochondristen, Hysterischen, Melancholischen, Rasenden, die oft Monate lang des Schlafs entbehren können, in der Gicht, bey schmerzhaften Krankheiten, im Anfange hitziger Krankheiten, wenn sie nur nicht zu lange anhält; denn sonst werden die Kräfte dadurch zerrüttet, die Verderbniß der Säfte nimmt zu, und es folgen Delirien, Convulsionen, Schlafsucht, Schlagflüsse, darauf. Zur Zeit der Entscheidung der Krankheiten kündigt Schlaflosigkeit, nach vorausgegangenen Zeichen der Kochung, öfters heilsame kritische Ausleerungen, besonders Nasenbluten an, und bey Entzündung sich anfangende Eyterung. Quält sie unaufhörlich Genesende, so hat man Recidive oder andere neue Krankheiten zu befürchten (Danz §. 306.). Bey scheinbar Gesunden kündigt die Schlaflosigkeit nicht selten bevorstehende schwere Krankheiten an. Ueberhaupt deutet Schlaflosigkeit, besonders in hitzigen Krankheiten, immer auf einen vorhandenen und eindringenden Reiz auf die Organe, oft auf Größe und Heftigkeit des Uebels, und mit andern üblen Symptomen, auf eine bedenkliche Lage des Kranken. Im Anfange hitziger Fieber ist sie ein Zeichen von Reiz, Unreinigkeiten der ersten Wege, von Unruhen in den Gefäßsystemen, und leicht darauf erfolgendem Phantasiren; in der Mitte auf Zunahme der Krankheit und bedenkliche Hirnzufälle; am Ende, mit Kraftlosigkeit, auf tödtliche Schlafsucht.

Wir gehen nun von den Zeichen, welche der Mangel an Schlaf darbietet, zu denen über, welche von den besondern Zuständen des positiven Wachens, oder des subjectiven Lebens hergenommen werden.

I.

Zeichen aus den Zuständen der subjectiven Receptivität.

A. Krankhafte Gefühle als Zeichen.

a. Schmerz.

§. 223.

Bey Beurtheilung des Schmerzes, als eines Zeichens in Krankheiten, muß man hauptsächlich auf das Alter, die Beschaffenheit des Körpers, besonders auf Reizbarkeit und Empfindlichkeit, auf das Temperament, auf den Zeitpunkt der Krankheit, auf die Theile, die er einnimmt, und hauptsächlich auf die Ursachen des Schmerzes sehen. Daher haben Schmerzen im Ganzen, bey jungen, sehr reizbaren, empfindlichen Personen, wenn sie nicht zu lange anhalten, blos äußere Theile einnehmen, nichts zu bedeuten. Schmerzen in gelähmten Theilen geben uns zuweilen Hoffnung zur Genesung. Ueberhaupt darf man nicht immer aus den Klagen des Kranken auf den Grad des Schmerzes, und aus dem Grade des Schmerzes auf die Gefahr schließen. Denn manche rasen, indem sie klagen, bey geringen Schmerzen; andere ertragen die heftigsten Schmerzen mit Geduld. Selten steht der Grad des Schmerzes mit der Gefahr im Verhältnisse. Bey Pulsadergeschwülsten, Verhärtungen der Drüsen u. s. w., empfindet man gar keine Schmerzen; ein andermal ist der Schmerz für die Gefahr zu gering, wie in der Schwindsucht, Kopfwassersucht, bey Entzündungen der Leber, der Därme; und noch ein andermal ist der Schmerz für die

Gefahr zu heftig, wie bey Zahnschmerzen, dem Wurm am Finger u. s. w. Aus dem Schmerze dürfen wir daher nie ganz allein in Krankheiten urtheilen, sondern müssen immer die andern gegenwärtigen oder vorausgegangenen, oder nachfolgenden Zeichen mit zu Hülfe nehmen. Man darf auch niemals der wörtlichen Angabe eines Kranken, wenn er den Sitz eines Schmerzes, oder irgend einer Empfindung anzeigt, trauen, sondern man muß sich immer die leidende Stelle mit dem Finger zeigen lassen. Tausendmal klagt ein Kranker z. B. über Brustschmerzen, wenn sich die Schmerzen im Magen, oder irgendwo in den Präcordien befinden. Anhaltende Schmerzen überhaupt entkräften, stören, und bringen die sämmtlichen Functionen, besonders die Verdauung und Absonderung in Unordnung, verursachen Zittern, Convulsionen, Ohnmachten, und beschleunigen zuletzt das Ende aller ausgestandenen Leiden, den Tod.

§. 224.

Einen stechenden, brennenden Schmerz (dolor acutus, pungens, urens), findet man gewöhnlich bey Entzündungen, obgleich es auch Entzündungen ohne merkliche Schmerzen gibt. Bey innern Entzündungen z. B. des Hirns, der Leber, der Därme, sind die Schmerzen mehr stumpf (surdi), mit einer Empfindung von Schwere (gravativi) verbunden. Daß Schmerzen von Entzündungen herrühren, erkennt man außerdem noch durch die Röthe, und die Geschwulst des Theils, durch die Vermehrung der Schmerzen nach einem äußern, gelinden Drucke, durch vermehrte örtliche oder allgemeine Hitze des ganzen Körpers; durch den Durst, durch den rothen Urin, durch den geschwinden, harten Puls. Rühren aber die Schmerzen von Krämpfen her, so fehlen meistens die angegebenen Zeichen, und der Urin ist blaß, dünn, wässerig. Bey Entzündung innerer Eingeweide ist es jedoch oft äußerst schwer, genau zu bestimmen, ob wirklich Entzündung vorhanden ist. Ein klopfender Schmerz (d. pulsans), zeigt gewöhnlich den Uebergang einer Entzündung in Eyterung an. Pochend (pulsatorius) ist der Schmerz bey Blutcongestionen; bohrend und schneidend in der Hirnwuth; bohrend in der Tiefe, besonders des Nachts, in den Knochen, bey der eingewurzelten Lustseuche; nagend und fressend (rodens), bey Geschwüren; nagend und brennend, beym angehenden Krebs; brennend (urens), bey der Rose, und dem Nesselausschlag; reissend und ziehend bey dem hitzigen Rhevmatismus; juckend (pruriginosus), in Hautkrankheiten mit und ohne Fieber; kriebelnd, stechend, entweder festsitzend oder laufend, bey der Gicht; ängstlich bey Krämpfen, Unterleibsaufblähung. Das schnelle Verschwinden der heftigen Schmerzen ohne Ursache, ist kein gutes Zeichen; bey Entzündungen folgt meistens der Brand darauf. Schlimm ist es auch, wenn Schmerzen in minder wichtigen Theilen nachlassen, dagegen in edleren Theilen wieder erscheinen. Umgekehrt ist es aber gut.

§. 225.

Oertliche Schmerzen. a) Kopfweh zeigt öfters einen Andrang der Säfte nach dem Kopfe, überhaupt einen Reiz an, der entweder in dem Hirne selbst seinen Sitz hat, oder consensuell auf dasselbe wirkt; wie z. B. Unreinigkeiten der ersten Wege. Kopfweh ist ein sehr gewöhnlicher Begleiter der Fieber, besonders kalter Fieber, und geht häufig, bey zarten weiblichen Subjecten, dem Eintritte der monatlichen Reinigung voraus. Ein nagendes Kopfweh ist öfters ein Zeichen eines bevorstehenden Brechens; wobey man aber nothwendig auf die übrigen Zeichen mit sehen muß. So geht auch manchmal ein drückendes, mit Empfindung von Schwere verbundenes klopfendes Kopfweh, besonders an den Schläfen, dem Nasenbluten voraus, hauptsächlich wenn Jucken in der Nase, ein rothes, aufgetriebenes Gesicht, rothe Augen, Schwindel, Ohrenbrausen, zugegen sind. Erfolgt kein Nasenbluten: so entstehen leicht darauf die heftigsten Deliria, Krämpfe, Convulsionen, Abscesse in den Ohrendrüsen, Schlafsucht. Bey Alten geht Kopfweh mit Ohrenklingen, mit Schwindel, mit Taubheit in den Händen, mit großer Neigung zum Schlafe, Schlagflüssen, Lähmungen, voraus. Heftige nagende Kopfschmerzen, in den Knochen des Schädels, die des Nachts stärker werden, findet man in der Lustseuche. Man darf jedoch nie aus heftigen Kopfschmerzen allein schließen, daß das Hirn unmittelbar leide; denn bey wirklichen Hirnentzündungen ist öfters gar kein Kopfweh bemerkt worden, und von Unreinigkeiten der ersten Wege entsteht das allerheftigste. Den geringeren Grad des Kopfwehs, das den ganzen Kopf einnimmt, nennt man Cephalalgia, den stärkern, Cephalaea. Zuweilen nimmt das Kopfweh blos eine Seite ein (hemicrania), zuweilen blos einen geringen Raum mit einem Gefühl von Kälte an derselben Stelle (clavus hystericus); was man besonders in der Hysterie bemerkt. Bey gallichten Unreinigkeiten der ersten Wege ist der Schmerz meistens im Vorderkopfe, bey schleimichten im Hinterhaupte; so wie sich auch Nerven- und Faulfieber nicht selten durch die letztere Art von Kopfweh ankündigen. Bey zurückgetretener Ausdünstung, in katarrhalischen Krankheiten ist bey dem Kopfschmerze der ganze Kopf düster, betäubt, und die Kranken empfinden besonders einen drückenden Schmerz in der Stirne, an der Nasenwurzel.

§. 226.

b) Ohrenschmerzen, wenn sie heftig und anhaltend sind, sind wegen Empfindlichkeit der Theile, die zum

Ohre gehören, unerträglich, und verursachen leicht Taubheit, Raserey, Convulsionen, und selbst den Tod, wenn sie nicht, nach einem Eyterausflusse aus dem Ohre, nach einem Blutflusse aus der Nase, nach Abscessen in den Ohrendrüsen, oder nach einer andern kritischen Ausleerung nachlassen. Oefters rühren sie auch von einem fremden Körper, besonders von Würmern und Insecten im Ohre her. Ohrenschmerzen, die nach einer Metastase in Fiebern entstehen, sind ungünstige Zeichen. c) Nackenschmerz mit rothem Gesichte, rothen Augen, mit einer Empfindung von Schwere in den Seitentheilen des Kopfs, mit Ohrenbrausen, gehen öfters Blutflüssen voraus; bey Melancholischen, einem Anfalle des Wahnsinns. Mit Sehnenhüpfen, Zähnknirschen, heftigem Klopfen der Schlafarterien, und mit andern üblen Zeichen verbunden, sind sie in Fiebern ungünstige Vorbedeutungen: es folgen leicht tödtliche Zuckungen darauf. Der periodische Nackenschmerz bey Frauen geht oft dem Eintritte der Menstruation voraus. d) Heftige Schmerzen im weichen Gaumen, ohne Geschwulst, sind üble und gefährliche Zeichen. Sind dabey die Mandeln geschwollen, so ist dieß ein Zeichen der Halsentzündung; sind Geschwüre damit verbunden, so kann dieß nach Beschaffenheit der Geschwüre auf Krebs oder Lustseuche deuten, auch blos von katarrhalischer Beschaffenheit seyn. e) Zahnschmerz, wenn er blos von Consens der Nerven, von Plethora, von rheumatischer Beschaffenheit herrührt, so hat er keine große Bedeutung; ist er periodisch, so deutet er auf Krämpfe; ist er anhaltend, so deutet er auf Beinfraß, und ist wegen der Folgen bedenklich. Wenn er sich bey Frauen nach dem Beyschlafe einstellt, so ist er ein muthmaßliches Zeichen der Conception.

§. 227.

f) Schmerzen in den Schulterblättern bemerkt man öfters in der Lungenentzündung, besonders in der falschen. Es folgt darauf zuweilen ein häufiger Auswurf in Fiebern; ohne Fieber aber manchmal ein Hämorrhoidalfluß, oder bey Frauen die monatliche Reinigung (Danz §. 251.). Bey Hysterischen deutet er auf Krampf; bey Andern auf Ablagerung einer reizenden, rheumatischen oder Gichtmaterie. g) Schmerzen in den Brüsten, flüchtiger, stechender Art, nebst Aufschwellen der Brüste bey ausbleibender monatlicher Reinigung, werden mit unter die muthmaßlichen Zeichen der Schwangerschaft gerechnet. Oft verkündigen auch solche Schmerzen die Ankunft der Menstruation. Nach der Geburt, mit Schauer, verkündigen sie den Eintritt der Milch und das Milchfieber. In Fiebern kündigen sie manchmal Blutspeyen an. Bey Säugenden deuten sie auf Ueberfluß an Milch; ist Spannung, Ausdehnung, Härte der Brüste dabey, auf Entzündung. h) Fixe Schmerzen im Brustbeine oder unter demselben sind Zufälle der Lustseuche. Mit einem entzündlichen Fieber verbunden, zeigen sie Entzündung des Mittelfells, und wenn sich diese durch keinen Auswurf oder durch keine andere kritische Ausleerung entscheidet, Eyterung an. Ein fixer Schmerz zwischen der zweyten und dritten Rippe soll beym Brustkrebs ein Kennzeichen seyn, daß die an der innern Seite des Brustbeins unter dem Brustfelle liegenden Drüsen angegriffen seyen, und daß die Operation nichts fruchten werde. i) Innerer Brustschmerz, beym Husten tief in der Brust empfunden, ist eine Erscheinung bey der Entzündung der Lungen, wobey der Puls meist weich und klein ist. Bey Hysterischen deutet er auf Krampf, bey Engbrüstigen auf einen neuen Anfall. Ist der Schmerz mehr in den Seiten der Brusthöle, vermehrt er sich vielleicht gar nach einem äußsern Drucke, ist der Puls voll, hart, gespannt: so hat man Entzündung der Zwischenrippenmuskeln und des Brustfells zu vermuthen. Schmerzen in den Seiten mit gelbem Auswurfe, die bald verschwinden, gehen öfters Metastasen nach den Ohren, Delirien, Schlafsucht, Zuckungen und dem Tode, voraus (Danz §. 252.). Anhaltender Seitenschmerz beym Athemholen, ohne deutliche Ursache, läßt auf Verwachsungen des Rippenfells, auf Knoten oder verborgenes Lungengeschwür, bey Lungensüchtigen auf neuen Eytervorrath, nach unterdrücktem Auswurf auf nahe Erstickung schließen. Ein tiefer Schmerz, mit gelber Farbe des Körpers oder des Angesichts, und mit Druck unter den falschen Rippen der rechten Seite deutet auf Leberverstopfung; mit periodischem Stechen unter den falschen Rippen, auf Unverdaulichkeit oder Blähungen.

§. 228.

k) Heftige Rückenschmerzen findet man häufig bey Hysterischen, bey Weibern, denen die monatliche Reinigung ausgeblieben ist, bey solchen, die mit Hämorrhoiden beschwert sind. Ein anhaltender Rückenschmerz nach Ausschweifungen in der Liebe, deutet auf Rückendarre; ein periodischer, bey Frauen, auf bevorstehende Menstruation; ein bestehender, ohne deutliche Ursache, mit Kacherie und Entkräftung, auf einen organischen Fehler im Unterleibe; wenn sich Pochen, unordentlicher Puls und stete Angst dazu gesellt, auf Pulsadergeschwulst. Sonst ist der Rückenschmerz der gewöhnliche Begleiter der Fieber und Krämpfe des Unterleibes, und bezeichnet in dem kalten Fieber, in der Hysterie und Kolik, den neuen Anfall.

§. 229.

l) Schmerzen in der Herzgrube oder Magengegend, welche spannend oder drückend sind, beweisen Unreinigkeiten der ersten Wege, besonders des Magens. In Ausschlagskrankheiten geht öfters eine ängstliche Empfindung von Beklemmung in der Herzgrube dem Ausbruche des Ausschlags voraus. Sind die Schmerzen anhaltend, vermehren sie sich nach einem jeden äußern, geringen Drucke: dann hat man Entzündung des Magens, der Leber, zu befürchten, besonders wenn sie nach zurückgegangenen Hautausschlägen oder andern Schärfen entstanden sind. Heftige anhaltende Schmerzen in der Herzgrube können auch von der üblen Bildung, oder einer Verrenkung, oder einem Bruche des untern Brustbeins herrühren.

m) Heftige Magenschmerzen (cardialgia), rühren meistens von Unreinigkeiten des Magens her, und entscheiden sich dann durch Brechen; oder sie entstehen auch von andern Reizen. Je heftiger ihre Ursache, und je schwerer sie zu heben ist, desto gefährlicher ist der Zufall, besonders wenn sich Frost, Erstarren, Convulsionen, Ohnmachten, dazu gesellen. Bey schwächlichen, reizbaren Personen haben sie weniger zu sagen, weil bey diesen, durch geringe Reize, heftige Schmerzen entstehen (Danz §. 254.). Bey säugenden Kindern läßt der Magenschmerz Säure und geronnene Milch, nach Erhitzung Krampf, nach Aerger Gallenergießung, bey Säufern Säure, bey Hypochondristen Unverdaulichkeit, Blähungen, bey Frauen, nach unterdrückter Menstruation, Stockungen des Blutes und Blutbrechen, bey leerem Magen, mit kaltem Schweiße und Neigung zu Ohnmachten, Würmer, mit Gelbsucht örtliche oder sympathische Krämpfe des Unterleibs, mit Drücken in der Lebergegend, Gallen- oder Nierenstein vermuthen. Unheilbar ist der Magenschmerz, wenn ein organischer oder mechanischer Fehler zum Grunde liegt; gefährlich oder wohl gar tödtlich, wenn er nach schlimmen Fiebern, unterdrückten Ausleerungen, zurückgetretenem Ausschlag, Fußschweiß, Gicht, Podagra, nach zugeheilten

Schäden, mit anhaltendem Erbrechen einer scharfen und stinkenden Materie erscheint.

§. 230.

m) Auf Leibschmerzen mit Grimmen, Rumpeln in den Därmen, folgen Stuhlgänge und kritische Durchfälle, wenn die übrigen Zeichen in Fiebern mit einstimmen. Leibschmerzen, welche sich beym äußern Anfühlen vermehren, bey welchen der Puls sehr klein, der Durst groß, das Gesicht verstellt, unwillkührliches Verzerren des Mundes, wässerichte Diarrhöen oder hartnäckige Verstopfungen zugegen sind, lassen Entzündung der Därme vermuthen. Lassen die Schmerzen auf einmal ohne Ursache nach, werden die Extremitäten kalt, sinken die Kräfte sehr tief, dann ist Brand zu befürchten. Ueberhaupt zeigen aber Leibschmerzen Unreinigkeiten der ersten Wege, Winde, Würmer, Krämpfe, an (Danz §. 255.). n) Schmerzen in den Lenden kommen öfters von Unreinigkeiten in den dicken Därmen, zuweilen auch von örtlichen Blutanhäufungen her; daher manche Blutflüsse z. B. aus der Gebärmutter, den Nieren, der Blase, dem Mastdarme, zuweilen auch aus der Nase darauf erfolgen. Ein anhaltender stumpfer Schmerz rechter Seits, unter den kurzen Rippen, geht zuweilen der Gelbsucht voraus. Schmerz an den Lenden und Schamtheilen der Frauen, mit Drücken und Spannen läßt auf bald eintretende Menstruation, mit Schärfe auf Würmer, mit örtlichem Jucken und übermäßiger Begattungssucht, auf Mutterwuth, bey Wöchnerinnen auf unterdrückte Reinigung oder Entzündung des Uterus schließen. o) Schmerz in dem Mastdarm, deutet entweder auf verhärteten Unrath, oder auf Hämorrhoiden, oder auf Blähungen und Krämpfe, oder auf Würmer, oder auf Feigwarzen. p) Schmerz in der Urinblase mit Schauer oder einem Gefühl von

Kälte im Rücken, geht der Unterdrückung des Urins voraus. Die heftigsten Schmerzen in der Urinblase rühren von Entzündung, Geschwüren, Steinen, her. q) Hodenschmerz mit Harnbeschwerden deutet auf consensuellen Reiz und Stein; Schmerz und Brennen der Ruthe, nach einem Beyschlafe, auf Ansteckung; Schmerz in der Leistengegend auf sympathischen Reiz oder eingeklemmten Bruch, in bösartigen Fiebern auf Ablagerung.

§. 231.

r) Schmerzen in den Gelenken, sind Zufälle der Gicht; Reissen und Schmerzen in den fleischigen Theilen der Gliedmaßen sind Symptome des Rheumatismus. Rheumatische Schmerzen in den Gliedern, hauptsächlich in dem dicken Fleische der Schenkel, zuweilen in den Lenden, und selbst im Gesichte, gehen öfters dem Friesel voraus. Anhaltende Schmerzen in den Waden verrathen zuweilen Abscesse in der Leber (Danz §. 257. 258.).

§. 232.

Als Arten des Schmerzes sind noch das Jucken und Kitzeln aufzuführen. Das Jucken in der Haut geht in hitzigen Krankheiten öfters kritischen Schweißen, Ausschlägen voraus, auch manchmal einer tödtlichen Gelbsucht, und findet sich zuweilen nach dem Gebrauche von Opium ein. Starkes Jucken in der Oberfläche des ganzen Körpers oder einzelner Theile, mit heftigem Froste, mit einem Unvermögen zur Bewegung, ist Anzeige einer sehr reizenden Schärfe im Körper und einer schweren Krankheit (Danz §. 383.). Gefühl von Ameisenkriechen und Jukken im Unterleibe deutet auf Entzündung der Därme, und ist um so gefährlicher, je weniger heftig der Schmerz ist. Im chronischen Zustande ist das Jucken und Kriebeln ein gichtischer Zufall, und zeigt sich besonders in der atonischen Gicht, in Gesellschaft von Krämpfen und andern Gichtsymptomen. Jucken in der Eichel deutet auf Steinbeschwerden und auf Stockungen im Unterleibe. Jucken und Kitzeln in der Nase verräth ebenfalls Abdominalreize, z. B. Würmer; in hitzigen Krankheiten verkündigt es Nasenbluten, Verstandesverrückung, Schnupfen.

2. Unbehaglichkeit.

Die Unbehaglichkeit grenzt an den Schmerz, ist aber kein Schmerz, weil dieser allezeit einen intensiven Charakter hat, die Unbehaglichkeit aber dem Gemeingefühl mehr oder weniger zukommt. Die Unbehaglichkeit ist nach der Art, dem Grade, dem Orte, dem Grunde der Affection verschieden, und läßt sich nicht mit der größten Bestimmtheit rubriciren.

§. 233.

Unbehaglichkeit im Allgemeinen. Hieher gehört zunächst: das Gefühl von Kraftlosigkeit. Es deutet auf dreyerley verschiedene Zustände hin, welche wohl von einander zu unterscheiden sind, nehmlich a) auf Ermüdung b) auf Unterdrückung c) auf Erschöpfung der Kräfte. Ermüdung der Kräfte in Krankheiten entsteht nach heftigen, anhaltenden Schmerzen, Krämpfen, langem Wachen, besonders wegen Schmerzen und Unruhe, strengem Nachdenken, angstvollen schrecklichen Vorstellungen, Fantasiren, Träumen, Rasereyen; nach anhaltendem starken Husten, Schluchzen, Sprechen, Lachen, Stehen, Aufrechtsitzen, besonders wenn der Kranke schon wirklich entkräftet ist; und überhaupt nach allen unwillkührlichen oder willkührlichen Anstrengungen unsers Körpers und Geistes, welche die gegenwärtigen Kräfte übersteigen. Wenn der Arzt auf diese vorhergegangenen Umstände nicht Rücksicht nimmt, so kann er oft wahre Erschöpfung der Kräfte vermuthen und große Gefahr verkün-

Q

digen, indem doch die Kräfte blos ermüdet sind, und sich der Kranke von dieser Entkräftung bald wieder erholt. Je mehr oder weniger freylich die Kräfte schon wirklich erschöpft sind, desto mehr oder weniger bringen solche Ursachen, die die Kräfte ermüden, schädliche Folgen hervor. So kann öfters das Aufsitzen, Stehen, bey sehr entkräfteten Kranken den Tod nach sich ziehen. So erfolgt im schleichenden Fiebern, bey Auszehrungen, der Tod zuweilen nach einer etwas heftigen Anstrengung, beym Umkehren im Bette, nach starkem Sprechen, beym Aufrichten, beym zu Stuhle gehen u. s. w. Unterdrückung der Kräfte ist in Krankheiten sehr häufig, und ihre genaue Kenntniß wichtig, um nicht am unrechten Orte der Natur aufhelfen und sie unterstützen zu wollen, da, wo blos Hindernisse aus dem Wege zu räumen sind, die ihrer Wirksamkeit entgegen stehen. Die Ursachen nehmlich, welche am häufigsten die Kräfte unterdrücken, sind 1) wahre Vollblütigkeit. Solche Vollblütige werden in hitzigen Krankheiten öfters plötzlich von Abgeschlagenheit des ganzen Körpers, großer Entkräftung, Ohnmachten, Betäubung, Zuckung, Schlaflosigkeit oder Schlafsucht, Convulsionen, befallen; ihr Gesicht wird bald blaß, bald roth, die Haut bald warm, bald kalt: der Athem ist schwer, langsam, rasselnd; der Puls klein, schwach, öfters ungleich, zitternd; kurz, man sollte glauben, die größte Erschöpfung sey zugegen. Dessen ungeachtet sind die Kräfte blos von der Blutmenge unterdrückt. Blutausleerungen in diesem, den meisten tödtlich scheinenden Zeitpunkte schaffen die größte Hülfe: der Puls wird voller, langsamer, der Kranke munterer, und bekommt bald seine Kräfte wieder. Hier muß man auf die vorausgegangenen Zeichen der Vollblütigkeit Rücksicht nehmen, besonders wenn keine Ursachen vorausgegangen oder zugegen sind, welche eine so große Erschöpfung der Kräfte hervorbringen können, als: starke Ausleerungen, heftige, in Brand übergehende Entzündung u. s. w. 2) Unreinigkeiten der ersten Wege verursachen öfters die größte anscheinende Kraftlosigkeit. Diese Ursache verrathen uns: die vorhergeführte Lebensart, die herrschende Epidemie, die Jahreszeit, die unreine Zunge, der Mangel des Appetits, Aufstoßen, Uebelkeit, Brechen, Druck in der Herzgrube, Leibschmerzen, Poltern im Leibe, Aufgetriebenheit desselben u. s. w. Hier erhebt oft ein Brech- oder Purgier-Mittel die Kräfte in den verzweifeltsten Augenblicken auf eine wunderbare Art. Dabey müssen wir uns nicht durch die schwächliche Leibesbeschaffenheit und die häufigen, vorausgegangenen Ausleerungen irre führen lassen, weil dennoch vorhandener Unrath die einzige Ursache der Kraftlosigkeit seyn kann. 3) Leidenschaften, Druck auf das Gehin von Splittern, extravasirtem Blute, Eyter u. s. w., wo im ersten Falle Beruhigung des Gemüths auf irgend eine Weise, im andern Trepanation u. s. w. das Gefühl von Entkräftung allein zu heben im Stande sind. Wahre Erschöpfung der Kräfte aber, wenn sie Veranlassung von dem Gefühl von Kraftlosigkeit ist, erkennt man durch ihre Ursachen. Die Kräfte werden wirklich erschöpft: durch schwere, langwierige Krankheiten, durch übermäßige oder lang anhaltende Ausleerungen, von Blut, Schweiß, Harn, Samen, durch Erbrechen, Durchfälle, Speichelfluß, weissen Fluß, Katarrhe, durch Mangel an Nahrungsmitteln, durch gestörte Verdauung und Ernährung des Körpers, durch Nachtwachen, anhaltende Leidenschaften, Gifte u. s. w. Man muß sich hierbey hüten, Zuckungen, heftige, krampfhafte, unordentliche Bewegungen, auf der höchsten Stufe wahrer Entkräftung, für Beweise einer noch wirksamen, kraftvollen Natur zu halten, wie wir dieß z. B. nach den stärksten Ausleerungen sehen. Es ist hier gewöhnlich noch etwas Reizbarkeit übrig, die übrigen Lebenskräfte sind aber gänzlich zerstört, und auf die letzte Anstrengung der Natur folgt meistens, unter diesen Umständen, gänzliche Unwirksamkeit. Die nächsten Zeichen dieser wahren Kraftererschöpfung sind: Ein schwacher, kleiner, und zugleich geschwinder, sehr ungleicher, oft aussetzender, zitternder, kaum fühlbarer, hüpfender, äußerst langsamer Puls. Ein schwacher und mühsamer, kleiner, sehr geschwinder, oder sehr kleiner und langsamer, sehr langsamer und großer, ungleicher, hoher, sehr tiefer, fast nur mit den Bauchmuskeln verrichteter, seltner, röchelnder, stinkender, sehr heißer, kalter, mit einem besondern Geräusch oder Seufzen verbundener, beschwerlicher Athem, wobey das Athemholen öfters unterbrochen wird, außen bleibt, die Muskeln des Halses, der Brust, und die Nasenflügel heftig bewegt werden. Etwas Ungewöhnliches in der Sprache: Stammeln, langsames Antworten, Gesprächigkeit, Hastigkeit im Sprechen, gänzliche Sprachlosigkeit, beständiges vor sich Hinmurmeln, Schluchzen, unwillkührliches krampfhaftes Lächeln, öfteres Nießen ohne Ursache, äußerlicher Frost mit innerlicher Hitze verbunden, und umgekehrt, öfterer Schauer, Herzklopfen bey großer Entkräftung. Sodann: Trockenheit der Zunge und des Mundes ohne Durst, eine feuchte Zunge mit sehr starkem Durste, Knirschen mit den Zähnen, beständiges Kauen, Ausspucken der Arzneyen oder der Speisen und des Getränkes; Speichelfluß; Ekel; Erbrechen einer blauen, schwarzen, stinkenden, faulen, blutigen, wie Grünspan gefärbten Unreinigkeit mit und ohne Schmerzen; ein mit Gefahr von Erstickung und unter dem Trinken mit einem Geräusche verbundenes Schlingen; gänzliche Unfähigkeit zu schlucken, ohne örtliche Hinderniß; ein plötzlicher heftiger Appetit, besonders nach sonst ungewöhnlichen Dingen; unwillkührlicher Abgang des Harns und des Stuhlgangs; Stuhlzwang; unmäßige, ungestüme, ganz wässerige, schmerzhafte, nicht erleichternde, schwarze, stinkende, lauchfarbige Durchfälle; ein ganz blasser, wässeriger, blaßgrüner, schwarzer, mit schwarzem rußigen Bodensatze versehener, sehr dunkelrother, stinkender, vor der Entscheidung gekochter, schokoladenfarbiger, trüber, und sich nicht aufklärender, gefärbter und doch geschmackloser, dünner nicht dickwerdender, schäumender, seinen Schaum nicht verlierender Harn; ein Harn mit wieder zerfallendem Bodensatze, oder mit einer Wolke die wieder verschwindet; unzeitige, zu starke, oder zu geringe Blutflüsse; hirsenförmige, unzeitige, kalte, örtliche, unmäßige, entkräftende, stinkende, klebrige Schweiße; eine stinkende Atmosphäre um den Kranken. Ferner: große Mattigkeit; Zittern der Glieder und des ganzen Körpers; Zuckungen; Convulsionen; Starrsucht; Lähmung über das Kreuz; Flockenlesen; Sehnenhüpfen; häufige Ohnmachten; heftige, reissende Schmerzen in allen Gliedern, besonders wenn sie schnell verschwinden und in edlen Theilen erscheinen; verdrehte, schmutzige, unempfindliche, sehr empfindliche, sehr rothe, gelbe, grüne, halbverschlossene, starre, sehr hervorstehende, zurückgezogene, tiefliegende, wider Willen thränende, unbewegliche, ungleiche, gläserne, sehr matte und leblose, oder wilde Augen; die Hornhaut gleichsam mit einer Haut überzogen; scheinbare Stäubchen oder Flor vor den Augen; Blindheit am Ende eines hitzigen Fiebers; ein beständig fauler Geruch, den die Umstehenden nicht spüren; Ohrenbrausen, Taubheit; ein dummer, betäubter, schwerer Kopf; heftige Kopfschmerzen; Schwindel; heftiges, rasendes Irreseyn, besonders wenn Puls und Kräfte schwach sind und werden, mit Springen der Sehnen, krampfhaftem Zucken und Bewegen der Hände, der Augen, der Gesichtsmuskeln; stille Verstandesverrückung; plötzliches Aufhören des Irreseyns ohne Grund; große Niedergeschlagenheit, oder ungewöhnliche Heiterkeit; Unempfindlichkeit des Körpers und der Seele bey den heftigsten Zufällen; eine überspannte Erhöhung der Seelenkräfte; eine plötzliche Gleichgültigkeit und Gelassenheit der Seele; Verlust des Gedächtnisses, so daß der Kranke seine Freunde nicht mehr kennt; Schlaflosigkeit; Schlafsucht, mit halbgeschlossenen Augen; große Angst, Unruhe, Bangigkeit, Verzweiflung, Bestürzung; Schamlosigkeit, ungeziemende Entblößung des Körpers; Unvermögen sich aufrecht zu erhalten oder zu sitzen, oder Verlangen immer aufrecht zu sitzen oder gar herum zu gehen; Gefühl der Erleichterung, ohne Grund, bey übrigens schlimmen Zufällen. Endlich: herunterhängende, blaue, kalte, Lippen und Augenlide; offenstehender oder hartnäckig verschlossener Mund; herunterhangende Kinnlade; stinkende Mundschwämme; sehr trockne, rauhe, kalte, geborstene, starre, steife, unbewegliche, gelähmte, geschwollene, zitternde, sehr rothe, ganz schlappe, zusammengeschrumpfte, zurückgezogene, bleyfarbige oder schwarze Zunge; mit einer schwarzen, schleimigen Kruste überzogene Zunge, Zähne und Lippen; eingefallene Backen und Schläfe: eine sehr verstellte, von der natürlichen abweichende Gesichtsbildung; eine spitzige Nase; hohle, tiefliegende Augen; kalte, vorgebogene Ohrenläppchen und Ohren; eine harte, gespannte, ausgetrocknete Stirn; eine blaßgrüne, schwärzliche, oder bleyfarbige Gesichtsfarbe; herabhangende Unterlippe; ein ungewohnter, blöder und banger, stierer, ungleicher, fürchterlicher, trauriger, furchtsamer, zorniger Blick; blaue Farbe der Nägel, der Lippen, Nase u. s. w., bey großer Entkräftung; eine rußige Schwärze der wie mit Schmuz bedeckten Haut; schwarze dunkle Flecken auf derselben; Liegen auf dem Rücken; eine ungewöhnliche, unordentliche Lage auf dem Bauche mit ausgestreckten Händen, Kopf, Halse; Herunterhängen der Füße aus dem Bette; seltsame Verwicklung der Hände und Füße; beständiges Herunterschurren zu den Füßen; kalte Gliedmaßen; glühende Hände bey kalten Armen; Entblößen der Hände und Füße, des Halses, der Brust, obschon sie kalt sind (Danz §. 211.)

Alles dieß sind Zufälle, welche mit dem Gefühl von Kraftlosigkeit verbunden sind, und durch dasselbe als gegenwärtig oder zukünftig angezeigt werden.

§. 234.

Zu den unbehaglichen, wiewohl nicht mit einem bestimmten Schmerze nothwendig verbundenen, Gefühlen gehört auch der Schwindel, oder diejenige krankhafte Erscheinung, wo einem Menschen fremde Farben vor den Augen schweben, wo er Alles undeutlich, doppelt sieht, wo Alles um ihn in einem Kreise herum zu gehen scheint, wo ihm endlich die Füße wanken und er in Gefahr ist, niederzustürzen, wenn er sich nicht an einem Gegenstand fest hält. Schwindel, der vom Andrange des Bluts nach dem Kopfe, von Unreinigkeiten der ersten Wege, von Ueberladung des Magens, von Blähungen, von Krämpfen, von überspannter Einbildungkraft herrührt, wobey die übrige Leibesbeschaffenheit noch gut ist, ist meist leicht zu heilen, und mit keiner Gefahr verbunden. Bey sehr reizbaren, bey hypochondrischen, hysterischen Personen ist er ein gewöhnlicher Zufall, der nichts zu bedeuten hat. Am gefährlichsten ist der Schwindel, der von Metastasen auf das Hirn, von Kopfverletzungen, überhaupt von örtlichen Fehlern im Hirne herrührt; so wie der, welcher mit großer Erschöpfung der Kräfte und andern üblen Zufällen verbunden ist. Schwindel geht häufig Ohnmachten, Schlagflüssen, der Schlafsucht, Lähmungen, Convulsionen, voraus, und zieht sie nach sich, wenn er anhaltend und seine Ursache nicht zu entdecken und zu heben ist. Starker Schwindel bey Leuten von guter Leibesbeschaffenheit kündigt im Anfange hitziger Krankheiten meist Heftigkeit derselben, und bey Blattern öfters zusammenfließende an (Danz §. 300. 301.). Eben so gehört hieher das Gefühl von Schwere in den Schläfen. Dieses, mit Kopfschmerzen, Verdunkelung der Augen, verbunden, geht dem Nasenbluten voraus; und auf heftiges fühlbares Klopfen der Schlafarterien folgen oft Delirien, Convulsionen, Nasenbluten. Es ist ein gefährliches Zeichen wenn die Schlaf- und Halsarterien heftig pulsiren, indeß der Puls an der Hand schwach und ohnmächtig schlägt (Danz §. 390.).

§. 235.

Zu den unbehaglichsten Gefühlen gehört der Ekel und die Uebelkeit. Der Ekel (fastidium) kommt gewöhnlich von Unreinigkeiten der ersten Wege her. Im Anfange der Krankheiten, besonders der Fieber, ist er meistens vorhanden; und wenn sich nur bey der Abnahme einer Krankheit Appetit wieder einfindet, so ist dieß besser, als wenn es umgekehrt ist. Ein anhaltender Ekel vor Speisen aber, sowohl in chronischen als hitzigen Krankheiten, besonders am Ende derselben, wenn der Kranke sehr entkräftet ist, und andere üble Zeichen zugegen sind, ist eine üble Vorbedeutung. Bey Schwangern, Hysterischen, Hypochondrischen, Melancholischen, hat er weniger zu bedeuten, wenn er nur nicht zu lange anhält. Hier rührt er gewöhnlich von einer widernatürlichen Beschaffenheit des Nervensystems, von einer kranken Einbildungskraft her, und zeigt bey der letzteren Hartnäckigkeit des Uebels, und wenn es fortdauert, den Tod an. Kinder, die, ohne daß man eine Ursache aufzufinden weiß, Ekel vor Speisen haben, die die genommenen Speisen nicht hinunterschlucken, sondern in dem Munde hin- und herwerfen, sterben meistens den dritten, vierten, oder fünften Tag. Auch in hitzigen Krankheiten ist es gefährlich, wenn Kranke die genommenen Speisen, Getränke, Arzneyen wieder auspucken. Die Uebelkeit (nausea) zeigt gewöhnlich einen widernatürlichen Reiz der Magennerven an. Sie deutet daher: entweder auf einen zu reichlichen Genuß von Speisen, oder von schwerverdaulichen Speisen; oder auf eine gallichte, ranzige, saure Schärfe, die sich entweder in dem Magen selbst, oder in den benachbarten Därmen befindet; oder auf eine Anhäufung von Schleim in dem Magen; oder auf Winde, die den Darmkanal stark ausdehnen und den Magen reizen; oder auf Entzündung des Magens und der benachbarten Eingeweide; oder auf Zurückwirkung der Einbildungskraft auf die Magennerven, indem Leute beym Anblick oder auch bey der bloßen Erinnerung an Ekel erregende Sachen, oder überhaupt an solche Dinge, die ihnen vormals Uebelkeiten verursacht haben, gleich Uebelkeiten bekommen. Allgemeine Krämpfe, oder partielle, im Unterleibe. überhaupt Unordnungen im Nervensystem bringen leicht Uebelkeiten hervor; wie wir dieß bey Ohnmachten, beym Schwindel, bey starken Schmerzen, Kopferschütterungen, anhaltender gleichförmiger Bewegung des Körpers, wie in der Seekrankheit, sehen. So entstehen auch Uebelkeiten bey der Schwangerschaft, bey der Geburt, beym Kaiserschnitt, beym Steinschnitt, bey Bruchoperationen; weil hiebey Aeste des sympathischen Nerven, dessen Fäden alle wunderbar zusammenhängen, und von dem auch der Magen Nerven erhält, gereizt werden (Danz §. 120.). Im Anfange von Krankheiten sind Uebelkeiten, wenn sie von Unreinigkeiten der ersten Wege herkommen, und nach Ausleerung derselben verschwinden, keine Zeichen von Gefahr. Halten sie aber lange an, obgleich die ersten Wege mehrmals gereinigt worden sind, so ist dieß, besonders in Fiebern, ein übles Zeichen, weil der Kranke immer mehr an Kräften abnehmen, und die Verderbniß der festen und flüssigen Theile zunehmen muß, indem gewöhnlich

Ekel vor Speisen, Getränken, und Arzneyen, mit dabey ist (Danz §. 221.).

§. 236.

Hier ist auch der Ort, des Sodbrennens und des Stuhlzwangs zu gedenken. Das Sodbrennen (soda, ardor ventriculi), ein Gefühl von etwas Scharfem, Aetzendem, im Magen, ist ein Zeichen von Magenschwäche oder einer im Magen befindlichen Schärfe. Daher deutet es auf schlechte Verdauung, auf Schleim, Galle, schwarzgallichten Stoff, auf Hysterie und Hypochondrie, Schwangerschaft, Zurückhaltung des Monatlichen, und Hämorrhoidal-Anlage. Der Stuhlzwang (tenesmus) ist das Gefühl von Drang zum Stuhle ohne Erfolg, und zeigt einen heftigen Reiz, und Krämpfe im Mastdarm und After an. Mit Reissen und Schneiden im Leibe, nebst blutig-schleimigem Abgang verbunden, ist er ein Zeichen der Ruhr. Wenn er sich am Ende der Krankheiten, wo die Kräfte des Kranken schon aufgerieben sind, bey Wassersüchtigen, Schwindsüchtigen, zu Ende hitziger Fieber einfindet, und wenn er am Schlagflusse darniederliegende plötzlich befällt, so verkündigt er meistens den Tod. Nach starkem Stuhlzwange bey Schwangern erfolgt leicht Abortus und Absterben des Fötus. Rührt er von harten Excrementen, von Blähungen, von Würmern her, dann hat er nichts zu sagen (Danz §. 131.).

§. 237.

Endlich gehören zu den widernatürlichen Gefühlen, mit höchster Unbehaglichkeit, noch das Gefühl von Frost und Hitze. Das bloße Gefühl von Kälte heißt Frost (frigus s. algor), ist es aber mit einer unwillkührlichen Erschütterung und abwechselnden Zusammenziehung der Haut verbunden, Schauer (horror). Mit Schauer fangen die meisten Fieber an, und er ist ein Beweis der

Ansteckung. Mit Müdigkeit, Kopfweh verbunden, geht er oft der monatlichen Reinigung voraus. Obgleich ein starker Horror ein gutes Zeichen ist, indem er gute Naturkräfte anzeigt, die im Stande sind den Krankheitsstoff wieder auszustoßen, so zeigt er doch, wenn er heftig ist, eine starkwirkende Ursache, und eine schwere Krankheit an, besonders wenn er lange anhält. Eine gute Vorbedeutung ist es, wenn eine mäßige Hitze, Schweiß, oder eine andere Ausleerung darauf erfolgt, besonders im Fortgange der Krankheit, nach vorausgegangenen Zeichen der Kochung. Geschieht dieß nicht, und erfolgt keine Erleichterung darauf, obgleich Zeichen der Kochung vorausgegangen sind, repetirt er öfters: so beweist er eine üble Ablagerung der Krankheitsmaterie und Gefahr, besonders wenn er mit andern üblen Zufällen verbunden ist; sonst aber auch kritische Abscesse. Ueberhaupt ist Horror ein böses Zeichen, wenn er in hitzigen Krankheiten häufig repetirt, wenn er nach starken symptomatischen Ausleerungen sich einfindet, oder kritische unterbricht. Daher ist ein starker Schauer zur Zeit des Ausbruchs der Blattern, Masern u. s. w., eine ungünstige Vorbedeutung. Oefterer Schauer, mit darauf folgender großer trockner Hitze, kündigt innere Entzündungen an. Bey schon vorhandenen Entzündungen verräth Horror anfangende Eyterung, oder, mit üblen Symptomen verbunden, den Brand. Daher er bey Lungen- und Brustentzündung immer ein ungünstiges Zeichen ist, wenn keine Crisis zu erwarten ist. Häufiger, schnell vorübergehender Schauer, hauptsächlich im Rücken, mit gelindem, besonders etwas kaltem Schweiße, deutet in Krankheiten schweres oder unterdrücktes Harnen an, und nach Unterdrückung des Harns, Entzündung oder Brand der Harnblase. Auf öftern Schauer, wobey die Respiration ängstlich, schwer, seufzend, der Puls geschwind und klein ist, der Kranke eine prickelnde Empfindung in der

Haut, Taubheit in den Fingern fühlt, unruhig ist, die Augen trübe, wie mit einem Flor überzogen sind, folgt gewöhnlich Friesel. Der Schauer, welcher zu bestimmten Zeiten zurückkehrt, bezeichnet die intermittirenden Fieber. Dieser ist selten gefährlich, obgleich meistens die Kranken, besonders Alte, die an diesen Fiebern sterben, zur Zeit des Frostes getödtet werden. Nach einer glücklichen Entscheidung einer Krankheit kündigt ein neu entstandener Horror ein Recidiv an. Am gefährlichsten und furchtbarsten ist der Schauer, wobey der Kranke einen unauslöschlichen Durst hat, und innerlich gleichsam zu verbrennen glaubt. Meistens folgt der Tod bald darauf (Danz §. 95.). Der Frost ist an sich kein gutes Zeichen, weil er unterdrückte, oder gar erschöpfte Kräfte, gehinderte Respiration und gestörten Umlauf des Bluts, und Mangel an thierischer Wärme anzeigt. Im Anfange hitziger Krankheiten hat Frost weniger zu sagen, wo er blos von unterdrückten Kräften herrührt. Bey heftigen Entzündungen, Ruhren, zurückgetretenen Ausschlägen kündigt er Brand und den Tod an, besonders wenn der Kranke sich über ein Gefühl von Kälte an dem Theile, der entzündet ist, beklagt; wie z. B. im Unterleibe bey Kindbetterinnen. Bey Nervenkrankheiten geht ein Gefühl von Kälte, entweder am ganzen Körper, oder an einzelnen Theilen, besonders am Halse, Nacken, Rücken, öfters einem neuen Anfalle voran. Kranke, welche unter beschwerlichem Athemholen ein öfters wiederkehrendes Frösteln, entweder im ganzen Umfange der Brusthöle, oder nur auf einer Stelle derselben, oder nach der Richtung des Rückgrats oder des Brustbeins fühlen, ohne daß zugleich der übrige Körper fröstelt, sind Brustwassersüchtig (Danz §. 96.). Ueber die Hitze des Kranken, wiefern sie auch äußerlich wahrgenommen werden kann, s. zum Theil den §. 78. Hier nur dasjenige, was blos das Gefühl des Kranken angeht. Oertliche, anhaltende Hitze in einzelnen Theilen, zeigt entweder Entzündung oder Neigung dazu an. Je wichtiger die Theile sind, die sie befällt, desto gefährlicher wird diese Erscheinung. Auf starke Hitze im Kopf, die vielleicht noch mehr dem Kranken fühlbar als dem Arzte erkennbar ist (s. §. 78.), folgt leicht Wahnwitz, Convulsionen, und ein schneller Tod. Beklagt sich der Kranke innerlich sehr über Hitze, und ist äußerlich nicht sehr warm, oder gar kalt, so ist dieß eine furchtbare Vorbedeutung.

§. 238.

Nun sind noch diejenigen Gefühle zu erwähnen, welche an sich natürlich sind, aber durch ihre Beschaffenheit in Krankheiten, ihre Heftigkeit, und die widernatürlichen Verhältnisse, in denen sie erscheinen, zu Krankheitszufällen und Zeichen werden; nehmlich: Hunger und Durst. Ein mäßiger Appetit, der im Verlaufe der Krankheit fortdauert, ist immer ein gutes Zeichen, besonders wenn sich der Kranke nach dem Genusse der Speisen wohl befindet. Wir schließen daraus auf einen reinen Magen und Darmkanal, so, daß diese ihre Verrichtungen gehörig vollbringen; und ferner, auf gute Beschaffenheit der Säfte (Danz §. 113.). Ein allzustarker, ungewöhnlicher Appetit ist ein Zeichen einer Schärfe, welche den Magen reizt, und nie gut, weil dadurch immer mehr zu Verderbniß der Säfte und Anhäufung von Unreinigkeiten Anlaß gegeben wird. Oefters rührt er auch von einer kranken Einbildungskraft, oder von einer besondern, eigenen Beschaffenheit des Nervensystems her, wie bey Schwangern, Hysterischen, Epileptischen. Hier bedeutet er zwar an sich nichts Uebels, läßt aber doch gewöhnlich üble Folgen, wenn er in reichem Maße befriediget wird, nach sich. Entsteht schnell, ohne eine zu ergründende Ursache, ein ungewöhnlich starker Appetit, so kündigt er bey Gesunden öfters eine Krankheit, in Krankheiten aber, z. B. bey Schwindsüchtigen, Ausgezehrten den bevorstehenden Tod an. Auch in hitzigen Krankheiten, vor der Entscheidung derselben, ist er ein sehr gefährliches Zeichen. Nimmt aber der Appetit nach und nach zu, so ist dieß, unter sonstigen guten Zeichen, eine Vorbedeutung eines glücklichen Ausgangs (Danz §. 114.). Der stärkste Grad des Appetits ist der Hunger (fames). Ein allzulang erduldeter Hunger tödtet auch dann, wenn er zu schnell befriedigt wird. Alte Personen können längere Zeit hungern, als jüngere. Der Hundshunger (fames canina, s. cynorexia), wo das Genossene theils ausgebrochen wird, theils durch den Stuhlgang unverdaut abgeht; der Heißhunger (bulimos), welcher von Ohnmachten begleitet wird, sind keine guten Zeichen, wenn ihre Ursache nicht bald entdeckt und entfernt wird. Dauern sie lange, so lassen sie gern cachektische Krankheiten; Wassersucht, Auszehrung, chronische Diarrhöen, zurück (Danz §. 115.). Die Lust zum Genusse eigener, oder gerade zu dieser Zeit ungewöhnlicher Speisen (pica), oder zu ganz besondern, Abscheu erregenden, Dingen (malacia), kommt bisweilen von Verstandesverrückung, von einer kranken Einbildungskraft, wie bey Hysterischen, Melancholischen. In chronischen Krankheiten ist ein solcher verdorbener Appetit ein übles Zeichen, indem er Langwierigkeit, und öfters einen tödtlichen Ausgang anzeigt. Durch den Eintritt der Mannbarkeit und der monatlichen Reinigung wird er öfters entfernt. In hitzigen Krankheiten, besonders bey sehr geschwächten, nicht delirirenden Kranken ist die große Begierde nach solchen, ihnen sonst Ekel verursachenden Speisen ein sehr gefährliches Zeichen, worauf häufig der Tod erfolgt. Bey Schwangern hat der Appetit zu abgeschmackten, ungewöhnlichen Dingen nichts zu bedeuten. Auch der gänzliche Mangel an Eßlust verdient hierein Wort der Betrachtung, weil auch er nicht ohne Mißbehagen ist. Gewöhnlich kommt er von Unreinigkeiten, oder einer sonstigen üblen Beschaffenheit des Magens und Darmkanals her, und geht häufig als Vorbote Krankheiten voraus. Man findet ihn gewöhnlich am Anfange der meisten Fieber. Uebel ist es, wenn sich bey Genesenden der Appetit nicht wieder einfindet, weil sie leicht Recidiven oder chronischen Krankheiten unterworfen sind. So ist auch in chronischen Krankheiten ein lange anhaltender Mangel des Appetits keine gute Vorbedeutung, weil dadurch Kraftlosigkeit, Verdorbenheit der festen und flüssigen Theile zunehmen muß (Danz §. 117.). Der Durst ist ein gewöhnliches Zeichen der Fieber. Daher schließen wir z. B. in chronischen Krankheiten, bey Schwindsucht, Wassersucht, aus dem Durste auf das sich einstellende Fieber. Er ist aber doch nicht in allen Fiebern vorhanden. Ein mäßiger Durst ist immer in Fiebern ein gutes Zeichen, unter sonst guten Umständen, weil er mindere Heftigkeit der Krankheit beweiset. Ist aber aber das Fieber stark, die Hitze brennend, die Lippen, Zunge, Mund, Rachen, trocken, und ist doch der Durst nur gering: so ist dieß ein sehr böses Zeichen, als ein Beweis der Empfindungslosigkeit des Kranken und der Bösartigkeit der Krankheit (Danz §. 110.). Ein starker Durst (polydipsia), der gar nicht zu löschen ist, zeigt immer Heftigkeit der Krankheit an, eine starke, reizende Schärfe im Körper, welche vermehrte Circulation des Bluts, und dadurch Beraubung des serösen Stoffs desselben, oder Verengerung der kleinsten absondernden Gefäße, hervorbringt. Es folgen darauf gewöhnlich Nachtwachen, Delirien, Rasereyen, Convulsionen. Zuweilen, jedoch selten, ist in hitzigen Krankheiten das häufige Trinken nicht Folge der Krankheit, sondern der Verstandesverrückung (Danz §. 111. Allein diese selbst ist doch wenigstens Symptom der Krankheit in solchen Fällen, und der Durst in denselben darum immer charakteristisch.) Oefters entsteht auch ein unmäßiger Durst in Krankheiten vom häufigen Gebrauche salinischer Mittel. Ein unmäßiger Durst, der mit üblen Zeichen verbunden ist, wobey Mundhöhle und Zunge äußerst trocken sind, ist immer eine böse Vorbedeutung, besonders wenn das Hinunterschlucken mit einem Geräusche verbunden ist. So ist auch ein starker Durst, bey und nach Diarrhöen, Ruhren, starken Schweißen, oder nach andern dergleichen Ausleerungen, ein übler Beweis des Mangels an Serum im Blute. Ein starker Durst, wobey aber doch der Kranke einen großen Abscheu vor allem Flüssigen hat, und heftige Convulsionen bekommt, wenn er es an den Mund bringt, und es daher nicht hinunterschlucken kann, ist ein Kennzeichen der Hydrophobie. Sonst vernünftige Personen, die in Krankheiten ganz ungewöhnliche Getränke verlangen, deliriren meistentheils. Es ist ein gefährliches Zeichen. Bedenklich ist es, wenn der Durst, ohne daß die Krankheit sich vermindert, und vor der Entscheidung derselben, auf einmal plötzlich nachläßt, oder wenn die Kranken, obgleich die Hitze sehr stark, und Mundhöle, Zunge und Rachen sehr trocken sind, gar nichts zu trinken verlangen, oder wenn bey feuchter Zunge der Durst sehr stark ist: denn dieß zeigt von großer Empfindungslosigkeit, droht Gefahr, und öfters den Tod (Danz §. 111. 112.).

B. Abnormität der Empfindungen (Sinnes-Affectionen,) als Zeichen.

§. 239.

Getast und Gefühl. In Beziehung auf das erstere ist hier die Taubheit, Abgestumpftheit der Tastorgane zu bemerken, von welcher aber schon früherhin an mehreren Orten gesprochen worden ist. Hier nur so viel: Fühllosigkeit (stupor), oder vielmehr Betäubtheit, theils des Getastes, theils des äußern Empfindungsvermögens überhaupt, rührt häufig von Vollblütigkeit her, und geht daher Schlagflüssen, Lähmungen voraus. Bey starken Katarrhen, bey Kopfwassersucht, bey Kopfwunden, bey Hirnerschütterung, bey Delirien, beweiset eine solche Fühllosigkeit, entweder des ganzen Körpers oder einzelner Theile, mit Schlafsucht verbunden, wichtige Verletzungen des Gehirns; Fühllosigkeit des Theils, der entzündet ist, läßt Brand befürchten. Taubheit in den Fingern, ohne oder mit einer krampfigen Spannung und Steifigkeit der Hände und Füße, geht zuweilen dem Ausbruche des Friesels voraus. Manchmal kündigt Fühllosigkeit, nach vorausgegangenen Zeichen der Kochung, an kritischen Tagen, eine Entscheidung, wie z. B. durch Schweiße, Blutflüsse, Brechen u. s. w. an. In Verbindung mit andern üblen Zufällen deutet dieselbe große Gefahr an (Danz §. 260.). Eine ganz entgegengesetzte Affection, mit ganz verschiedener Bedeutung, ist die Erhöhung des Gemeingefühls. Sie ist gemeiniglich mit erhöhter Reizbarkeit verbunden, und häufig eine Folge schmerzhafter Krankheiten. In einem hohen Grade findet man sie in vielen Nervenkrankheiten, wie z. B. in der Wasserscheu (Danz §. 220.).

§. 240.

Geruch. Kann ein Kranker verschiedene Gerüche gehörig unterscheiden, so ist dieß ein gutes Zeichen. Ein zu feiner, überspannter Geruch rührt öfters von einem vermehrten Andrange des Bluts nach dem Kopfe her, und geht Nasenbluten voraus; durch eben diese Ursachen wird aber auch der Geruch häufig abgestumpft. Bey katarrhalischen Krankheiten, beym Schnupfen, ist das Gefühl des Geruchswerkzeugs vermindert, stumpf. Geruch=

losigkeit, mit großer Erschöpfung der Kräfte verbunden, ist meistentheils ein tödtliches Zeichen (Danz §. 278.). Oefters beklagen sich die Kranken über einen anhaltenden stinkenden Geruch. Dieser deutet entweder auf Geschwüre in der Nase, Mundhöhle, in den Lungen, oder kommt vom Aufstoßen aus dem Magen her, oder beweiset, daß der Kranke nicht bey sich ist. Rührt er von einer faulichten, sehr stinkenden Ausdünstung aus den Lungen, oder aus der Oberfläche der Haut, so ist er meistens ein gefährliches, tödtliches Zeichen. Bedenklich ist es auch, wenn sich Kranke, die bey sich sind, immer über einen unangenehmen, ekelhaften Geruch beklagen, wovon man keine Ursache auffinden kann (Danz §. 279.).

§. 241.

Geschmack. Aus der Beschaffenheit des Geschmacks schließt man meist auf das Befinden der Lungen, des Magens, und wie die Verdauung von Statten geht. Oefters wird auch der Geschmack von Fehlern des Speichels, von Geschwüren im Munde, von cariösen Zähnen, fehlerhaft. Der Geschmack wird abgestumpft, vermindert, bey großer Trockenheit des Mundes, Mangel an Speichel, wenn die Nervenwärzchen mit dickem, zähem Speichel überzogen sind, bey großem Andrange des Bluts nach dem Kopfe; wie z. B. bey entzündlichen, catarrhalischen Fiebern, beym Schnupfen u. s. w. Ist hiervon ein großer Andrang des Bluts nach dem Kopfe, ein Extravasat, oder eine Hirnerschütterung, oder eine Metastase auf das Gehirn die Ursache: so folgen Delirien, Convulsionen, Schlagflüsse, Schlafsucht darauf. Ein widernatürlich feiner Geschmack zeigt überspannte Empfindlichkeit der ganzen Körpers, oder örtliche der Zunge, des Gaumens des Rachens an. Man findet ihn manchmal bey hysterischen, hypochondrischen, scorbutischen Personen, bey

Schwämmchen (*Danz* §. 181.). Ein *fremder irriger* Geschmack von genossenen Speisen, Getränken oder Arzneyen, wenn er nicht von einer fehlerhaften Einbildungskraft herrührt, läßt Unreinigkeiten der ersten Wege, fehlerhafte Absonderung des Speichels, oder unreine kranke Ausdünstung aus den Lungen vermuthen. Ein unangenehmer Geschmack im Munde zeigt meist gestörte Verdauung an (*Danz* §. 282.). Aus dem *bittern* Geschmacke schließen wir auf gallichte Unreinigkeiten der ersten Wege; welcher Satz beynahe so alt als die Heilkunde ist. Und in der That finden wir bey bitterm Geschmacke, gelbbelegter Zunge, Drücken in der Herzgrube, meist Galle im Magen, besonders wenn der Geschmack nach jedesmaligem Aufstoßen bitter ist. Zuweilen ist der Geschmack bitter, wenn sich Eyter in den Lungen befindet, wo er dann von sehr übler Bedeutung ist. Ein *süßer* Geschmack geht öfters Blutspeyen voraus; man bemerkt ihn auch beym Eyterauswurfe Lungensüchtiger, wo er aber auch zuweilen salzig ist. Der *salzige* Geschmack, mit häufigem Auswurfe verbunden, zeigt nicht selten einen glücklichen Ausgang in hitzigen Brustkrankheiten an. Ein *saurer* Geschmack verräth Ueberfluß an Säure und fehlerhafte Verdauung in Krankheiten des Magens, in Nervenkrankheiten Abartung der Säfte durch Nervenreiz. Ein *fader, strohähnlicher, erdiger* Geschmack läßt schleimige Unreinigkeiten des Magens vermuthen. Ein *rindöser, faulichter* Geschmack, wobey den Kranken alles anstinkt, zeigt faulichte Unreinigkeiten der ersten Wege, Neigung der Saftmasse zur Fäulniß, den anfangenden Brand innerer Eingeweide an. Der *kupferrostige* Geschmack, in und nach Wechselfiebern, deutet auf Recidive. Ein unerträglicher Geschmack auf der Zunge findet sich oft bey verborgenen Brustgeschwüren. Völlige Genesung haben wir zu erwarten, wenn am Ende, oder

R 2

nach der Entscheidung der Krankheiten der Geschmack sich wieder einfindet. Die gestörte Dauung ist meist so lange noch nicht wieder hergestellt, als die Genesenden den eigentlichen Geschmack der Speisen und Getränke nicht unterscheiden können (Danz §§. 283. 284.).

§. 242.

Gesicht. Klagt der Kranke in hitzigen Fiebern, daß er nicht sehen könne, so ist dieß ein gefährliches Zeichen, und meist tödtlich, wenn die übrigen vorhandenen Zufälle die große Erschöpfung der Kräfte bestätigen. Auch bey dem Schlagflusse, bey der Epilepsie ist dieß ein gefährlicher Zufall. Bey Schwangern verschwindet plötzlich entstandene Blindheit meist erst nach der Geburt. Zuweilen rührt sie auch von Unreinigkeiten der ersten Wege, von Würmern her; hier leiden also die Augen blos consensuell, und diese Blindheit ist leicht zu heilen. Vermindertes Vermögen zu sehen, verdunkeltes, trübes, undeutliches Sehen ist in hitzigen Krankheiten ein gefährliches Zeichen, welches Unterdrückung oder Erschöpfung der Kräfte andeutet, und wenn es die übrigen gegenwärtigen Zufälle bestätigen, wenn sich häufige Ohnmachten einfinden, Convulsionen, Schlagflüsse und den Tod. Ist es dem Kranken nicht hell genug im Zimmer, so ist dieß ein tödtliches Zeichen, wie man dieß zuweilen im Kindbetterinnenfieber bemerkt. Verdunkeltes, stumpfes Sehen nach Kopfverletzungen, zeigt starke Erschütterung oder Extravasat im Gehirne und Gefahr an. Zuweilen geht auch Verdunkelung des Sehens einem kritischen Nasenbluten oder Brechen voraus, und rührt häufig von Unreinigkeiten der ersten Wege her, die nach oben turgesciren. Bey Hypochondrischen, Hysterischen kündigt es manchmal einen neuen, heftigeren Anfall an. Wenn sich Leute über Flocken, die ihnen vor den Augen herumfliegen, beklagen, so haben wir in hitzigen Krankheiten Delirien, bey sonst gesunden aber, schwarzen oder grauen Staar zu befürchten. Feuerfunken vor den Augen rühren von einem großen Andrange des Bluts nach dem Kopfe her, und lassen bevorstehende Schlafsucht, Schlagfluß, Convulsionen, Hirnwuth argwöhnen, und zur Zeit einer zu erwartenden Crisis ein kritisches Nasenbluten. Manchmal entstehen sie blos von Unreinigkeiten der ersten Wege. Wenn Kranke Dinge sehen, die nicht zugegen sind, oder wenn sie Gegenstände anders sehen als sie sind, so sind dieß gefährliche Zeichen, besonders in Verbindung mit andern üblen Zufällen. Das Doppelsehen (diplopia), bey großer Erschöpfung der Kräfte in hektischen und andern Fiebern, geht meistens dem Tode voraus. Zu große Empfindlichkeit der Augen in hitzigen Krankheiten, so daß sie kein Licht vertragen, ist ein übles Zeichen. So ist auch bey Entzündung der Augen, wenn sie in äußerlichen Theilen nicht stark ist, wenn die Schmerzen aber sehr heftig und die Augen sehr empfindlich sind, dieß ein Beweis, daß die innern Theile des Auges leiden, daß also Blindheit zu fürchten ist. Ein Schmerz im Augapfel, ohne Entzündung, ist ein gefährliches Zeichen in hitzigen Fiebern. Uebrigens ist noch zu bemerken, daß bey vorstehenden Krisen, z. B. durch Schweiß, Brechen, Durchfall, Nasenbluten u. s. w., die Augen sich öfters sehr verändern, ohne daß Gefahr zu befürchten, sondern vielmehr Genesung zu erwarten ist. Hier muß man also auf die Zeit der Krankheit, auf die vorausgegangenen Zeichen der Kochung, und auf die übrigen Zufälle Rücksicht nehmen. Wenn zwar das Sehen unverletzt, aber die Pupille sehr erweitert ist, so zeigt dieß meist eine schwächliche Körperbeschaffenheit an, und wird unter die Zeichen gerechnet, welche Würmer und schleimichte Unreinigkeiten der ersten Wege verrathen. Man muß aber dabey mit auf die übrigen vorhandenen

Zeichen Rücksicht nehmen. Beym innern Wasserkopf ist meist das Sehloch sehr erweitert, welches sich verengert, so bald mehr Licht ins Auge fällt, darauf aber bey dem nehmlichen Lichte seine vorige Größe wieder annimmt. In hitzigen Krankheiten ist eine starke Erweiterung des Sehelochs ein gefährliches Zeichen, als Beweis der Unthätigkeit des Gehirns; daher man dieß bey Ohnmachten, bey übermäßigem Gebrauche des Opiums, bey der Schlafsucht, bey ruhigen Delirien in bösartigen Fiebern bemerkt. Ein erweitertes Sehloch, das sich auch beym vermehrten Lichte nicht verengert, gehört unter die Zeichen des schwarzen Staars. Ein kleines Seheloch zeigt gehörige Reizbarkeit und daher ein gutes Gesicht an. Bey Ascariden in den Därmen ist das Seheloch öfters sehr verengert, und erhält seine vorige Weite wieder, wenn sie ausgetrieben sind. (Danz §§. 268—272.).

§. 243.

Gehör. Wenn die Verrichtungen des Gehörorgans unverletzt bleiben, so rechnet man dieß mit Recht unter die guten Zeichen in Krankheiten. Je mehr oder weniger sie widernatürlich beschaffen sind, desto mehr oder weniger sind sie gefährliche Zeichen in Krankheiten. Ein zu sehr erhöhtes, feines Gehör in Krankheiten, wo das geringste Geräusch schmerzhafte Empfindungen hervorbringt, zeigt überspannte Empfindlichkeit der Nerven, und läßt Convulsionen, Delirien, und Entzündung der innern Theile des Ohrs befürchten (Danz §§. 273. 274.). Schwerhören oder Taubheit rührt häufig in Krankheiten von einem großen Andrange des Bluts nach dem Kopfe her, und hat öfters, nach vorausgegangenen drückenden Kopfschmerzen und Schwindel, Schlagflüsse, Convulsionen, Delirien zur Folge. Sind Zeichen der Kochung vorausgegangen, so kündigt es Nasenbluten, oder einen andern kritischen Blutfluß, oder Brechen, Schweiß, Abscesse an den Ohrendrüsen, Durchfälle, an. Sehr häufig lagert sich in hitzigen Fiebern die Krankheitsmaterie auf das Ohr, verursacht Taubheit, und wird durch Abscesse, Eyterausfluß ausgeführt. Uebel ist es, wenn auf eine solche Taubheit Verstandesverirrung erfolgt, da Convulsionen und Tod zu fürchten sind. Taubheit in hitzigen Krankheiten mit großer Erschöpfung der Kräfte und mit andern üblen Zufällen ist ein gefährliches, meist tödtliches Zeichen. Bey Kopfwunden ist eine anhaltende Taubheit ein bedenklicher Zufall, als ein Beweis einer starken Hirnerschütterung, oder eines Extravasats. Ohrenbrausen und Ohrenklingen verräth einen großen Andrang des Bluts nach dem Kopfe, und läßt uns in hitzigen Krankheiten, Convulsionen, Delirien, Schlagflüsse befürchten; an kritischen Tagen aber, nach vorausgegangenen Zeichen der Kochung haben wir ein heilsames Nasenbluten, oder eine Diarrhöe zu erwarten. Bey epileptischen, hysterischen, hypochondrischen Personen, und bey solchen, die zu Ohnmachten geneigt sind, geht das Ohrenbrausen neuen Anfällen voraus. Bey sonst gesunden Leuten ist es auch öfters ein Vorläufer schwerer Krankheiten. Wenn Kranke etwas zu hören behaupten, was die Umstehenden nicht vernehmen und was nicht vorhanden ist: so zeigt dieß Verstandesverwirrung an, und kommt häufig vom Ohrenbrausen her, welches sie aber nicht unterscheiden können (Danz §§. 273 — 277.).

C. Subjective Spontaneität.

a) Gemüthsstimmung als Zeichen.

§. 244.

Standhaftigkeit, guter Muth, Gelassenheit, Gedulд, sind gute Zeichen in allen Krankheiten;

denn durch Niedergeschlagenheit, Kleinmuth, Ungeduld, werden chronische Krankheiten verlängert und hitzige verschlimmert, besonders Ausschlagskrankheiten, welche dadurch zurückgetrieben werden. Die Verdauung kommt daher in Unordnung, zu Anhäufung von Unreinigkeiten wird Gelegenheit gegeben, indem die Kräfte erschöpft, und Krämpfe, Delirien, hervorgebracht werden. Eine ungemeine Niedergeschlagenheit des Geistes äußert sich oft vor dem Ausbruche des Friesels, sie kommt wieder, wenn die Flecken zurücktreten, sie bleibt mehrentheils, wenn bey einer eingeschlossenen Luft, starkem Zudecken und hitzigen Arzneyen die Flecken bleiben; man sieht aber auch, daß der Kranke plötzlich stirbt, wenn ihn nahe an dem glücklichen Ausgange dieser Krankheit eine unwillkührliche Furcht überfällt; so wie er nicht stirbt, wenn er in dieser Krankheit den Tod wünscht, weil er ihn nicht fürchtet, wenn er ihn wünscht (Danz §. 287.). Unter die für einen Kranken heilsamsten und erquickendsten Stimmungen des Gemüths gehört die Hoffnung, an welche sich Freude und Liebe anschließt, obgleich letztere, wenn sie in einem zu starken Grade, besonders bey schwächlichen, zu reizbaren Kranken plötzlich entstanden, gefährliche und tödtliche Folgen nach sich ziehen können. Ein nicht zu befriedigendes Verlangen, Geiz, Ehrgeiz, Haß, Neid, Eifersucht, Schande, Traurigkeit, Verzweiflung sind schleichende Gifte für unsern Körper. Zorn, Furcht und Schrecken verursachen Unreinigkeiten, ermüden, unterdrücken und erschöpfen selbst die Kräfte, verschlimmern Krankheiten, verursachen Recidive, und öfters tödten sie plötzlich. In chronischen Krankheiten, bey Stockungen, Lähmungen u. s. w., sind sie doch zuweilen Heilmittel (Danz §. 288.). In den gefährlichsten Krankheiten lassen sich zuweilen die Kranken schlechterdings nicht bereden daß sie krank seyen; und dieß ist meistentheils ein tödtliches Zeichen. So hoffen öfters Wassersüchtige, Auszehrende, besonders Lungenschwindsüchtige bis zur Stunde des Todes noch Genesung, welches nicht so wohl Liebe zum Lebensgenusse, als vielmehr Folge ihrer Krankheit ist. Wenn die Kranken bey der höchsten und gefährlichsten Stufe ihrer Krankheit immer behaupten, sie befänden sich wohl, so ist der Tod nicht fern. Plötzliche Stille und Gelassenheit in einer sehr schmerzhaften und die Seele ängstigenden Krankheit, bedeutet was die plötzliche Verschwindung der Schmerzen in einer Entzündung der Därme, den Tod. Gleichgültigkeit bey Kranken, besonders bey solchen, die in gesunden Tagen sehr für ihr Leben besorgt waren, die sich um jedes Ereigniß des Tages, hauptsächlich ihre Familie und Haushaltung bekümmerten, verräth eine schwere und gefährliche Krankheit, und geht Delirien und dem Tode voraus. Ueberhaupt ist es kein gutes Zeichen in Krankheiten, wenn sich die Sinnesart, die Denkungsart, die Sitten eines Kranken plötzlich verändern, so daß z. B. ein sonst gutmüthiger Mensch plötzlich wild wird, seine Freunde und Verwandte rauh und grob behandelt; wenn er wider Gewohnheit traurig ist, gleich weint; wenn ein sonst empfindlicher Mensch bey den heftigsten Schmerzen ruhig, geduldig ist, wenn ein Kranker ungewöhnlich geschwätzig oder still ist; wenn sich seine Einbildungskraft mit lauter schrecklichen Vorstellungen beschäfftigt; wenn er keine Zuneigung zu seinen Verwandten, Freunden und Bekannten bezeigt; wenn er sie nicht mehr erkennt u. s. w. Angst und ängstliches Hin- und Herwerfen in Krankheiten entsteht, wenn das Blut nicht gehörig circulirt, wenn Respiration, Circulation des Blutes durch die Lungen nicht gehörig von Statten geht, wenn örtliche Fehler im Herzen und in den größern Gefäßen vorhanden sind, wenn eine reizende Schärfe in den ersten Wegen stockt oder in der Saftmasse sich befindet und Krampf verursacht, bey Infarcten, bey Verstopfungen im Unterleibe, beym Aufschwellen der Präcordien, bey einem zu starken Andrange des Blutes nach der Brust, bey Kummer, Sorgen, Traurigkeit u. s. f. Häufig geht Angst kritischen Ausleerungen, als Brechen, Diarrhöen, Schweißen, Abscessen, besonders hinter den Ohren, Blutflüssen u. s. w., voraus. Eine nicht zu lindernde Angst, Beklemmung, Zusammenschnürung der Brust, besonders in der linken Seite, als wenn ein schweres Gewicht darauf läge, und daher rührendes öfteres Seufzen und ungleiches Athmen, verkündigen häufig Friesel. Ueberhaupt, wenn die Angst nach überstandenem Brechen, Durchfällen, Blutflüssen, nach dem Ausbruche von Hautausschlägen, wie Blattern, Masern, Friesel u. s. w., bald nachläßt; wenn sie von Krämpfen herrührt; wenn keine üblen Zufälle zugegen sind, dann hat sie nichts zu bedeuten. Rührt sie hingegen von örtlichen Fehlern in edlen Eingeweiden, von Scirrhen, Geschwüren der Lungen, der Leber, besonders aber von Entzündung, die dem Brand nahe ist, von wichtigen Wunden, von starken Blutflüssen oder von andern starken und schwächenden Ausleerungen, von zurückgetretenen Hautausschlägen, oder von andern Metastasen her, ist sie mit andern üblen Zufällen, als Schluchzen, Ohnmachten, Brechen, Durchfällen, Ruhr, mit Kälte der Gliedmaßen, kalten, örtlichen oder gar keinen Schweißen, Erstarren, Erschöpfung der Kräfte, verbunden, hält sie an, verschwindet sie nicht nach Ausleerungen, sondern wird vielmehr dadurch verschlimmert, so ist sie ein sehr gefährliches Zeichen. Die höchst mögliche Angst findet man bey Sterbenden, wo die Respiration äußerst beschwerlich, geschwind, seufzend, röchelnd, der Puls schwach, wankend, aussetzend wird, und endlich die Naturkräfte unter dem schweren und ungleichen Kampfe unterliegen. Angst verräth auch öfters, daß die Kochung gestört worden, daß ein Recidiv bevorstehe. Bey entzündlichen Krankheiten, bey Vollblütigen, verkündigt sie Delirien; bey hypochondrischen, hysterischen, epileptischen Personen, beym Keuchhusten neue Anfälle. (Dan §§. 287. 288. 289. 290.). Bey kritischen, heilsamen Ausleerungen geht manchmal Ungeduld, Kleinmuth, Niedergeschlagenheit voraus. Hier müssen die andern, vorausgegangenen und gegenwärtigen Zeichen zu Rathe gezogen werden.

§. 245.

Beschaffenheit der Geisteskräfte. Ein gutes Zeichen ist es in Krankheiten, wenn der Kranke seiner Einbildungskraft, seiner Beurtheilungskraft, seines Gedächtnisses Meister ist, überhaupt wenn er bey sich ist, wie man im gemeinen Leben sagt; obgleich auch Viele unter diesen Umständen sterben. Man muß dabey auf die übrigen Zeichen sehen. Ungewöhnlicher Witz und Verstand, so wie der schon erwähnte ungewöhnlich heitere Gemüthszustand, sind zuweilen sehr böse Zeichen, weil oft die Seelenkräfte zunehmen wie die Leibeskräfte abnehmen; welches man nicht selten bey Kindern beobachtet, die in ihren letzten Lebenstagen oft am liebenswürdigsten sind. In dem Wahnwitze (so weit er von körperlichen Affectionen abhängt), bedeutet die plötzlich wiederkehrende Vernunft den Tod, und in einer tiefen Melancholie zuweilen den Wahnwitz. Dummheit, Blödsinn (fatuitas), ohne gegenwärtiges oder zu erwartendes Delirium, bey in gesunden Tagen vernünftigen Menschen, ist in hitzigen Krankheiten ein gefährlicher Zufall, als Beweis, daß das Gehirn sehr leidet, daß die Kräfte unterdrückt oder erschöpft sind, und daß die Krankheit sehr bösartiger Natur ist. Bey Kopfwunden verräth Blödsinn wichtige Verletzungen des Gehirns, oder beträchtliche Hirnerschütterungen, Extravasat; und der Blödsinn, welcher nach solchen

Zufällen zurückbleibt, ist meist unheilbar. Eben so schwer, und meist gar nicht zu heilen ist der angeborne, oder von Alter herrührende Blödsinn, ferner der, welcher nach starken Ausleerungen, nach dem Mißbrauche des Aderlassens in der Raserey, nach Onanie, Samenflüssen, nach schweren Geburten mit heftigen Blutflüssen entsteht. Plötzlicher Verlust des Gedächtnisses, ohne eine aufzufindende Ursache, bey sonst Gesunden, kündigt öfters eine bevorstehende Krankheit, bey Hysterischen, Hypochondrischen einen neuen Anfall, bey Vollblütigen Wahnsinn, Schlagflüsse; in Krankheiten Delirien, Hirnwuth, Schlafsucht, den Tod an. Nach beträchtlichen Kopfverletzungen, Hirnerschütterungen, geht meist das Gedächtniß verloren. Verlust des Gedächtnisses vom Anfange einer Krankheit an bis Ende, oder blos während den Exacerbationen der intermittirenden oder hektischen Fieber ist immer ein bedenkliches Zeichen. Das Gedächtniß kann wieder gestärkt werden, wenn es nach starken Ausleerungen, entkräftenden Krankheiten, vermindert worden ist, in dem Falle nehmlich, wenn die Lebenskräfte wieder gehörig aufgerichtet werden können. Auch die Verminderung oder der Verlust des Gedächtnisses, der von Trunkenheit, schlafmachenden Arzneyen, Andrange des Bluts nach dem Kopfe, von Verstandesverwirrung herrührt, hat für sich nichts zu sagen, wenn die Ursachen nicht zu stark wirkend und zu anhaltend sind. Auch Blödsinn und Verlust des Gedächtnisses geht zuweilen heilsamen, kritischen Ausleerungen voraus (Danz §§. 292. 293. 294. 295.).

§. 246.

Delirium. Wenn die Entstehung der Vorstellungen in Fiebern mit den äußerlichen erregenden Ursachen nicht übereinkommt, sondern von einer inneren veränderten Beschaffenheit des Gehirns, die unwillkührlich entstanden ist, herrührt, wenn diesen mit den äußern Ursachen nicht übereinkommenden Vorstellungen nun auch die Beurtheilungskraft und die Bewegungen des Körpers und seiner Theile folgen, so sagt man, der Mensch delirire. Ist das Delirium anhaltend, so nennt man es gemeiniglich Hirnwuth (Phrenitis). Delirien für sich, sind in Fiebern keine gute Zeichen. Sie beweisen, daß das Hirn mittelbar oder unmittelbar leidet, und die Heftigkeit der Krankheit. Bey sehr reizbaren, jungen Personen haben sie im Ganzen weniger zu bedeuten, weil sie hier sehr leicht und nach geringen Reizen entstehen. Ueberhaupt sind die Delirien, die nicht heftig, nicht anhaltend sind, die blos während der Fieberverschlimmerung, des Abends oder Nachts sich einfinden, und wobey der Kranke, nach einem ruhigen Schlafe, oder in der Zwischenzeit bis zur nächsten Exacerbation, wieder bey sich ist, die vor der Entscheidung sich einfinden, und nach einer kritischen Ausleerung verschwinden, die mit den Kräften des Kranken übereinkommen, wenn keine andern üblen Zufälle zugegen sind, nicht gefährlich. Heftige, anhaltende Delirien mit großer Fieberhitze und starkem Andrange des Bluts nach dem Kopfe, lassen innere, gefährliche, tödtliche Entzündungen, Convulsionen u. s. w. befürchten, wenn noch keine Krisis zu erwarten ist. Verstandesverwirrung mit Schlafsucht ist ein Zufall bösartiger Krankheiten. Erfolgt Schlafsucht auf Delirien, so ist dieß eine meist tödtliche Vorbedeutung. Große Gefahr beweisen immer anhaltende, heftige Delirien mit innern Entzündungen, beschwerlichem Athemholen, mit Erstarren, kalten Extremitäten, starken, nicht erleichternden Schweißen, mit Zittern, Schluchzen, Zittern der Zunge, Schlafsucht, verbunden, nach gefährlichen ungünstigen Metastasen, nach dem unschicklichen und übermäßigen Gebrauche des Opiums, nach starken Nervenwunden, Kopfverletzungen u. dgl. Nach Delirien mit großer Unruhe, mit Angst, Bangigkeit vergesellschaftet, erfolgen öfters Blutflüsse, Ausbruch von Hautausschlägen, besonders des Friesels u. s. w. Delirien, wobey der Kranke nicht raset, sondern ganz stille ist, sich aber doch im Bette hin- und herwirft, sein Blick argwöhnisch, feurig, das Athmen groß, beschwerlich ist, wobey die Brust sehr erhoben wird, läßt Schlagfluß befürchten. Wird der Kranke, der vorher geraset hat, plötzlich ruhig, ohne daß er zu sich kommt, so beweiset dieß erschöpfte Kräfte, Lähmungen, bevorstehende Schlafsucht, und den Tod. Bey anhaltenden Delirien kehrt manchmal kurz vor dem Tode der Verstand wieder zurück. Am gefährlichsten ist das stille Delirium (delirium mite), das nach starken Ausleerungen, überhaupt bey großer, wahrer Entkräftung sich einfindet. Liegt der Kranke mit verschlossenen oder starren Augen, gleichsam als wenn er über etwas nachdächte, darnieder, erinnert er sich an nichts, sieht er nicht die Gefahr ein, in welcher er sich befindet, bejaht er immer, daß er sich sehr wohl befinde, liest er Flocken, hascht er nach Mücken, spielt, ohne daß er es weiß unwillkührlich auf der Bettdecke u. s. w., so ist er in großer Lebensgefahr, und der Tod ist meist nicht mehr ferne (Danz §§. 296. 298. 299.). Verlieren die Delirien den Charakter des Acuten, dann erhalten sie die Namen: Wahnsinn, Wahnwiz, Tollheit u. s. w., und deuten, vorausgesetzt daß diese Erscheinungen von unvernünftigem Reden und Handeln, nicht von psychischen Ursachen herkommen, auf idiopathische oder consensuelle Reize des Gehirns, auf organische Fehler des Gehirns, Verhärtungen, Geschwüre, Wasseransammlungen, Metastasen von zurückgetriebenen Ausschlägen oder Milchversetzungen; ferner: auf Abdominal-Reize, Infarcten, vorzüglich von atrabiliarischer Art, Würmer, Samenreiz, übermäßige Ausleerungen verschiedener Art, und unterdrückte gewohnte Ausleerungen.

§. 247.

Triebe und Neigungen. Der allzuheftige Geschlechtstrieb, welcher, zur Krankheit ausgeartet, bey Männern Satyriasis, bey Frauen Mutterwuth heißt, ist nicht selten ein Symptom anderer, vorzüglich krampfhafter und convulsivischer Krankheiten. Die Satyriasis deutet auf Entzündungen und andere Reize der Urin- und Samenwege, von scharfem Urin, Nieren- und Blasensteinen, auf Ueberfluß oder Schärfe des Samens, große Empfindlichkeit und mancherley Krankheiten des Nervensystems, wiefern diesem Uebel körperliche Veranlassungen zum Grunde liegen. Die Mutterwuth, welche auf ihrer Höhe in Krämpfe, Convulsionen und Wahnsinn ausarten kann, deutet auf Reize und Blutcongestionen nach den Geburtstheilen und auf große Empfindlichkeit des Nervensystems. Oft ist dieser Zufall ein Begleiter anderer hitziger und chronischer Nervenkrankheiten, und sind in diesen zuweilen mit Schamlosigkeit verbunden; welche sich aber auch in hitzigen Krankheiten ohne jene Zufälle einfindet, und dann einen Zustand von Bewußtlosigkeit und zugleich die höchste Gefahr andeutet. Oft zeigen Personen, die man für gesund hält, Triebe, welche sich gar nicht mit der gesunden Vernunft zusammenreimen lassen, z. B. den Trieb Jedermann mit Steinen zu werfen. Solche Triebe sind gemeiniglich Vorboten von Wahnsinn und Tollheit. Neigung zur Ruhe, zur Unthätigkeit, wenn sie nicht eine Folge übermäßiger Anstrengungen ist, ist nicht selten ein Vorbote hitziger, oder auch schleichender, auszehrender Krankheiten. So geht auch Hang zur Einsamkeit, zum Weinen, oft schweren Krankheiten voraus. Ein nicht natürlicher Trieb zum Sprechen, zum Lachen, verkündigt Narrheit und Albernheit. Doch wir stehen hier an der Grenze der somatischen Semiotik, weil die letztern

Symptome, wenn nicht Rausch oder Gifte sie hervorbringen, kaum von andern als psychischen Ursachen entstehen, deren Betrachtung nicht hieher gehört.

Zweytes Kapitel.

Negativ-subjectiver Zustand; oder: Unterbrechung und Aufgehobenseyn des Wachens, oder auch des gesammten Lebens.

A. Der Schlaf.

§. 248.

Ein ruhiger, sanfter Schlaf, nach welchem sich der Kranke erquickt fühlt, ist ein vortreffliches Zeichen in Krankheiten; die Kräfte werden dadurch gestärkt, der Verderbniß der Säfte wird Einhalt gethan, und man hat dabey, wenn die übrigen Zeichen mit einstimmen, zu einer baldigen Genesung Hoffnung. Ein langer, tiefer, ruhiger Schlaf mit leichtem Athmen, einem vollen, gleichen Pulse, feuchter Haut u. s. w., geht häufig heilsamen Entscheidungen der Krankheiten voraus. Gut ist es, wenn Kranke nach Convulsionen, Delirien, in einen ruhigen Schlaf, wobey aber keine Zufälle zugegen sind, verfallen; denn sie werden öfters durch denselben davon befreyt. Erwachen Kranke aus einem, nach starker Verstandesverwirrung entstandenen, Schlafe nicht vernünftig auf: so war der Schlaf zwar kein Zeichen des Abfalls einer solchen Krankheit, bedeutet aber doch oft, daß nach einigen Tagen wieder ein solcher Schlaf erfolgen werde, woraus dann der Kranke seiner sich völlig bewußt und heiter erwachen wird. Große Neigung zum Schlafe, und ein tiefer Schlaf, ist vollblütigen, vollsaftigen, kachektischen Kindern eigen, bey denen er manchmal schleimige Unreinigkeiten, Würmer, verräth. Am besten ist der Schlaf, der sich zu rechter Zeit, des Nachts oder gegen Morgen, n Krankheiten einfindet; aber nicht immer gut ist der, velcher nach Tische erscheint. Ein unruhiger Schlaf, ein olcher, worauf sich der Kranke nicht erquickt, gestärkt ühlt, worauf die heftigen Symptome der Krankheit nicht ıachlassen, sondern sich vielmehr verschlimmern, wobey er Kranke schwer Athem holt, der Puls klein, schwach, ngleich ist, der Kranke blos schlummert, mit geöffnetem Munde und Augen, wobey er beständig im Bette herunter utscht, eine ihm ungewöhnliche Lage auf dem Rücken der Bauche annimmt, wobey die Extremitäten kalt sind . s. w., sind ungünstige, gefährliche Vorbedeutungen. n dem ersten Schlafe, nach einer ausgestandenen, sehr eftigen Krankheit, der uns Gesundheit verspricht, schla⸗ en die Kranken bisweilen mit halb offenen Augen; welches ıan nicht zu fürchten hat, wenn die übrigen Umstände nst gut sind (Danz §§. 302. 303.). Nicht immer ist er Schlaf ruhig und ungestört, auch bey sonst Gesunden. in häufiger Zufall im Schlafe ist das Auffahren und rschrecken. Dieses rührt entweder von einer über⸗ annten, feurigen Einbildungskraft, oder von einem eize im Körper her. Bey hysterischen, hypochondrischen, hr reizbaren Personen, bey Kindern, hat es im Ganzen ichts zu sagen, weil es hier öfters nach geringen Reizen tsteht. Bey Kindern kündigt es häufig Säure, Schleim, ürmer, den Ausbruch der Zähne, der Blattern, Ma⸗ rn, an. Erschrecken öfters Kranke im Schlafe und fah⸗ n zusammen, oder werden sie auch wachend von einer ringen Ursache leicht in Schrecken versetzt: so können wir raus manchmal auf Unreinigkeiten der ersten Wege liessen. In hitzigen Fiebern geht es manchmal Delirien, onvulsionen, dem Ausbruche des Friesels, und zur Zeit der ntscheidung heilsamen Krisen voraus (Danz §. 304.).

§. 249.

Eine andere Störung des Schlafs sind die Träume. m vollen gesunden Schlafe gehören die Träume nicht,

S

denn sie heben zum Theil die Ruhe der subjectiven Thätigkeit, welche den Begriff des Schlafs ausmacht, auf, indem ein Theil des subjectiven Organismus, die vorstellende und bildende Thätigkeit, in den Zustand eines innern widernatürlichen Wachens versetzt ist. Ein inneres Wachen ist es, weil dabey die Sinne schlafen, die das äußere Wachen unterhalten, und die reelle Beziehung auf die Aussenwelt unterbrochen ist. Auch zeigt die Erfahrung, daß, je traumvoller der Schlaf ist, desto weniger erquikkend er ist, und umgekehrt; so wie sich auch der Ursprung der Träume aus widernatürlichen Reizen leicht darthun läßt. Uebermaß im Essen und Trinken, besonders kurz vor Schlafengehen, der späte Genuß schwerverdaulicher Speisen, der Mangel körperlicher Bewegung am Tage, allzustarke Anstrengung des Geistes vor dem Schlafengehen, z. B. durch Lectüre u. s. w., alles dieß bringt Träume hervor. Daher ist auch ein ruhiger Schlaf ohne Träume in Krankheiten weit besser als mit denselben, obgleich leichte, angenehme Träume, nach einem guten, sanften Schlafe, gegen Morgen, öfters den Geist des Kranken aufheitern; (wovon aber der Grund doch nicht sowohl in den Träumen, als in der neubelebten Kraft des Lebens liegt). Fürchterliche, ängstliche Träume, welche den Schlaf unterbrechen und stören, verursachen Müdigkeit, Schwäche; erschöpfen die Kräfte; und auf sie folgen leicht Delirien, Hirnwuth, Convulsionen, Blutflüsse, Entzündungen, Eyterung, Brand, ungünstige Metastasen. Am gefährlichsten sind die Träume bey schon entkräfteten Kranken, wie z. B. bey Schwindsüchtigen. In gewissen Körperconstitutionen gehen gewisse Träume einigen Krankheiten voraus, und begleiten sie. Bey Melancholischen und in krampfhaften Krankheiten deuten sie auf einen neuen Anfall, im Wechselfieber auf heftigen Krampf, Langwierigkeit und Hartnäckigkeit vom Leiden der Eingeweide, in hitzigen Fiebern auf starken Reiz und Anstrengung des

Kräfte, in der Schwindsucht auf Zunahme des Fiebers, und, wo die Schwäche schon groß ist, auf nahen Tod. Ueberhaupt kann man aus unruhigen, unangenehmen Träumen, von denen man die Ursache nicht einsehen kann, immer schließen, daß etwas im Körper in Unordnung sey (Danz §. 307.).

§. 250.

Der tiefe, anhaltende Schlaf oder Schlummer, überhaupt der schlafsüchtige Zustand in Krankheiten (sopor), gleich im Anfange hitziger Krankheiten, oder im Fortgange derselben, ohne die geringsten Zeichen von Entscheidung, mit Zerschlagenheit in den Gliedern, mit Schauer, Frost, oder mit äußerlichem Schauer und innerlichem Froste, mit Convulsionen, Angst, Brechen, Verstandesverwirrung, nagenden Schmerzen im Unterleibe u. s. w., ist ein gefährliches Zeichen. Daher werden auch alle soporösen Krankheiten unter die bösartigen gerechnet, weil die Kräfte zu sehr unterdrückt oder geschwächt sind, um die Krankheitsmaterie gehörig bearbeiten und auswerfen zu können. Daher endigen sich z. B. Lungenentzündungen, die mit einem tiefen, lang anhaltenden Schlafe anfangen, gemeiniglich mit dem Tode. Vor dem Ausbruche der Blattern, bey Kindern, hat Schlafsucht im Ganzen, wenn die übrigen Umstände gut sind, nichts zu bedeuten. Zur Zeit der Entscheidung einer Krankheit, nach vorausgegangenen Zeichen der Kochung, findet sie sich manchmal ein, worauf und während welcher öfters Krisen folgen. Bey Kopfverletzungen zeigt sie einen Druck auf das Gehirn an, der von einem Hirnschaleneindrucke, von Extravasat, oder von einer Erschütterung des Gehirns herrühren kann. Wenn sie sich nach Metastasen auf den Kopf, nach Entzündung der Lungen, oder anderer Eingeweide, nach Raserey, nach langem Nachtwachen, einfindet, ohne daß Geschwülste der Ohrendrüsen darauf erfolgen, mit halb verschlossenen Augen, Kälte der Füße und Arme, und andern üblen Zeichen verbunden, so ist sie meist tödtlich. Ist es schwer den Kranken zu erwecken, ist er dann verwirrt, sieht mit verdrehten, schiefen, trüben, matten, schlaffen Augen vor sich hin, sind diese auch roth, geschwollen, hervorstehend, gibt der Kranke auf nichts Antwort, oder doch keine vernünftige Antwort, und sinkt er gleich wieder hin in den Schlaf; so ist es ein lethargischer Schlaf, der den schlimmsten Zustand andeutet. Ueberhaupt ist ein ungewöhnlicher, häufiger, langer, und sehr tiefer Schlaf nicht gut, besonders bey cachektischen Personen, Kindern, Greisen, weil er beträchtliche Störungen der Verrichtungen des Gehirns verräth: Hirnwassersucht, Schlagfluß u. s. w. befürchten läßt; ob man jedoch gleich seltene Beyspiele hat, daß Leute periodisch in einen langen, öfters achttägigen Schlaf verfallen sind, ohne Lebensgefahr. In dem Maße wie die Schlafsucht tiefer ist, wird sie, wie man leicht denken kann, gefährlicher. Ihre verschiedenen Grade hat man auf folgende Weise bezeichnet: 1) Coma somnolentum, wenn der Kranke eine unüberwindliche Neigung zum Schlafe hat, in einem tiefen, anhaltenden Schlafe liegt, zwar leicht aus demselben aufgeweckt werden kann, beym Sprechen aber wieder einschläft. Coma vigil nennt man es aber, wenn der Kranke durch schreckliche Träume, Schmerzen, Angst, immer wieder aufgeweckt wird, und darauf von neuem in Schlummer verfällt. 2) Lethargus, wenn der Schlaf so tief ist, daß der Kranke beynahe gar nicht aufgeweckt werden kann. 3) Carus, wenn der Kranke kaum noch ein Zeichen von Empfindung äußert, selten freywillig, und sehr schwer durch äußere Reize aufgeweckt werden kann, und aufgeweckt, sogleich wieder in jenen Zustand verfällt. Alle diese Grade sind dem Schlagfluß und Tode einer immer näher als der andere.

B. Unterscheidende Zeichen des wahren Todes und des Scheintodes.

Ueber die Bestimmung vom vollständigen Begriffe des Todes, im Gegensatz des Lebens, so wie über die verschiedenen Arten wie der Tod herbeygeführt werden könne, wenn er nicht natürlich ist, ist hier nicht der Ort zu sprechen. Jenes gehört in die Physiologie, dieses in die gerichtliche Medizin. Die allgemeine medizinische Semiotik hat es nur mit dem zu thun, was die Ueberschrift dieser Rubrik besagt. Im Allgemeinen aber ist zu bemerken daß die Kennzeichen, von denen hier die Rede ist, sehr ungewiß sind, wenn man nicht die Umstände und die Zeit zu Schiedsrichtern nimmt.

§. 251.

Präsumtive Zeichen des wahren Todes. 1) Der Körper ist steif und kalt, und fällt auf den Rücken oder den Bauch, wenn man ihn auf die Seite legt. Kälte und Steifigkeit ist aber auch kein ungewöhnliches Symptom in Nervenkrankheiten; und warm sind auch hinwiederum manche wirklich Todte, wie z. B. solche, die an faulichten Krankheiten gestorben sind. Die Neigung auf den Rücken oder Bauch zu fallen, findet man immer, wenn der Körper ganz steif ist. 2) Das Herz hört auf zu schlagen, und der Kranke athmet nicht mehr. Dieses Zeichen beweiset für sich nichts; man hat Menschen, wo die Fortdauer dieser Lebensverrichtungen dem Beobachter nicht bemerkbar war, ins Leben zurückgerufen. 3) Aus einer geöffneten Ader kommt kein Blut. Dieß ist die Folge von dem Vorhergehenden, beweist aber eben so wenig für sich etwas entscheidendes. 4) Der Körper ist unempfindlich; die Schließmuskeln verrichten ihre Functionen nicht mehr; die Muskeln verlieren ihre Reizbarkeit. Auch dieß sind öfters bloße Zufälle starker Ohnmachten, des Scheintodes, wo Hülfe und Rettung noch möglich ist. 5) Die Hornhaut des Augapfels wird runzlich, mit einer weißlichen Farbe bedeckt. Im Scheintode kann dieses Zeichen auch Statt finden, ohne daß man berechtigt wäre, einen gewissen Tod zu vermuthen, weil man sich auf ein Zeichen allein nie verlassen darf. 6) Es zeigen sich, besonders in der Gegend des Unterleibes, bläulich-gelbe Streifen, oder die sogenannten Todtenflecken. Man hat diese aber auch in Faulfiebern bemerkt, ohne daß immer der Kranke starb. 7) Luft, welche man zum Munde hineinbläset, fährt mit Geräusch wieder durch den After heraus. 8) Die untere Kinnlade hängt unbeweglich herab, und alle Versuche, sie wieder in gehörige Lage zu bringen, sind fruchtlos. Auch diese beyden Zeichen können trügen, wenn die Wirkungen der Muskeln durch Krampf unbeweglich geworden oder wenn sie gelähmt sind. Ueberdieß bemerkt man diese Zeichen nicht in allen wirklich Todten. 9) Das Gesicht ist blaß, die Nase spitzig, die Schläfe sind eingefallen, die Gesichtsbildung ist ganz verändert. Kranke in Menge, wo alle diese Erscheinungen zugegen waren, sind noch gerettet worden. 10) Ein Weichwerden des Körpers, ein Feuchtwerden der Hände verkündigt den Tod, welches sich aber erst nach dreyßig und mehreren Stunden einfindet. 11) Der Körper fängt an zu verwesen, und verbreitet einen Leichengeruch um sich. Man hat aber auch Beyspiele, daß Fäulniß sich zu zeigen anfing, ohne daß die Kranken starben. Wenn freylich aus dem Munde und der Nase eine stinkende Jauche herausfließt, das Gesicht und der Unterleib sehr aufschwellen, die Geburts- und andere Theile des Körpers grüne Flecke zeigen, wenn ein der Fäulniß ganz eigener Geruch sich verbreitet, das Oberhäutchen sich abstreift, und in den Augäpfeln, wenn sie etwas gedrückt werden, Gruben zurückbleiben, so ist der eintretende Grad der Fäulniß so groß, daß an keine Rettung zu denken, und daß der Körper für wirklich todt zu halten ist. (Leichengeruch und grünliche Hypochondrien mit Meteorismus sind der höchste Grad von Auflösung; und doch will Krebs, in einem solchen Falle, einen Frieselpatienten gerettet haben) (Danz §. 419.). Kein einziges dieser angeführten Todeszeichen, ausgenommen völlige allgemeine Fäulniß, beweist für sich allein etwas; nur wenn sie beysammen, oder doch größtentheils gegenwärtig sind, ist der Tod unzweifelhaft gewiß. Man verfahre nur vorsichtig, beobachte genau, und erwäge folgende Regeln. Erstlich bedenke man, daß alle Zeichen des Todes sich nur nach und nach, und selten alle auf einmal einstellen können; daß Pulsschlag und Athem z. B. eher aufhören, als Steifigkeit und Kälte erfolgt; daß diese sich oft früher als Unbeweglichkeit der Iris und runzlichte Hornhaut zeigen, und daß diese früher als herabhangende Kinnlade und offener After eintreten; und daß diese endlich, außerordentliche Fälle ausgenommen, den Todtenflecken und der Fäulniß vorangehen. Zweytens sehe man genau auf die Krankheit des Verstorbenen. Z. B. ob sie krampfigter oder fauler Art war, ob Vollblütigkeit dabey Statt fand u. s. w. Stirbt der Kranke nach durchaus tödtlichen Gewaltthätigkeiten oder Krankheiten, so läßt sich der Tod mit Gewißheit bestimmen. Hingegen, erfolgt der Tod plötzlich nach heftigen Affecten, nach hitzigen, besonders bösartigen Fiebern, beym Schlagflusse und bey der Schlafsucht, bey Krämpfen und Zuckungen, bey Blutflüssen und Ohnmachten, bey Erstickung: dann muß man behutsam verfahren, und die im Scheintode gewöhnlichen Hülfsmittel mit unermüdetem und anhaltendem Eifer unverdrossen anwenden (Danz §. 420.). Zweifelhafte Todeszeichen, die man zwar nicht bey allen, aber doch bey vielen Todten findet, sind: 1) offner Mund und offne Augen; 2) Röthe des Gesichts und Wärme des Körpers, als Folge anfangender Fäulniß; 3) Schaum im Munde; 4) Beugsamkeit der Glieder; 5) Blutfluß aus einer geöffneten Schlag- oder Blut-Ader. Alle diese Zeichen machen, sobald sie einzeln ohne die andern Zeichen des Todes da sind, den Tod zweifelhaft. Sind sie alle da und etwa nur ein Zeichen des wirklichen Todes zugegen: so kann man hoffen. Wäre aber etwa nur eines vorhanden, und es treten mehrere Zeichen des wirklichen Todes nach einander ein: so wird der Tod des Kranken immer gewisser und die Hoffnung des Arztes schwächer (Danz §. 421.).

§. 252.

Zeichen des Scheintodes. Sie sind folgende: 1) Ist das Gesicht und der Körper noch roth und warm, ohne daß faulichte Krankheiten vorangingen, sind die Glieder beugsam, und fließt aus der geöffneten Arterie oder Vene ein nicht coagulirtes, gutes Blut: so kann man, wenn anders nicht ein großer Theil von den Hauptkennzeichen des Todes schon zugegen ist, oder nach und nach eintritt, mit vieler Wahrscheinlichkeit muthmaßen, daß der obwaltende Zustand ein bloßer Scheintod sey. 2) Treten die Hauptzeichen des Todes gar nicht ein, ist vielmehr ein schwaches Athmen da, welches man durch eine vorgehaltene Flaumfeder, oder einen Spiegel, oder ein Glas Wasser, das man auf die Brust stellt, erfährt: so hat man alles zu hoffen. 3) Eben so, wenn die Krankheit von der Art ist, daß ein Scheintod dabey Statt finden kann: z. B. wenn der Patient mit Nervenzufällen behaftet gewesen. 4) Ist der Patient nach einer äußern Gewaltthätigkeit, durch die sein Körper nicht gefährlich verlezt wurde, oder die nicht lange auf denselben wirkte, in diesen Zustand übergegangen: so ist es sehr wahrscheinlich, daß nur ein Scheintod vorhanden ist. Doch hat man auch Kälte, Steifigkeit, Veränderung der Augen, blaue Flecke, leichenhaften Geruch, herabhängende Kinnlade, Kollern der Luft durch den Darmkanal, wenn sie zum Munde eingeblasen wird, Mangel des Athems, stockenden Puls, offenen After, bey Scheintodten wahrgenommen.

Zweyter Theil.

Anleitung zur psychischen Semiotik.

T

Vorerinnerung.

So gewiß die psychischen Störungen zu den Krank-
eitszuständen gehören und ihre Erkenntniß folglich dem
ärzte unerlaßlich ist: so gewiß ist eine, bis jetzt noch
icht aufgestellte psychische Semiotik ein wesentliches Er-
rderniß in diesem Gebiete der Wissenschaft. Da man
un die Lücken der Wissenschaft überhaupt, und der
Semiotik insbesondere, nach und nach immer mehr
uszufüllen suchen muß, und die Semiotik, wie früher-
n gezeigt worden, ohne ihren psychischen Theil nicht
ollständig ist: so halten wir dafür, daß der Zusatz,
elcher hier geliefert wird, und welcher, wenn er auch
n Kenner nicht befriedigen sollte, doch den Zögling
r Wissenschaft belehren kann, an seinem Orte ist.
reylich ist es etwas Gewagtes, an eine Zeichenlehre
r psychischen Krankheiten zu denken, da über diese
bst noch ein so großes Dunkel herrscht, und sich
eichwohl alle Semiotik auf Pathologie gründet. Nicht

T 2

weil es bis jetzt an Beschreibungen dieser Krankheitsformen und an Klassificationen derselben fehlte, sonder
weil man so lange nicht darauf achtete sie in richtige
und bestimmten Beziehungen aufzufassen, und sich bl
begnügte theils nur die auffallendsten Erscheinungen un
nächsten Veranlassungen dieser Zustände darzustellen
theils sie nach principlosen oder abstracten Ansichten z
ordnen: aus diesen Gründen ist es ein schweres Geschä
eine psychische Zeichenlehre aufzustellen, in der Art u
Vollständigkeit, wie es eine somatische schon seit gera
mer Zeit gegeben hat. Denn wie soll man Zeichen d
verschiedenen Gattungen und Arten angeben, wenn no
nicht einmal ein den wahren Verhältnissen angemessen
Begriff von dem Wesen dieser Krankheiten festgeste
ist? Es ist hier nicht der Ort die verschiedenen Bestim
mungen und Erklärungen des Wesens der psychisch
Krankheiten zu verfolgen und zu prüfen; aber aus de
Folgenden wird sich ergeben, daß der Punkt, auf d
hier alles ankommt, noch gar nicht in Untersuchu
gekommen ist. Soviel kann man im voraus als au
gemacht annehmen, daß die Versuche eine eigentli
psychische Medizin zu begründen, erst ein Erzeugniß d
letztverflossenen Jahre sind, und daß man mehr dara
bedacht gewesen, was allerdings seinen hohen Wer
hat, das Gebiet der psychischen Therapie, als d
der Pathologie auszumessen und zu bearbeite

An eine besondere Darstellung der psychischen Semiotik
st man bis jetzt, wie schon gesagt, noch gar nicht
ekommen; und es dürfte auch, den angeführten Grün-
en nach, überhaupt noch zu früh seyn an eine voll-
tändige und erschöpfende Arbeit dieser Art zu denken.
llein ihren Platz muß diese Semiotik sich doch wenig-
tens vindiciren, wenn es überhaupt eine psychische
Medizin geben soll; und es muß sich doch mindestens
ie erste Grundlage einer solchen Disciplin aufstellen
assen, welche späterhin bey einem größern Reichthum
on Materialien ausgeführt und vollendet werden kann.
Da aber, wie gesagt, das ganze Wesen der psychischen
Krankheiten noch so im Dunkel und unbestimmt ist: so
arf man nicht einmal eine solche Grundlegung ihrer
Semiotik unternehmen ohne sich vorher über die wich-
gsten pathologischen Punkte mit dem Leser verständigt
u haben, oder vielmehr, ohne das Hauptsächlichste,
as zu einer psychischen Diagnostik gehört, der psychi-
hen Semiotik als integrirenden Theil einzuverleiben.
Wir theilen daher die hier folgende Anleitung zu der
sagten neuen Disciplin in zwey Abschnitte, deren
ster die vorzüglichsten diagnostischen Punkte, welche
er in Betrachtung kommen, aus einander setzt, und
die ihm correspondirenden semiotischen Momente des
eyten Abschnittes begründet. Diese, durch die
nstände nothwendig gemachte, Rücksicht aber hat

unserer Anleitung zur psychischen Semiotik eine Richtung gegeben, welche von der in der Einleitung angegebenen nach Form und Inhalt gänzlich abweicht; und wir bitten daher den Leser, diese letztere nur als ein Schema für eine vollständige psychische Semiotik anzusehen, die wir hier keinesweges zu liefern gedenken, da es uns nur um die erste Belehrung der Zöglinge der Wissenschaft im Gebiete dieser Disciplin zu thun ist.

Erster Abschnitt.

Zur psychischen Diagnostik.

I.

Psychische Gesundheit, in ärztlicher Beziehung.

Es bedarf keiner Entschuldigung, daß wir, zum Behuf der Diagnostik psychischer Krankheiten, vorher einen Blick auf den Charakter der psychischen Gesundheit werfen: denn es ist ausgemacht, daß man die Bedingungen einer Einrichtung kennen muß, wenn man bestimmen will, was dieser Einrichtung hier oder da abgehe, sie stören oder gar zerstören könne. Nur wenn man weiß was zur Gesundheit gehört, kann man bestimmen was Krankheit ist. Bey der Bestimmung der psychischen Gesundheit aber kommt der Arzt in eine Collision, die er nur durch streng gezogene Gränzlinien seiner Forschung vermeiden kann. Da nehmlich die Basis aller psychischen Erscheinungen, die Freyheit, ein Gegenstand der Metaphysik und der Moralphilosophie ist, so könnte sich ein forschender Arzt leicht verleiten lassen, in diese, seiner Thätigkeit fremden, Regionen hinüber zu schreiten, um die psychische Gesundheit, um deren Darstellung es ihm zu thun ist, vollständig zu ergründen und zu begründen: allein dieß ist dem Arzte, der, als solcher, es bloß mit der Natur und ihren Erscheinun-

gen zu thun hat, nicht erlaubt, wenn nicht die wissenschaftliche Ordnung und der Kreis praktischer Thätigkeit
gestört werden soll. Wie soll er es aber anfangen, um
sich nicht in das Geschäft des Metaphysikers und Moral-
philosophen, oder gar des Geistlichen zu mischen und zu
verlieren? Er scheide die Seiten des psychischen Wesens,
überlasse die moralische Sphäre ihren Bearbeitern,
welche die Gesundheit der Seele in ihrer Heiligkeit zu
suchen haben, und für welche nur die moralischen
Gebrechen Seelenkrankheiten sind, und halte sich dagegen streng und consequent an die psychischen Naturanlagen des Menschen, deren Integrität für ihn schon
psychische Gesundheit ist: denn die Integrität der organischen Kräfte macht überhaupt den Begriff der Gesundheit
aus. Als moralische Kraft ist die Seele dem Aerzte entzo-
gen, als Naturkraft gehört sie in sein Gebiet. Nicht als
ob der Seele als Naturkraft Vernunft und Freyheit abge-
sprochen würde, denn beyde gehören ja zu den Anlagen
der Menschennatur, ja sie machen das eigentliche Wesen
derselben aus: aber der Gebrauch dieser Freyheit in Beziehung auf die Vernunft, dieses Verhältniß des Menschen
ist es, was wir als moralisches von dem natürlichen sondern und von dem Gebiete des Arztes trennen.
Der Arzt überschreitet keinesweges sein Gebiet, wenn er
dem Menschen, welcher Vernunft und Freyheit verloren
hat, diese Bedingungen seiner menschlichen Existenz wieder zu verschaffen sucht: denn sie sind Theile seines natürlichen, menschlich-organischen Wesens. Aber der Mensch,
wie ihn die Natur schafft, oder wie ihn der Arzt der
Welt wieder gibt, mit Vernunft und Freyheit ausgerü-
stet, ist nur als Stoff für die Bildung im Reiche der Freyheit zu betrachten, und der Punkt, wo diese Bildung an-
hebt, ist der Gränzpunkt für die Forschung, so wie für die
Thätigkeit des Arztes. Hierdurch ist hoffentlich jeder

Gränzstreit zwischen dem Arzt und dem moralischen Erzieher beseitiget und beyden ihr Wirkungskreis bestimmt und klar angedeutet. Doch wir verfolgen die nähere Bestimmung der psychischen Gesundheit. So viel ist also erwiesen, daß dieser Begriff dem Arzte etwas ganz anderes bedeutet als dem Philosophen oder Theologen; und wir haben jetzt blos die Bedeutung des ärztlichen Begriffs weiter aus einander zu setzen. Integrität der psychischen Natur-Anlagen, sagten wir, mache die psychische Gesundheit aus, welche Gegenstand des Arztes ist. Welches diese Natur-Anlagen seyen, ist allgemein bekannt; denn wer weiß es nicht, daß jeder, nicht von der natürlichen Norm ausgeschlossene Mensch ein begehrendes Herz, einen erkennenden Geist, der vollständig entwickelt sich als Vernunft documentirt, und einen Willen besitzt, dessen Basis die Freyheit, d. h. die Fähigkeit zur Selbstbestimmung ist; welche psychische Kräfte sämmtlich in Einem Bewußtseyn, oder in der Persönlichkeit des Ich's, wie in einem Brennpunkte zusammentreffen. Auch ist es nicht schwer zu zeigen, worin die Integrität dieser psychischen Naturanlagen bestehe: denn eigene Beobachtung, ja schon das Gefühl und Bewußtseyn unseres Zustandes selbst gibt uns die Data hierzu an die Hand. Wir werden Alle mit Empfänglichkeit für Freude und Schmerz, mit einem für Liebe und Haß empfänglichen Herzen geboren. In wem diese Empfänglichkeit recht lebendig ist, der besitzt natürliche Integrität des Gemüths, bey welcher gar nicht weiter auf Cultur derselben Rücksicht genommen wird: denn diese ist die Sorge des Seelenbildners, dem nur das reine, vom niedrigen Streben geläuterte, vom Egoismus freye Gemüth psychisch gesund ist. Der Arzt fragt blos, ob die Kraft da, nicht ob sie ausgebildet ist; nur wenn sie krankhaft angespannt und durch Ueberspannung oder auch durch langen oder heftigen Druck zerrüttet ist, kommt sie in seine Pflege, aus der er sie aber entläßt, sobald sie ihren natürlichen Ton wieder erhalten hat. Nachdem durch Hülfe des Arztes das Gemüth des Wahnsinnigen sich selbst, das des Melancholikers die Welt wiedergefunden hat, sind beyde für den Arzt psychisch gesund, weil in ihnen die Möglichkeit der Menschheit wieder hergestellt ist; wiewohl sie in den Augen des moralischen Erziehers, wegen ihres Mangels an sittlicher Cultur, immer noch für verwahrlosete, kranke Wesen gelten, die einer langen Läuterung bedürfen bis auch er sie als psychisch = Genesene betrachten kann. Und so arbeitet der Arzt dem moralischen Erzieher überall in die Hände, und sein Werk ist vollendet, wo das des Andern beginnt. Wie mit dem Gemüthe, so ist es auch mit den übrigen psychischen Thätigkeiten des Menschen beschaffen. Der menschliche Geist besitzt natürliche Integrität, oder ist für den Arzt psychisch gesund, wenn er zum Auffassen und Urtheilen gleich fähig ist; ob er übrigens durch Uebereilung oder Mangel an Cultur Täuschungen und Irrthümern unterworfen sey, kümmert den Arzt nicht, der bloß für das Daseyn der Kraft besorgt ist. Aber wenn das Auffassungs = und Urtheilsvermögen auf mancherley Weise beschränkt und zerrüttet ist: dann tritt sein Geschäft ein, welches bis zur Wiederherstellung der natürlichen Geistesfähigkeit fortdauert; aber auch länger nicht. Das nehmliche gilt von dem Willen. Ein Mensch, der sich selbst bestimmen, Entschlüsse fassen und ausführen kann, gleichviel ob dieß in Uebereinstimmung mit der Vernunft geschieht oder nicht, ist für den Arzt in Beziehung auf den Willen psychisch gesund (wiewohl derselbe Mensch in anderer Rücksicht psychisch krank seyn kann;): denn der Wille ist nichts anders als die Fähigkeit sich selbst zu bestimmen. Nur wenn der Mensch diese Fähigkeit verloren hat, wenn er entweder von innern unbändigen Trieben blind zum Handeln hin=

gerissen, oder von äußern Anreizen ohne Fähigkeit des Widerstandes zum Handeln fortgezogen wird: dann hat der Wille aufgehört für den Arzt gesund zu seyn, und es ist nun sein Geschäft, entweder die losgebundene Kraft, die darum nicht mehr Wille ist, zu beschränken, oder die schwache, der Selbstbestimmung, ja des Widerstandes unfähige Kraft, aufs neue zu wecken und zu erheben, jenes bey dem Tollen, dieses bey dem Scheuen und Blödsinnigen. Weiter aber als bis zur Wiederbelebung dieser Quelle der Selbstständigkeit geht das Geschäft des Arztes nicht, und die Gewöhnung des Willens an die Subordination der Vernunft, ist Sache des moralischen Erziehers. Mit Gemüth, Geist und Willen nun, in Einem Bewußtseyn zu Einem Ich verkettet, ist die psychische Natur des Menschen erschöpft, und ein empfängliches Gemüth, ein munterer Geist, und ein energischer Wille dieses Ich's sind die drey Requisite zur psychischen Gesundheit, so weit die Natur oder der Arzt sie verleihen kann. Der Charakter dieser Gesundheit ist der freye Verkehr der psychischen Thätigkeiten unter einander in einem lebendigen Bewußtseyn; oder mit andern Worten: Freyheit des psychischen Zustandes, welche sich durch innere Unabhängigkeit d. h. Fähigkeit zur Selbstbestimmung offenbaret. Damit ist aber freylich der moralische Bildner nicht zufrieden: er will, daß der natürlich-freye psychische Zustand zu einem moralisch-freyen veredelt sey: daß das Gemüth rein und göttlich gesinnt, der Geist von Täuschung, Wahn und Irrthum frey der Wahrheit huldige, und der Wille nur auf das Gute und Heilige gerichtet sey und alles Unheilige und Böse mit Kraft von sich abweise. Nur in diesem Zustande ist ihm der Mensch psychisch gesund, in allen andern krank: denn auch die Uncultur der Kräfte ist ihm Krankheit, weil, wenn diese nicht die rechte Richtung haben, sie nothwendig Nebenrichtungen folgen müssen, welche das wahre psychische Leben, das Leben im Göttlichen, stören; und jede Störung ist in diesem Gebiete Vernichtung. Diese ganze Ansicht mit allen ihren Zwecken, Bemühungen und Einrichtungen bleibt dem Arzte fremd; und wenn der moralische Erzieher sagt: psychisch gesund ist nur derjenige, dessen Empfindungen, Gedanken und Handlungen durchaus den Gesetzen der Vernunft entsprechen, oder, mit andern Worten, der vollkommen moralische oder heilige Mensch: so sagt dagegen der Arzt: psychisch gesund ist Jeder, in dem die psychischen Kräfte entwickelt vorhanden sind, und bey dem ihr freyer d. h. von eigener Willkühr abhängender Gebrauch nicht auf die Dauer gestört ist. Auf die Dauer: denn vorübergehende Krankheitszustände, z. B. im Typhus, in der Phrenitis, im Rausche, nach Vergiftungen u. s. w. gehören nicht hieher, da sie nur eine temporäre Unterbrechung der dem Menschen eingebornen Freyheit, d. h. der Selbstbestimmungs-Fähigkeit sind, welche für sich noch keine Krankheit ausmacht.

II.

Allgemeiner Charakter der psychischen Krankheiten in ärztlicher Beziehung.

Die Negation dessen, was den Charakter der psychischen Gesundheit ausmacht, bestimmt den der psychischen Krankheiten; wie denn überhaupt allezeit Krankheit da vorhanden ist, wo die Bedingungen der Gesundheit aufgehoben sind. Die Integrität der organischen Thätigkeiten ist mit ihrer Freyheit identisch: denn da, wo die Wechselwirkung der Theile gut von Statten geht, findet keine Hemmung Statt: Beschränkung der organischen Thätigkeit wird also den Charakter der Krankheit ausmachen. Dieser Charakter der Beschränkung erhält für den psychischen Menschen eine ganz eigene Bedeutung, ja man könnte sagen: er zeigt sich hier in seinem eigenthümlichen Wesen. Denn wenn in dem psychisch-organischen Wesen die Freyheit der Thätigkeiten nur eine negative Bedeutung, nehmlich die der Ungehemmtheit und Ungestörtheit hat, so wird dieser Begriff in der psychischen Sphäre zu einem positiven Merkmale, nehmlich zur Bezeichnung der Fähigkeit sich selbst zu bestimmen, als welche den natürlichen Grundcharakter der Psyche ausmacht. Daß hier übrigens nicht von der moralischen Freyheit, d. h. von der durch Unterwerfung der Willkühr unter die Gesetze der Vernunft erworbenen, die Rede sey, ist aus dem Obigen zur Gnüge klar. Die Beschränkung also in der psychischen Sphäre wird nicht blos hauptsächlich, sondern überhaupt und einzig die Freyheit d. h. die Fähigkeit zur Selbstbestimmung treffen, welche unmittelbar vom Willen, mittelbar aber mit gleicher Nothwendigkeit von Geist und Gemüth abhängt: denn nur wenn Geist und Gemüth unverworren und unbefangen sind, ist der Wille seiner Freyheit Meister. Man kann also den Zustand psychischer Krankheit geradezu in den der Freyheitslosigkeit setzen. Freyheitslosigkeit d. h. Unfähigkeit zur Selbstbestimmung ist also der allgemeine Charakter aller psychischen Krankheiten, so viele und verschiedene es deren geben mag. Diese Erklärung, deren Richtigkeit eine unbefangene Ansicht des psychischen menschlichen Wesens überhaupt beurkundet, wird durch sorgfältige Beobachtung, welche gleichsam die Probe zu allen Aufgaben der wissenschaftlichen Forschung ist, mit der größten Evidenz bestätigt. Beobachten wir nehmlich die Erscheinung aller psychisch-Kranken oder sogenannten Irren, so finden wir das charakteristische Merkmal ihrer Krankheiten, die Freyheitslosigkeit, auf das auffallendste hervortretend. So kann sich z. B. der Melancholiker nicht von seiner Insichversenktheit, der Wahnwitzige nicht von seinen fixen Ideen, der Tolle nicht von seinen wilden Bestrebungen, der Wahnsinnige nicht von den Bildern seiner Traumwelt losreissen, und der Blödsinnige zeigt uns vollends diese Bestimmungslosigkeit in jeder psychischen Beziehung. Alle sind von den sie drückenden Beschränkungen bald des Gemüths, bald des Geistes, bald des Willens, bald aller psychischen Thätigkeiten zusammengenommen, befangen und gefesselt. Nicht als ob diesen Kranken bey den erwähnten psychischen Beschränkungen alles Bewußtseyn entnommen und verschwunden wäre, denn dieser Fall findet kaum in den höchsten Graden der Anspannung oder Abspannung statt, und gehört also zu den Ausnahmen von der Regel: sondern bey einem, mehr oder minder deutlichen, Bewußtseyn ist es nur der freye Gebrauch ihrer psychischen Kräfte, welcher allen diesen Kranken gemeinschaftlich versagt ist. Es ist dieß auch sehr natürlich: denn bey jeder Hemmung in dem Gebiete des Geistes, Willens, Gemüths, sind zugleich die übrigen, nicht ursprünglich affizirten Thätigkeiten beschränkt, vermöge des Zusammenhanges, der durch die natürliche Einrichtung unter ihnen Statt findet, und vermöge der Wechselwirkung, mit welcher sie zu gemeinschaftlichem Zweck in einander eingreifen. Ist z. B. das Gemüth von einer Leidenschaft ergriffen und gefesselt, so ist dadurch eben so wohl der Geist als der Wille in seinem Wirken gehindert, ja sogar ganz aus der natürlichen Richtung gebracht. Und so ist es auch mit den übrigen Thätigkeiten der Fall, da, wo ursprünglich der Geist oder der Wille affizirt ist. Doch soll dieser Fall, der noch nicht völlige, ärztlich-psychische Krankheit ausdrückt, nur als Beyspiel für denjenigen Zustand dienen, in welchem sich die wahrhaft ärztlich-psychischen Kranken befinden, und der eine gänzliche Aufhebung der Freyheit oder Fähigkeit zur Selbstbestimmung, in bestimmten psychischen Beziehungen, voraussetzt, also den Menschen in dieser Hinsicht als wahres Automat darstellt. So unrichtig es nehmlich überhaupt ist, den Menschen mit einer Maschine, mit einem Werk mechanischer Kunst zu vergleichen: so tritt dennoch bey psychisch-Kranken derselbe Fall ein, wie bey Maschinen, die durch Räder, Federn und Gewichte in Bewegung gesetzt werden. So wie bey diesen durch ein einziges stockendes Rad die ganze Thätigkeit des Werkzeugs in Stocken geräth: so auch wo ein Mensch in irgend einer Beziehung seiner psychischen Thätigkeit für die Dauer gehemmt ist. Im gesunden psychischen Leben ist ein stetes gedeihliches Ineinandergreifen und Vorwärtsschreiten der Thätigkeit bemerkbar: Neigung oder Pflicht reizen den Menschen unaufhörlich zum Ueberlegen und Handeln auf; und so erweitert sich allmählich der Kreis der Einsicht, der Wirksamkeit und des Genusses. Im psychisch-kranken Zustande hingegen ist alle Einheit und Harmonie des Lebens, alle Beziehung auf äußeres und inneres Wohlseyn und Wirken unterbrochen: der Gang der Geschäfte des Lebens, der äußern und inneren Entwickelung und Ausbildung stockt, und der Mensch gleicht einer lebendigen Ruine. Man sieht noch die Trümmer von Kräften, die bestimmt waren ein Ganzes zu bilden, und die nun isolirt sich selbst zerstören, wenn sie nicht durch glückliche Einflüsse zu neuer Harmonie verbunden werden. Wir sehen hier ein zerrüttetes Gemüth, das in sich versunken, allen innern und äußern Lebensreizen abgestorben, im dumpfen Hinbrüten an sich selbst nagt und aufgehört hat eine Triebfeder für die Thätigkeit des Geistes und Willens zu seyn, die nun aus Mangel an Aufregung allmählich gelähmt werden und verkümmern. Dort begegnet uns ein Mensch, der sich aus den Schlingen einer fixen Idee nicht herauswinden kann, über welche er sein ganzes Daseyn und alle Zwecke, Bestrebungen und Genüsse desselben vergessen hat. Ein Anderer spielt im kindischen Wahne, wieder ein Anderer tobt in blinder Wuth, noch ein Anderer schwatzt in sinnloser Gesprächigkeit sich durch die unbenutzte, ungenossene Zeit hin, die für ihn keine mehr ist. Alles Bilder und Zustände, die bey ihrer Mannigfaltigkeit und Verschiedenheit doch in so fern einander gleichen, als sie uns zu erkennen geben, daß hier überall, statt des Einklangs, Zusammenhanges und der Freyheit im psychischen Wesen, Spaltung und Gebundenheit desselben obwalte. Was wir also vorhin als den Charakter der ärztlich-psychischen Krankheiten blos angedeutet haben, tritt nach der eben gegebenen Schilderung für jeden einigermaßen Aufmerksamen mit völliger Bestimmtheit hervor, und es ist unverkennbar, daß bey allen psychischen Zerrüttungen der Mangel freyer Thätigkeit, oder genauer: die Freyheitslosigkeit es ist, welche den Grundcharakter derselben ausmacht. Ueberhaupt kann man es als Axiom aufstellen: in dem Maße wie Fähigkeit zur Selbstbestimmung, oder innerer freyer Zustand, den Menschen, wenigstens möglicher Weise, in Absicht auf sein psychisches und physisches Gedeihen fördert, in eben dem Maße bringt Freyheitslosigkeit nothwendig psychisches und physisches Verderben für ihn hervor. Die dem Menschen angeborne Freyheit ist wesentliche Bedingung zu Verfolgung seiner Zwecke, zur Ordnung seiner Geschäfte, zum Genuß der unentbehrlichen Freuden des Lebens, ja zur Existenz der Staaten, ihrer Einrichtungen und Gesetze, zur Schöpfung von Künsten und Wissenschaften, sogar zum Höchsten was der Mensch besitzt und was allein ihn wahrhaft über alle uns bekannte Naturwesen erhebt, zur Religion. Man nehme dem Menschen die Freyheit, in dem Sinne wie wir von ihr sprechen, und er ist nicht blos Maschine, seelenloses Wesen, (denn das Wesen der Seele ist die Freyheit) sondern das ganze Gebäude seines Lebens ist aufgelöst, zersetzt in seine Elemente, keine Ordnung und Folge mehr in seinen Gedanken, keine Harmonie in seinen Empfindungen, keine Richtung und Stetigkeit in seinen Entschlüssen: sein Leben stockt; ohne Ziel und Zweck, ohne Genuß und That irrt er umher, losgerissen aus der Kette der Gesellschaft, sich selbst entfremdet, in sich selbst vernichtet. Es ist daher ein sehr sicheres, ja das einzige allgemeingültige Criterium, wenn man in rechtlichen Fällen, wo über die Fähigkeit eines Menschen entweder zu gesetzlichen oder zu widerrechtlichen Handlungen entschieden werden soll, ohne weiteres seine Fähigkeit oder Unfähigkeit zur Selbstbestimmung, also den Grad seiner Freyheit oder Freyheitslosigkeit an den Tag bringt: denn alle Befugniß und alle Imputation gründet sich allein auf jene dem Menschen eigenthümliche Mitgift der Natur. Einseitig aber und schweren Irrthum erzeugend ist es, die Quelle der Freyheitslosigkeit auf den zerrütteten Verstand zurückzuführen, wie es so häufig geschieht: denn wiewohl Verstandeszerrüttung, sie entspringe nun woher sie wolle, allezeit mit Freyheitslosigkeit verbunden ist so ist doch diese nicht umgekehrt allezeit mit jener vergesellschaftet. Wer will den Melancholiker, der in sich verschlossen ein hartnäckiges Schweigen beobachtet, der Verstandeszerrüttung beschuldigen? Ferner: Führen nicht die Beobachter Fälle genug an, wo an der Manie leidende Individuen, nicht blos außer ihren Anfällen, sondern auch in denselben, recht gut wußten was sie thaten und nur einem ungestümen Drange nicht widerstehen konnten? Ja, finden wir nicht selbst da, wo wir Verstandeszerrüttung anzunehmen berechtigt sind, oft die deutlichsten Zeichen eines hellen Geistes, der, bis auf einen oder den andern Punkt, richtig zu erkennen, zu urtheilen, und folglich die Handlungen des Individuums zu leiten vermag? Wenn man also blos darauf sehen will, ob ein Mensch bey gesundem Verstande ist oder nicht, um hiernach sein Vermögen oder

U

Unvermögen zum freyen Handeln zu bestimmen: so wird man oft in Gefahr kommen Psychisch-kranke für psychisch-gesund zu erklären und demnach zu behandeln. Wenn jemand, trotz dem was ihm sein Verstand sagt, nicht anders empfinden und wollen kann als er empfindet und will: so ist er in dieser Hinsicht freyheitslos, und also psychisch-krank. Solche Fälle kommen nicht selten vor, und die Melancholie gibt Beyspiele genug der ersten, die Manie der zweyten Art. Man sollte also die Verstandesverwirrung, oder auch die Verstandeslosigkeit nicht zum allgemeinen Charakter und Criterium der psychischen Krankheiten machen, weil dadurch die Untersuchung leicht irre geführt wird, indem z. B. ein Mensch, der bis diesen Augenblick ganz verständig mit seinem Arzte spricht, ihn im nächsten Augenblicke mit blinder Wuth anfallen kann. Der Verstand schweigt in diesem Falle über die vorhandene Krankheit, und, wiewohl psychisch-krank, leidet doch das Individuum in einer ganz andern Sphäre als der des Verstandes. Aber Freyheitslosigkeit ist es, die bey jeder psychischen Krankheit ohne Ausnahme vorhanden ist, und die sich als der wahrhaft allgemeine Charakter aller legitimirt. Es ist nicht befriedigend und ausreichend, einen Menschen für psychisch-gesund zu erklären, wenn man an seinem Verstande nichts auszusetzen findet; aber man ist unwidersprechlich befugt ihn für psychisch-krank zu erklären, wenn es erwiesen ist, daß ihm das Vermögen zur Selbstbestimmung, daß ihm die natürliche Freyheit abgeht, es sey nun daß er ihrer durch körperliche Zerrüttung, oder durch ein gesetzwidriges psychisches Leben verlustig gegangen ist, oder auch daß, wie es sehr häufig der Fall ist, beyde Momente vereint gewirkt haben.

III.

Quellen der ärztlich-psychischen Krankheiten.

Daß für die Diagnostik der ärztlich-psychischen Krankheiten das Studium der Quellen dieser Krankheiten von der größten Wichtigkeit und Nothwendigkeit sey, wird Jedermann eingestehen. Wir sind aber leider in diesem Punkte noch sehr zurück. Theils hat der grobe Unterschied, den man gewöhnlich zwischen Körper und Seele zu machen pflegt, theils auch die Unbekanntschaft mit dem Wesen und der Einrichtung des Organismus selbst diese Forschungen falsch geleitet oder zurückgehalten. Inzwischen muß auch hier, wie überall, unbefangene Beobachtung die Bahn brechen und weiter helfen. Zuvörderst setzen wir also hier den Unterschied zwischen Körper und Seele als reinen Gegensätzen (die Frucht todter metaphysischer Speculationen) bey Seite. Die Beobachtung zeigt uns nur Ein Leben, Eine Einheit des Daseyns und Wirkens im menschlichen Organismus, die wir nur in so fern unterscheiden können, als wir die Organe von ihren Functionen trennen, oder umgekehrt. Allein auch hieran thun wir eigentlich Unrecht, denn es ist dieß gerade so viel, als wenn man die Kraft von ihrer Thätigkeit trennen wollte. Wie die Kraft und ihre Thätigkeit Eines ist, so auch das Organ und seine Function: denn die Organe sind die Kräfte, durch welche die Functionen zu Stande kommen, und eine Function als etwas selbstständiges und von Organen unabhängiges ist ein Unding. Die Verdauung ist der Inbegriff der Thätigkeiten der Verdauungsorgane, die Bewegung der Inbegriff der Thätigkeiten der Bewegungsorgane. Sind die Organe verletzt, so werden die Functionen gestört, und umgekehrt: gestörte Functionen sind die Zeugen von abnormen Verhältnissen der Organe. Was berechtiget uns nun, dem Denken,

Empfinden und Wollen weniger, als den übrigen Functionen des Organismus, Organe zum Grunde zu legen und diese Erscheinungen für etwas anderes anzusehen, als für Thätigkeiten bestimmter Organe? Sehen wir nicht, daß diese Thätigkeiten durch schädliche Einwirkungen auf Hirn und Nerven und durch die Störung oder Zerstörung dieser Theile des Organismus gestört oder gar aufgehoben werden? Die Beobachtungen, welche dieß lehren, sind unwidersprechlich. Die Jugend, das Alter, die Krankheiten des Organismus, wie viel verändern sie nicht an unserm Denken, Empfinden, Wollen? Die Nahrungsmittel, die Gifte, die Atmosphäre, die Bewegung, der Schlaf u. s. w. haben sie nicht den bestimmtesten Einfluß auf diese Erscheinungen? Jeder Arzt weiß, daß Zerrüttungen der Unterleibs-Eingeweide, Störung des Kreislaufs, krankhafte Metamorphosen des Gehirns und seiner Umgebungen, daß das Uebermaß von Blut- und besonders von Samen-Verlust die unverkennbarsten Einflüsse auf das Denken, Empfinden und Handeln haben, und umgekehrt, daß Leidenschaften, Affecten, geistige Anstrengungen die unmittelbarsten Wirkungen auf den Kreislauf, die Verdauung, die Ernährung, das Bestehen des ganzen Organismus haben. Also nicht blos die sämmtlichen Functionen sind von ihren respectiven Organen nicht zu trennen, sondern diese Organe selbst, so verschieden ihre Thätigkeiten seyn mögen, stehen mit einander in der innigsten Berührung und Wechselwirkung. Hieraus folgt, daß sich keine psychische Krankheit denken lasse, die nicht das Resultat gestörter organischer Verhältnisse sey. Und hiermit ist alles beseitigt, was uns bey Erforschung der Quellen psychischer Krankheiten auf eine falsche Spur leiten könnte. Die Aufgabe ist nun dahin zurückgeführt: auf wie mancherley Weise die Störung organischer Verhältnisse psychische Krankheiten herbeyführen könne. Allein hier ist es, wo sich ein undurchdringliches Dunkel unserer Forschung entgegenstellt, denn eben das Wesen, die innere Beschaffenheit der organischen Verhältnisse entgeht unsern Blicken ganz. Wie Gehirn und Nerven das Empfinden, Denken und Wollen erzeugen, ist uns eben so unbekannt als das Wunder der Verdauung und Bewegung. Oder ist es etwa kein Wunder, d. h. keine Unbegreiflichkeit, wie Speise und Trank in menschliche Gestalt verwandelt werden, und wie diese Gestalt durch einen bloßen Gedanken, durch einen Willensakt in Bewegung gesetzt wird? Die Erscheinungen sind das Einzige, woran wir uns hier zu halten haben, und die Verhältnisse und nächsten Bedingungen dieser Erscheinungen beobachtend zu erforschen und unbefangen aufzustellen, ist unsere höchste Weisheit. Der Organismus erscheint uns als in einer unaufhörlichen, mannigfaltigen Thätigkeit begriffen. So wie es in demselben ein Geschäft des Bildens, ein Geschäft des Ausscheidens, ein Geschäft der Bewegung gibt, so gibt es auch in ihm ein Geschäft des Empfindens, Denkens, Wollens. Wir sprechen blos von dem letztern. Lassen wir die Einrichtung, durch welche es zu Stande kommt, bey Seite liegen, weil uns von derselben nichts bekannt ist, und betrachten wir blos, durch welche Einflüsse es unterhalten oder unterbrochen wird. Wenn wir diejenige Sphäre der Erscheinungen im Organismus, welche sich uns als Bewußtseyn mit seinem Inhalte offenbart, fixiren, und sie, zum Behuf der Beobachtung, als etwas selbstständiges, wiewohl nicht von der Gemeinschaft mit den übrigen Thätigkeiten des Organismus getrenntes betrachten: so finden wir eine doppelte Bedingung ihrer natürlichen Existenz d. h. ihrer Erscheinung im Kreise des Organismus. Die erste ist: die Integrität des Organismus selbst in Beziehung auf diese Sphäre; die zweyte: naturgemäße Thätigkeit dieser Sphäre in ihrem eignen Gebiet. Die entgegengesetzte Beschaffenheit zeugt für die Realität dieser Bedingungen.

Fehler der Eingeweide, des Blutumlaufs, der Hirn- und Nervenbildung, Krankheiten der Hirnhäute, der Hirnschale u. s. w. stören die Functionen des Bewußtseyns auf der einen Seite: auf der andern ist ein verwöhntes Begehrungsvermögen, eine verwöhnte Phantasie, ein falsch geleiteter Verstand, ein falsch gerichteter Wille im Stande gleichfalls Störungen des Bewußtseyns hervorzubringen, welche sämmtlich demselben das Gepräge der Freyheitslosigkeit aufdrücken, eines Zustandes, der der sicherste Bürge für die Abweichung dieser Sphäre von ihrer natürlichen Beschaffenheit ist, denn diese ist bekanntlich: Vermögen der Selbstbestimmung, oder Freyheit. Allerdings sind also die Quellen der psychischen Krankheiten von doppelter Art, wiewohl sie übrigens in einander verfließen und sich nur durch den ersten Impuls unterscheiden, der bald von der einen, bald von der andern Seite herkommen kann. Dieser letztere ist etwas zufälliges, der Wechselverkehr aber der organischen Sphären etwas nothwendiges, eben weil sie organische Sphären sind; so daß man also sagen kann, es gebe keine psychische Krankheit, die nicht zugleich psychische und außer-psychische Affection in sich fasse. Nehmen wir für einen Augenblick den groben Unterschied zwischen Körper und Seele an, so bedeutet das eben gesagte so viel: bey jeder Seelen-Verstimmung oder Zerrüttung muß auch zugleich körperliche Verstimmung oder Zerrüttung Statt finden. Allein wir müssen über die Quellen der psychischen Krankheiten selbst, wie sie uns durch Beobachtung kund werden, noch bestimmter Rechenschaft ablegen. Die außer-psychischen Quellen, d. h. die, welche außerhalb der Sphäre des Bewußtseyns liegen, kündigen sich auf mannigfaltige Weise in der Erscheinung an, lassen sich aber sämmtlich unter die Rubrik organischer *) Störungen

*) Da allem Dynamischen das Organische zum Grunde liegt, ja das Dynamische nur die Erscheinung des Organischen ist, so

bringen. Sie sind folgende: 1) erbliche organische Verstimmung; 2) natürliche Bildungsfehler; 3) erworbene organische Verstimmung und Zerrüttung. Wir betrachten sie kürzlich der Reihe nach. Erstlich, daß wenigstens die Anlage zum Blödsinn, zur Manie, zur Melancholie u. s. w. ererbt werden kann, darüber hat die Erfahrung längst entschieden. Gleiche Neigung zur Gicht, zu Hämorrhoiden, zur Epilepsie, zu Hautkrankheiten, zur Hysterie und Hypochondrie, überhaupt gleiche Beschaffenheit und Stimmung der Unterleibs-Eingeweide, des Gefäß- und Nervensystems zwischen Aeltern und Kindern, machen es wahrscheinlich, daß diese Anomalien die Wurzel vorhandener psychischer Krankheiten bey den Kindern sind, wie sie es bey den Aeltern waren. Zweytens: die natürlichen Bildungsfehler, d. h. diejenigen welche entstanden sind dadurch, daß die Natur selbst ihr Werk nicht vollendete, entweder weil es ihr an Stoff mangelte, oder weil sie äußere Störungen erfuhr, betreffen diejenigen Erscheinungen, welche am Gehirn und Schedel psychisch-kranker Individuen wahrgenommen werden und aus denen man schließen muß, daß die psychischen Thätigkeiten vermöge ihrer fehlerhaft beschaffenen organischen Grundlage nicht zur Reife und Vollkommenheit gedeihen konnten. Diese sind: ein nicht ausgebildetes, in seinen Theilen nicht vollendetes, oder auch zu kleines Hirn, wovon wir das äußerste Extrem in den acephalis finden, die zu gar keinem psychischen Leben gelangen. Sodann: mit den Fehlern des Gehirns eine fehlerhafte Form des Schedels, nehmlich: Plattheit auf dem Wirbel; Erhabenheit an den Seiten; Zusammendrückung in der Gegend des Stirnbeins oder des Hinterhauptbeins; oder gänzlich mangelndes Stirnbein; fast

machen wir gar keinen Unterschied zwischen diesen beyden Eigenschaften, überzeugt, daß man mit der einen die andere festhält.

ganz viereckige und dicke, oder fast ganz runde und dicke Hirnschale. Doch sind übermäßig dicke oder dünne Hirnschalen wohl mehr durch krankhafte Metamorphosen entstandene als primitive Fehler. Zwar will man jetzt behaupten, daß die Form der Hirnschale ein Werk des Gehirns sey: allein das Gehirn ist keine bildende Thätigkeit in diesem Sinne, sondern es wird eben so gut als die Hirnschale nach dem organischen Typus gestaltet, der überhaupt im Menschenkeime liegt, und der durch zufällige Störungen in seiner Entwicklung gehindert werden kann. Drittens: am mannigfaltigsten, und die vorzüglichsten und häufigsten psychischen Abnormitäten erzeugend, ist die erworbene organische Verstimmung und Zerrüttung. Schädliche Kräfte mancher Art, (jeder Stoff ist Kraft und Thätigkeit) *) als syphilitisches Gift, Krätzschärfe, Flechtenschärfe, der Mißbrauch mancher arzneylichen Stoffe; sodann natürliche und widernatürliche, übermäßige oder unterdrückte Ausleerungen von Saamen, Blut, Milch, Eyter; ferner Mangel an Nahrung und Schlaf oder auch das Gegentheil; Unterleibsobstructionen mit ihren Folgen; vor allen aber ein durch Ausschweifungen in der Wollust, im Trunk, zerrüttetes, im höchsten Grade deprimirtes Nervensystem, wozu sich häufig ein übermäßig erregbares Gefäßsystem gesellt, das sich durch Neigung zu Congestionen besonders nach dem Kopfe

*) Am besten wäre es, den Begriff von Stoff oder Materie ganz aus der Sprache zu verbannen, wenn man darunter nur etwas todtes, ruhendes, starres verstehen will. Der Stein, der Staub, das Element ist Kraft, ist mancherley Metamorphosen fähig, in denen sich immer neue Gesetze der Thätigkeit offenbaren. Die ganze sogenannte materielle Welt löst sich in eine Summe von Thätigkeiten auf, denen keine todte Basis zu Grunde liegen kann, weil dieser Gedanke einen Unsinn enthält.

zu erkennen gibt: alles dieß bringt solche organische Verstimmungen hervor, welche nicht selten, bald durch allgemeine Depression oder Exaltation der organischen Thätigkeiten, bald durch ein besonderes antagonistisches Verhältniß zu den Organen der psychischen Erscheinungen, zu Quellen psychischer Krankheiten werden, die aber weiter zu verfolgen und in ihren Verhältnissen aus einander zu setzen hier nicht der Ort ist. Melancholie, Wahnsinn, Tollheit, Blödsinn sind die vorzüglichsten krankhaften psychischen Zustände, die durch jene Einwirkungen hervorgerufen werden.

Was die psychischen Quellen ärztlich-psychischer Krankheiten betrifft, so sind diese so mannigfaltig als die psychischen Zustände und Thätigkeiten selbst. Inzwischen muß doch hier das Gemüth und die Phantasie vor allen in Anschlag kommen, wiewohl auch dem Verstande und dem Willen ihr Antheil nicht abzusprechen ist. Zuerst, das Gemüth anlangend, so zeigt die Erfahrung hinlänglich, wie bey lebhaften, reizbaren Seelen heftige Affecte, als Freude, Zorn, Schreck, im Stande sind diese gleichsam aus allen ihren Fugen zu bringen und in einen freyheitslosen Zustand zu versetzen. Ob übrigens die Wirkungen jener schädlichen Gewalten in den psychischen Gränzen bleiben, wo sie sich nach Maßgabe des einwirkenden Reizes bald als Narrheit, bald als Tollheit, bald als Melancholie oder Blödsinn zeigen, oder ob sie in die außerpsychische Sphäre überspringen sollen, wo sie Schlagflüsse, Lähmungen, Rupturen, convulsivische Krankheiten hervorbringen: dieß hängt von der besondern Constitution und Empfänglichkeit der Individuen ab; so wie es denn auf diese überhaupt ankommt, ob die Affecten nachtheilige Folgen erzeugen sollen oder nicht. Langsamer als diese, aber nicht weniger verderblich, wirken die Leidenschaften. Im Allgemeinen haben sie das Eigene, daß sie entweder

Zustände von Exaltation oder von Depression in der psychischen Sphäre hervorbringen, indem sie zugleich die außer-psychische Sphäre auf mannigfaltige Weise in Consensus ziehen. Vor allen andern zeichnen sich hier Liebe und Stolz aus, jene häufiger bey dem weiblichen, diese bey dem männlichen Geschlecht. Stolz und Liebe, wenn ihre Erwartungen, ihre Wünsche, an denen das ganze Gemüth, das ganze Leben hängt, getäuscht werden, erzeugen Melancholie, Wahnsinn, Tollheit. Wird die außer-psychische Sphäre zum Ableiter der Wirkungen dieser Leidenschaften, so entstehen Abzehrungen, Lungen- Leber- Vereiterungen. Gram, Kummer, Sorge, Furcht, erzeugen nicht selten Melancholie, die leicht in Blödsinn übergeht. Die Eitelkeit ist die Mutter der Narrheit. Und so gibt es keinen Gemüthszustand, der sich durch heftige Erregung oder gewaltsame Depression auszeichnet, welcher nicht in empfänglichen Subjecten psychische Störungen hervorbringen könnte. Was von dem Gemüth gilt, gilt auch von der Phantasie. Je lebhafter und ausschweifender, je leichter erregbar die Phantasie ist, desto größer ist ihre Gewalt psychische Störungen hervorzubringen. Gemüth und Phantasie erregen sich einander wechselseitig und stehen sich in ihren Wirkungen bey. Doch ist die Phantasie, einmal aufgeregt, auch ohne Beziehung auf das Gemüth geschäftig psychische Zerrüttungen hervorzubringen, besonders wenn ihr ein irre geleiteter Verstand zur Seite steht. Die ganze Reihe verkehrter Einbildungen und aller Phantome des Wahns, mit einem Worte: der Wahnsinn in allen seinen Gestalten ist ein Erzeugniß der Schöpferin Phantasie, die auch im Schaffen zerstören kann. Der Verstand selbst, welcher alle psychischen Kräfte regieren soll, kann mit seiner eigenen auch ihre Zerrüttung bewirken, wenn er zu lebhaft, zu anhaltend angestrengt, auf falsche Weise zu verkehrten Zwecken gebraucht, thätig ist.

Wahnwitz, Aberwitz, Narrheit, und nicht minder Melancholie, Manie, Blödsinn sind die Folgen seines überspannten Wirkens. Aber auch der gänzliche Mangel an Verstandesthätigkeit, bey Individuen, wo die Verstandesbildung versäumt, oder absichtlich zurückgehalten worden ist, kann als negative Schädlichkeit wirken, in wiefern nun rohen Gefühlen und Trieben freyes Spiel zur Erzeugung psychischer Zerrüttungen gegeben wird, die hier um so eher entstehen, je weniger der Verstand fähig ist einen Damm gegen regellose Ausbrüche jener Kräfte abzugeben; abgerechnet daß der gänzliche Nichtgebrauch des Verstandes schon an sich, wo nicht Blödsinn ist, doch zum Blödsinn führt. Endlich kann auch der Wille theils positiv, theils negativ eine Quelle psychischer Zerrüttungen werden. Das erste geschieht bey heftigen, leidenschaftlichen, verzogenen Menschen, die gewohnt sind durch die Kraft ihres Willens alles, was in ihrem Kreise liegt, zu beherrschen, allen Widerstand gegen ihre Pläne und Entwürfe zu besiegen, alle ihre Wünsche befriedigt zu sehen. Hier ist der Wille so zur vorherrschenden Kraft geworden, daß kleine Reize und Hindernisse hinreichen, um ihn von dem Zügel des Verstandes loszureissen und die losgerissene Willenskraft in der Gestalt der Tollheit erscheinen zu lassen. Das zweyte geschieht alsdann, wenn bey vernachlässigter Uebung der Selbstbestimmung und bey entkräfteter, reizbarer Constitution gänzliche Willenlosigkeit eingetreten ist, ein Zustand der Bestimmbarkeit von außen und des Müssens, in welchem der Mensch ein Spielball der geringsten äußern Einflüsse wird, die ihn bald zu Handlungen des Wahnsinns antreiben, trotz dem daß der Verstand noch deutlich in ihm spricht, bald das leicht überwältigte Gemüth mit finstern Vorstellungen erfüllen. Daher sind solche Menschen jetzt melancholisch, jetzt toll, und zuweilen wieder, aus demselben Grunde, lustige Narren.

So viel hier von den Quellen der psychischen Krankheiten, deren Erkenntniß, auch in diagnostischer Hinsicht, ohne die Kenntniß jener nicht möglich ist.

IV.

Erscheinungsformen der ärztlich-psychischen Krankheiten.

Ein Hauptfehler, dessen man sich in der Betrachtungs- und Darstellungsart dieser Krankheitsformen schuldig gemacht hat, und der noch bis diesen Augenblick die richtige Ansicht derselben verhindert, ist dieser, daß man das Wesen und den Grund der Seele in dem Vorstellungsvermögen findet. Allerdings ist dieses das Band gleichsam, durch welches alle Kräfte der Seele zusammen gehalten werden, allein diese Kräfte selbst sind doch nicht blos vorstellende, wenn auch ihre Thätigkeit überall durch Vorstellungen vermittelt ist. Das Begehren irgend eines Gutes, eines Genusses, die Freude, ja das Entzücken über den erreichten Gegenstand unserer heißen Wünsche, der Schmerz über dessen Verlust oder Unerreichbarkeit, wurzelt tief in unserer Seele, und ist gleichwohl mehr als bloße Vorstellung: es ist dazu eine besondere Anlage oder Kraft erforderlich, die wir Herz oder Gemüth nennen, und die, genau betrachtet, mit gleichem Rechte wie das Vorstellungsvermögen, Anspruch darauf zu machen hat, Grund und Wesen unserer Seele zu seyn. Ja ist nicht unsere Seele, früher noch als sie vorstellt, ein strebendes und begehrendes Wesen? und hört sie je auf es zu seyn? Allen unsern Gedanken, allen unsern Handlungen liegt ein solches Streben und Begehren, ein Trieb des Herzens zum Grunde, und das vorstellende Wesen in uns erscheint uns in dieser Hinsicht blos als Diener und Vermittler dieses Triebes, oder, was dasselbe ist, unsers Gemüths. Allein noch eine dritte Kraft unserer Seele macht Anspruch auf den Rang und den Einfluß einer Grundkraft. Was wären wir, als seelenbegabte Wesen, wenn wir von unsern Empfindungen, von unsern Vorstellungen hin und her getrieben würden, ohne innere Haltung und Festigkeit, ohne Herrschaft und gebietende Gewalt über Thätigkeiten, die im Grunde nur dazu dienen, die Materialien für unsere innere Existenz zu erstreben und herbeyzuschaffen? Was wären wir ohne die Kraft der Selbstständigkeit, die sich durch Selbstbestimmung äußert und uns nur dadurch eine unabhängige Sphäre eigener Existenz zusichert? Und diese Kraft ist der Wille, den man, mit gleichem Rechte wie die übrigen, eine Grundkraft der Seele nennen kann. Man denke sich den Menschen mit Vorstellungen und Empfindungen begabt, aber willenlos: und es ergibt sich augenblicklich, daß eine Grundkraft, die Kraft der Selbstbestimmung fehlt, welche dem beseelten Wesen seine freye Sphäre sichert. Alle Thätigkeit beruht auf der Kraft des Willens, denn jeder Akt derselben geht aus der Selbstbestimmung hervor. Doch die Thätigkeit darf nicht sinnlos oder unbesonnen, wenn sie gedeihlich, und nicht herzlos seyn, wenn sie nicht verwerflich seyn soll. Da wir nun die Seele als eine, wenn der Ausdruck erlaubt ist, mannigfaltig gegliederte Kraft ansehen müssen: so ist nichts natürlicher, als daß auch die Erscheinungen ihres kranken Zustandes nicht blos auf einer und derselben Verletzung oder Beschränkung ihrer Thätigkeit beruhen. Nicht also blos die geistige Sphäre, das Vorstellungsvermögen, die Einbildungskraft, die Urtheilskraft u. s. w. gibt die Symptome der Seelenkrankheiten her: so daß Mangel an Besonnenheit, an Aufmerksamkeit, an Gedächtniß, an Beurtheilungsvermögen, ferner ein falsch gerichteter Verstand, der sogenannte fixe Wahnsinn, die Verrücktheit, die Narrheit u. dergl. nur Modificationen Einer verletzten Seelenkraft des Geistes zu nennen und nicht alle Seelenkrankheiten, wie wohl zugeschehen pflegt, auf diese zurückzuführen sind. Sondern wir müssen es auch nicht übersehen, daß die übrigen Grundkräfte der Seele ebenfalls auf eigenthümliche Weise angegriffen werden können; wo denn nothwendig ganz andere Phänomene zu Tage kommen, als diejenigen sind, von denen der zerrüttete Geist die Grundlage ist. Man hat zwar diese Phänomene, welche sich als bestimmte Krankheitsformen zu erkennen geben, nicht unbeachtet gelassen, sondern sie sorgfältig genug beobachtet und beschrieben; allein man hat ihren Ursprung und ihre Beziehung auf die Seelenthätigkeiten verkannt, und sie sämmtlich aus einer Quelle, dem zerrütteten Geiste, abgeleitet; daher man denn auch bis jetzt die gesammten Seelenkrankheiten Geisteszerrüttungen nennt, allein sehr mit Unrecht und zum Nachtheil der Kunst und der Wissenschaft. Wenn das Gemüth einer Leidenschaft nicht widerstehen kann, und mit unwiderstehlicher, unendlicher Sehnsucht nur in den Gefühlen dieser Leidenschaft lebt, wenn es dann durch irgend eine gewaltsame Einwirkung in Beziehung auf den Gegenstand dieser Leidenschaft erschüttert, ergriffen, und aus den Schranken der Besonnenheit und des hellen Bewußtseyns in die dunkeln, traumähnlichen Regionen des Wahnsinns fortgerissen wird, wo es von nun an in Vorstellungen und Bildern lebt, welche alle diesen Gegenstand darstellen oder sich auf ihn beziehen, wie es z. B. bey so vielen aus Liebe wahnsinnig gewordenen Personen ist: ist es hier wohl der Geist, welcher erkrankt ist, oder ist es nicht vielmehr lediglich das Gemüth, welches aber in seiner Zerrüttung den Geist zu fehlerhafter Thätigkeit umstimmt und ihn in dieser Verstimmung unterhält? Alle geistigen Erscheinungen sind hier nur die Zeugen von dem innern Zustande des Gemüths, und Sitz und Quelle der Krankheit liegen nicht in jenen, sondern in diesem. Die Krankheit ist also wahrhaft nicht Geistes-, sondern Gemüthskrankheit.

Wollte man hierauf sagen, daß dennoch hiebey der Geist leide und sein Leiden durch die Verkehrtheit der Vorstellungen u. s. w. zu erkennen gebe, so müssen wir dieß blos für sympathische Affection erklären, welche nicht Statt finden würde, wenn die Reizung von Seiten des kranken Gemüths unterbliebe. Die Gesetze der Reizung gelten in der psychischen Sphäre wie in der somatischen. Nennt das jemand Magenkrankheit, wenn sich auf den Reiz vom Nierenstein oder von einem eingeklemmten Bruche Erbrechen einfindet? Oder will man die Epilepsie für eine Krankheit der Muskeln erklären, weil sich diese durch den Einfluß eines kranken Nervensystems oder eines einzelnen heftig gereizten Nerven convulsivisch bewegen? Nein! Ubi sedes, ibi morbus! Die Krankheit selbst in die äußern Erscheinungen verlegen kann nur ein ungeübter Blick, der nicht die Wirkungen von den Ursachen zu scheiden vermag. Und dieß gilt in der psychischen Sphäre eben so wohl, als in der somatischen. Allein das Gemüth kann noch auf ganz andere Art erkranken, auf eine Art, welche der eben beschriebenen durchaus entgegen gesetzt ist. So wie nehmlich die Leidenschaften das Gemüth sich selbst entfremden und in den Kreis des Wahnsinns bannen können, nachdem sie dasselbe in den höchsten Grad der Exaltation gesetzt haben: eben so vermögen sie, wenn sie deprimirender Art sind, wie, z. B. Gram über einen, wenigstens in der Einbildung, ungeheuren Verlust, das Gemüth so niederzudrücken, daß es nun, in sich selbst versunken und gleichsam an sich selbst nagend, nicht blos für das äußere, sondern auch für das innere Leben verloren ist und in denjenigen Zustand geräth, den wir Melancholie nennen. Zur Entstehung dieses Zustandes muß freylich auch die sogenannte körperliche Disposition vieles beytragen; so wie denn auch der Zustand des Wahnsinnes nicht leicht ohne eine solche körperliche

Mitwirkung erfolgt. Junge, sanguinische, vollblütige, zu Congestionen geneigte Personen, werden, wenn die übrigen Bedingungen eintreten, wahnsinnig; ältere, vom sogenannten melancholischen Temperament, abgemagerte, nervenschwache Individuen, wenn die genannten Veranlassungen erscheinen, melancholisch. Doch dieß nur beyläufig. Nicht von der Prädisposition und den Veranlassungen, sondern von den Krankheitszuständen selbst ist jetzt die Rede. Die Melancholie aber, von der wir jetzt sprechen, und welche schon der Sprachgebrauch der Layen Gemüthskrankheit nennt, wird von den Aerzten selbst verkannt und als Geisteskrankheit betrachtet, weil natürlich hier, wie bey allen psychischen Krankheiten, auch der Geist die nachtheiligen Wirkungen des Uebels erfährt. Aber es läßt sich leicht erklären, wie dieß nicht anders geschehen kann, ohne daß doch der Geist es ist, der bey der Melancholie ursprünglich und wesentlich krankhaft afficirt ist. Wenn sich bey der Melancholie fixer, partieller Wahnsinn findet *), wie es Reil nennt, der den Trübsinn für etwas außerwesentliches bey der Melancholie erklärt und sich lediglich an jene Erscheinung hält: so ist dieß bey weitem nicht hinreichend den Charakter der Melancholie zu bestimmen, indem sich bey diesen fixen Ideen Symptome befinden, welche deutlich und nothwendig auf einen zerrütteten Zustand des Gemüths hindeuten; was auch schon Aretäus geahnet und mit einem treffenden Ausdrucke bezeichnet hat **). Dieser große Beobachter setzt einen qualvollen Zustand des Gemüths, gleichsam als

*) Morbus, in quo aeger eidem fere et uni semper cogitationi defixus est. Boerhaave. Aphor. §. 1089.

**) Melancholia est angor, in una cogitatione defixus atque inhaerens, absque febre. — De caus. et sign. morb. diuturn. Libr. I. cap. 5.

as Centrum der Melancholie fest, und macht die fixe
Idee von diesem Zustande abhängig. Und so ist es auch.
Denn es mag sich nun die fixe Idee auf unerreichte Zwecke,
uf verlorne Güter aller Art, als: Ehre, Habe, Liebe,
Gnade Gottes; oder auf Uebel, die gefürchtet werden,
eziehen: so ist es allezeit ein Zustand des Gemüths, auf
en jene fixe Vorstellung hindeutet, und der als ihre
Quelle angesehen werden muß. Nicht weil der Verstand
ngegriffen ist, entsteht jene Gemüthsstimmung, sondern
eil diese herrschend ist, entsteht die fixe Idee, als die
egleiterin und Folge, ja, genau genommen, nur als
as Zeichen derselben. Der Verstand wird hier offenbar
ur in Consens gezogen, und er wird gezwungen sich mit
iner Vorstellung zu beschäftigen, weil das Gemüth nur
dieser Einen lebt. Was ist hier nun der kranke Theil?
ffenbar das Gemüth, und die fixe Vorstellung dient hier
ur den kranken Zustand desselben zu erkennen, und das
eilungs-Bemühen auf diesen hinzurichten. Auch wird die
Melancholie, wie der Wahnsinn, nur dadurch geheilt, daß
an auf das Gemüth, nicht aber dadurch daß man auf den
erstand wirkt. Vorstellungen. Vernunftgründe, auch wenn
: Kranken dafür empfänglich sind, thun hier gar nichts
: Sache; nur in dem Maße wie das Gemüth beruhigt,
ngestimmt wird, was auf mancherley Wegen geschehen
nn, verlieren sich auch die fixen Ideen der Melancholi-
en, und anders nicht. Hierzu kommt, daß bey vielen
elancholikern, die man doch allgemein dafür erkennt,
: keine fixen Vorstellungen zum Vorschein kommen, in-
n nur ein dumpfes Hinbrüten, ein Insichversunkenseyn
ren Zustand charakterisirt, den man blos daher erklären
nn, daß heftige Gemüthserschütterungen sie in densel-
n gestürzt haben. Das Gemüth ist in diesem Falle
ichsam gelähmt, und mit ihm, aber auch nur durch
selbe, sind es alle übrigen Seelenkräfte. Man weiß,

X

wie sehr schon bey einem gesunden Menschen, dessen Gemüth von einem bestimmten Gefühl ergriffen ist, alle Neigung zum freyen Denken und Handeln verschwindet. Der Schmerz über den Verlust einer Gattin, eines geliebten Kindes, wie nimmt er nicht die ganze Seele ein und hindert ihre gewohnte Thätigkeit, indem er ihr einzig die Richtung nach dem verlornen Gegenstande gibt. Wollte man hier dieses Haften und Hangen an dem Verlornen dem Verstande zur Last legen? Um wie viel weniger bey dem Melancholischen, wo dieser Fall, die Erschütterung des Gemüths, in weit höherem Grade eingetreten ist. Wir wollen uns vor der Hand in keine Untersuchung darüber einlassen, wohin diejenigen fixen Ideen zu rechnen sind, die aus Ueberspannung des Verstandes und der Phantasie, oder die aus hypochondrischen Verstimmungen des Nervensystems entstehen, und ob auch sie unter die Rubrik Melancholie zu bringen sind: genug daß es eine gewisse Art fixer Ideen gibt, die allezeit an einem zerrütteten Gemüthszustande haften und seine Folgen sind, die man also nicht für etwas charakteristisches, die Krankheit bestimmendes, sondern nur für etwas zufälliges und untergeordnetes anzusehen hat, wobey der Gemüthszustand die Hauptsache bleibt und das Wesentliche der Krankheit ausmacht. Es ist also nach dem hier über Wahnsinn und Melancholie Beygebrachten, außer Zweifel, daß es Gemüthskrankheiten gibt, wie es Geisteskrankheiten gibt, und daß jene von diesen genau zu unterscheiden sind. Allein damit ist der Kreis der psychischen Krankheiten noch nicht geschlossen: denn so wie sich einige derselben nicht um die Sphäre des Geistes, sondern des Gemüths bewegen, so einige andere um die des Willens. Wenn wir hier die Tollheit anführen, und an ihr unsere Behauptung erörtern, so haben wir uns für jetzt hinlänglich legitimirt. Die Tollheit, auch Tobsucht, Raserey, fur-

mania, genannt (wiewohl diese verschiedenen Benennungen nicht ganz identisch sind) wird selbst von einem Schriftsteller, der alle psychische Krankheit auf Geisteszerrüttung reducirt *), auf eine Art bestimmt, die uns nicht zweifeln läßt, daß bey dieser Krankheit nicht der Geist (Verstand), sondern die Willenskraft hauptsächlich implicirt und als leidender Theil zu betrachten sey. Er sagt von ihr: sie sey die Erscheinung übereilter, rastloser, im höchsten Grade gespannter Thatkraft, die sich in scheinbar eigenmächtigen Handlungen, aber ohne alles Bewußtseyn eines sinnlichen oder verständigen Zwecks äußere. Er setzt noch hinzu: „verkehrte Handlungen, die weder in reinen Vorstellungen gegründet sind, noch in Gefühlen, die mit den Handlungen einen psychischen Zusammenhang haben, charakterisiren also die Tobsucht.“ Wer Tobsüchtige beobachtet hat, wird die Richtigkeit dieser Beschreibung anerkennen. Wir finden demnach in dieser Krankheit einen von Gemüth und Geist gleichsam losgerissenen Willen, der sich als bloße blinde Naturkraft seinem eigenthümlichen Charakter nach äußert. Der blinde Wille kann blos als vernichtende Kraft erscheinen, indem er als Kraft der Selbstbestimmung bestrebt ist jede Gegenbestimmung, also jeden Widerstand zu vernichten. Wir untersuchen hier nicht wie der Wille in diesen Zustand gerathe; genug daß es einen solchen gibt, und daß in demselben alle psychische Thätigkeit in der des Willens untergegangen zu seyn scheint. Daß die Willenskraft in dieser Extase nicht anders als krankhaft beschaffen sey, ist ohne Beweis klar. Und so hätten wir denn hier eine Erscheinung psychischer Krankheit, die zwar in Absicht auf ihre Entstehung gewiß nicht ohne Einfluß von Seiten des Geistes und Gemüths,

*) Reil, Rhapsodien über die Anwendung der psychischen Kurmethode auf Geisteszerrüttungen. Halle 1803. S. 364 ff.

eben so wenig als ohne körperlichen Einfluß ist, denn es gibt so gar Tobsuchten, die sich lediglich durch die Einwirkung körperlicher Reize erklären lassen, die aber doch ihr Spiel blos in der Sphäre des Willens treibt, ohne daß zugleich Zerrüttungen des Geistes und Gemüths zum Vorschein kommen; wiewohl auch bey der Tollheit Complicationen mit Geistes- und Gemüths-Zerrüttungen vorkommen, von denen wir hier aber abstrahiren, weil diese Complicationen etwas zufälliges sind. Mit Allem diesen haben wir so viel darthun wollen, daß die psychischen Krankheitsformen wesentlich von einander unterschieden sind, und daß zwar durch alle die psychische Integrität, aber nicht blos auf dem Wege der Geisteszerrüttung gestört wird. Es ist diese Diagnosis der psychischen Krankheiten nicht blos für die theoretische Bestimmung der Gattungen und Arten, nebst ihren mancherley Complicationen, sondern auch für die Behandlungen dieser Krankheiten selbst von der größten Wichtigkeit. Allein noch bleibt die Beantwortung der Frage übrig: welche psychische Krankheiten soll man denn eigentliche Geisteszerrüttungen nennen? Die Bestimmung dieser wird vollends dazu dienen, den Gegensatz zwischen ihnen und den Gemüths- und Willenskrankheiten in die Augen fallend darzustellen. Wir heben hier zwey charakteristische Erscheinungen aus, welche auf unmittelbare und idiopathische Affectionen des Verstandes hindeuten, von denen aber jede einen eigenen Charakter an sich trägt: die Narrheit und die Albernheit. Jene zeichnet sich durch Verkehrtheit, diese durch Schwäche der geistigen Vermögen aus, ohne daß bey einer von beyden andere psychische Thätigkeiten implicirt sind. Bey dem Narren drängen sich alle Vorstellungen im verworrenen, verkehrten Gewühl durch einander; keine richtige Beziehung, kein gesundes Urtheil findet bey ihm Statt; das Auffassungsvermögen hat seine Haltung, der Verstand seine

Regel verloren: und darum ist sein Bewußtseyn ein Gewebe von Widersinnigkeiten und Ungereimtheiten, die, eben weil sie es sind, den Charakter des Lächerlichen an sich tragen. Die Albernheit hingegen charakterisirt sich durch Geistesschwäche, wie die Narrheit durch Geistesverkehrtheit. Der Alberne hat die Fähigkeit Vorstellungen aufzufassen, festzuhalten, und als Stoff für Urtheile zu benutzen, verloren. Er spielt, wie ein Kind mit Baumaterialien die es nicht zu verbinden weiß, mit den Eindrücken und Empfindungen, die ihm durch die Sinne zukommen; er ist in einem entschiedenen Zustande geistiger Unmündigkeit, und zu Folge dieser geistigen Stimmung freut er sich kindisch, ist kindisch betrübt und handelt kindisch. Die Albernheit gränzt an den Blödsinn, als die gänzliche Geistesstumpfheit, an, wie die Narrheit an den Wahnwitz, welcher die höchste Geistes-Anspannung auf Einen Punkt hingerichtet ist, wodurch alle übrige Vorstellungen ihre Klarheit und richtige Beziehung verlieren. Die hier aufgeführten, bestimmt von einander getrennten Erscheinungsformen der psychischen Krankheiten können, ja müssen als Haltungspunkte für die allgemeine Classification dieser Krankheiten und für ihre specielle Diagnose betrachtet werden, weil die Natur selbst sie als entschiedene Gränzen in dem Gebiete der psychischen Thätigkeiten dem Beobachter vor die Augen stellt. Daß sich die Hauptformen der Gemüths- Geistes- und Willenskrankheiten nicht selten mit einander verbinden, oder daß die eine in die andere übergeht, so daß dadurch complicirte Krankheitsgruppen und abgeleitete Formen entstehen, darf uns nicht Wunder nehmen, weil theils die Anlage zu psychischen Zerrüttungen auf mehrern Seiten vorbereitet seyn kann, theils die psychischen Thätigkeiten selbst mit einander in der genauesten Berührung und Wechselwirkung stehen, und Zerrüttungen eines Gebietes leicht entsprechende Zerrüttungen in andern Gebieten nach sich ziehen. So kann durch Einwirkung des Gemüths und der Phantasie auf den Verstand, zugleich mit Melancholie oder Wahnsinn auch Wahnwitz entstehen, oder durch Einwirkung derselben Vermögen auf den Willen, zugleich mit jenen Krankheiten, die Tollheit. So ist auch der Uebergang vom Wahnwitz oder von der Narrheit zur Tollheit nicht schwer. So können überhaupt alle psychischen Krankheiten von Exaltation in ganz andere übergehen, die den Charakter der Depression an sich tragen. So kann der Wahnsinnige melancholisch, der Tolle blödsinnig werden. Hierzu kommt nun noch, daß die organischen Stimmungen und Verstimmungen der außerpsychischen Sphäre mächtig einwirken, um mancherley Combinationen psychischer Störungen hervorzubringen. Je nachdem Anomalien des Gefäßsystems, oder des Nervensystems, oder beyder zusammen, Statt finden, modifiziren sich auch die psychischen Störungen, und erscheinen als mancherley Abweichungen, Beschränkungen oder Erweiterungen der Grundnormen. Es war uns hier nur darum zu thun diese letztern als die ursprünglichen, durchgreifenden, Tongebenden Erscheinungsformen psychischer Störungen aufzustellen, weil auf ihnen das ganze Gebäude der Diagnose ruht.

V.

Entwickelung, Höhe, Ausgänge der psychischen Krankheiten.

So verschieden die psychischen Krankheiten an sich sind, so verschieden ist auch ihr Gang von dem Entwickelungspunkte bis zu den Ausgangspunkten. Einige entwickeln sich schnell und behalten bis zu ihrem Ende die Gestalt bey, in der sie gleich anfangs auftraten. Andere erfordern Zeit zu ihrer Ausbildung und erscheinen auf ihrer Höhe anders als es die ersten Spuren, die sie verkündigten, angedeutet hatten. Wieder andere laufen mit Schnelligkeit mehrere Formen durch, und ihr Charakter besteht in dem beständigen Formenwechsel, der aber nicht selten durch ruhige Zwischenzeiten unterbrochen wird. Ueberhaupt ist es schwer bey allen diesen Krankheiten eine bestimmte Regel der Entwickelung, Ausbildung und des Ausganges festzustellen, weil alle diese Momente von so verschiedenen Combinationen der Anlage und zufälliger Umstände abhängen. Im Ganzen läßt sich jedoch so viel bestimmen, daß kräftige Constitutionen, lebhafte Temperamente, leicht reizbare und empfängliche Subjecte zu solchen Krankheitsformen geneigt seyn werden, die plötzliche und heftige Ausbrüche zu ihrem Charakter haben, schwächliche hingegen, und solche, bey denen schon körperliche Anlage vorhanden ist, und denen ein weniger bewegliches Temperament zu Theil worden, mehr nach denjenigen Krankheitsformen hinneigen, die sich langsamer entwickeln und weniger heftig in ihrer Erscheinungsweise sind. Da hingegen, wo Temperament, Gemüthsneigungen, Geistesstimmungen dem Wechsel der innern Zustände begünstigen, werden wir mehr die proteusartigen Formen psychischer Krankheiten hervorgehen sehen. Kurz nach Maßgabe der körperlichen, der psychischen Stimmung und der einfließenden äußern Umstände wird auch die Art und der Gang der psychischen Krankheiten modificirt. Da wir nun aber bestimmte Grundformen dieser Krankheiten festgestellt haben, so ist es auch nöthig, die eben erwähnten verschiedenen Erscheinungsweisen bey ihnen aufzuzeigen. Was zuerst die Gemüthskrankheiten betrifft, so weichen sie, wiewohl in Einer Sphäre begriffen, gar sehr von einander ab. Der Anfang, die Entwickelung und die Ausgänge des Wahnsinns sind ganz anders beschaffen als die der Melancholie. Der Wahnsinn erscheint schnell, nach plötzlichen heftigen Veranlassungen, bey lebhaften, aufgeregten Subjecten. Wie eine Flamme bricht die Phantasie aus ihren Schlupfwinkeln hervor, vernichtet die Schranken der geheimsten Empfindungen des Herzens und gibt diese rücksichtslos der öffentlichen Schau Preis. Ohne Ruhe und Rast, Nahrung und Schlaf verschmähend treiben sich die Kranken, in eine Welt, die nicht die unsrige ist, verrückt, umher, und wie durch einen electrischen Schlag sind sie aus der natürlichen in eine Traum-Welt versetzt. Indem die Krankheit ausbricht, steht sie auch schon auf ihrer Höhe, von welcher nur die Zeit und die allmählige Abspannung der Kräfte sie zu stiller Melancholie oder zu fixem Wahnsinn herabstimmen, welcher Zustand sich nicht selten mit körperlicher Verzehrung endigt, zuweilen aber auch mit Genesung. Ganz anders der zweyte Zweig der Gemüthskrankheiten: die Melancholie. In Kummer-gedrückten, oder von Furcht und Angst eingeschüchterten Gemüthern, bey denen, durch vorausgegangene Leiden, mit der psychischen Kraft zugleich die physische untergraben und die Grundfeste der Organisation erschüttert ist, schleicht die Melancholie in der Gestalt der Schwermuth und der Insichverschlossenheit herbey. Finstere Vorstellungen bemächtigen sich der Seele, bleiben aber in ihrem Innern verschlossen und trennen das Gemüth, gelähmt durch peinliche Empfindungen, allmählich mehr und mehr von der Verbindung und dem Zusammenhange mit der äußern Welt, bis es in sich versunken, nur an Einer düstern Vorstellung nagend, in die Nacht der Bewußtlosigkeit und eines völligen innern Lebensstillstandes begraben wird. In schwachen Gemüthern ist diese Tiefe der Seelenlosigkeit die Höhe der Krankheit, und völliger Blödsinn mit Aufreibung und Verzehrung der körperlichen Kräfte schließt zuletzt die Scene. In stärkern Gemüthern und Naturen hingegen metaschematisirt sich die

Melancholie, nachdem sie das Gemüth bis auf einen gewissen Punkt eingeengt hat: denn indem durch den äußern Druck die innere Kraft des Widerstandes aufgeregt wird, erscheint das Uebel auf einmal in der Gestalt von Tollheit, die in diesem Falle die Höhe der Krankheit ist, von welcher die Kranken nur nach gänzlicher Kraft-Erschöpfung wieder zum frühern melancholischen Zustande herabsinken. Doch kehrt mit der neugesammelten Kraft und nach gegebenen äußern Veranlassungen der Anfall der Tollheit, bald periodenweise, bald zu unbestimmten Zeiten zurück. Nur späterhin, überdrüßig des lästigen Drucks, und gleichwohl der energischen Anstrengungen zur Tollheit nicht mehr fähig, verläßt das Gemüth diese Richtung zugleich mit der melancholischen Stimmung, und ein entgegengesetzter Zustaud, nehmlich der der wahnwitzigen Narrheit nimmt die Stelle des erstern ein. Dieses ist dann der Ausgang der frühern Krankheit, und von diesem Punkte sinken die Kranken nicht wieder in die vorige Lage zurück, indem sie entweder, wiewohl selten, von hier aus der Genesung entgegen gehen, oder für immer bleiben was sie sind. Was die Entwickelung, die Höhe und die Ausgänge der Geisteskrankheiten betrifft, von denen wir oben, bey Feststellung ihres Begriffs, Beyspielsweise zwey Mittelgattungen: Narrheit und Albernheit, aufgestellt haben: so wird es hier gerathener seyn die Extreme aufzufassen und in der angegebenen Beziehung zu verfolgen. Die Extreme der Geisteskrankheiten sind aber, auf der einen Seite, der Wahnwitz, auf der andern, der Blödsinn. Der Wahnwitz, oder die eigentliche Verrücktheit, wenn diese Krankheit nicht die Folge, oder das Symptom anderer psychischen Störungen ist, erscheint Anfangs blos als Neigung zu bestimmten Vorstellungen, mit denen sich die Seele gern und ausschließlich beschäftigt, unter der Form von wissenschaftlicher oder künstlerischer Grübeley. Mathematische, mechanische, alchemische, theosophische, metaphysische Probleme machen meistentheils ihre Gegenstände aus. Allmählich aber werden diese Vorstellungen zwingend, der Geist kann sich nicht von ihnen befreyen, und sie beschäftigen ihn Tag und Nacht, verfolgen ihn wie Gespenster und ziehen die ganze Thätigkeit der Seele an sich. Der Wille hat seine Gewalt über sie verloren, das Gemüth ist unempfänglich für alle andere Reize, der Geist selbst erstarrt gleichsam in dieser einzigen Richtung und Thätigkeit; und so entstehen die sogenannten fixen Ideen. Dieß ist die Höhe der Krankheit. Jeder äußere Reiz, jedes Erwachen der innern Kraft erweckt und nährt sie, und so bleibt die Krankheit auf diesem Punkte stehen, wenn nicht ungewöhnliche Veranlassungen oder Erschöpfung und gänzliche Geisteslähmung sie endigen, oder ihr eine andere Richtung geben. Im ersten Falle nehmlich, durch heftige geistige oder körperlichen Erschütterungen verschwindet die Krankheit zuweilen plötzlich und es tritt wieder helles und freyes Bewußtseyn ein, oder auch: der Wahnwitz metaschematisirt sich bey kräftigen und leidenschaftlichen Naturen in Tollheit; im zweyten Falle, nehmlich bey gänzlicher Erschöpfung und Lähmung der psychischen Kraft entsteht Albernheit oder Blödsinn. Der letztere Ausgang ist der gewöhnliche, wenn die Krankheit lange gedauert hat. Doch zuweilen kommen auch Wahnwitzige, bey schicklicher Behandlung, allmählich und in unmerklichen Uebergängen wieder von ihren fixen Ideen zurück, und treten von neuem in die Sphäre vernünftiger Wesen ein. Das letztere ist der Fall selten oder nie bey dem Blödsinn. Dieser ist für sich selbst schon mehr der Ausgang anderer Krankheiten als primitive Krankheit. Doch hat auch er seine Grade der Entwickelung, seine Höhe und seine Ausgänge. Wenn er nicht angeboren ist, und nicht nach körperlichen Krankheiten zurückbleibt, sondern entweder Folge von Ausschweifungen verschiedener Art, oder von psychischen Krankheiten, als Wahnsinn, Melancholie. Tollheit, Wahnwitz, ist, beginnt er mit einer Unfähigkeit zu lebhaften Gefühlen, sie mögen nun gesunder oder krankhafter Art seyn, mit einer Unfähigkeit zu Willensäußerungen und zur Conception von Vorstellungen. Daher Zerstreuung und Flatterhaftigkeit, auch bey sonst ihrer Bewußten, die Vorläufer des Blödsinnes sind. Allmählich geht dieser Zustand in ein völlig kindisches Wesen über und nimmt die Stufe ein, die wir früher unter Albernheit bezeichnet haben. Zuletzt aber schließt er mit völliger Stumpfheit und Unempfindlichkeit gegen alle Eindrücke, mit völliger Bewußtlosigkeit und Unthätigkeit. Der Ausgang des Blödsinns, wenn es nicht, nach vorausgegangenen convulsivischen Zufällen, Apoplexie ist, ist Marasmus und allmählige Verzehrung. So ist der Gang der Geisteszerrüttungen beschaffen. Was nun aber zuletzt die Krankheiten des Willens, von denen wir Beyspielsweise oben nur die Tollheit angeführt haben, in Beziehung auf Entwickelung, Höhe und Ausgänge betrifft, so sind diese Verhältnisse verschieden, je nachdem die Krankheiten des Willens selbst verschiedener Art sind. Eigentlich gibt es im Gebiete des Willens freylich nur Störungen dem Grade nach, da die Willenskraft sich auf die ganz einfache Weise der Selbstbestimmung äußert. Allein das plus oder minus dieser Aeußerungen ist von solcher Beschaffenheit, daß es besondere Krankheitsformen darstellt, nehmlich zwey Extreme von höchst auffallender Verschiedenheit. Von der einen Art, nehmlich der Tollheit, ist schon vorläufig gesprochen worden. Gewöhnlich wird sie durch körperliche Anlagen und psychische Verwöhnungen vorbereitet. Ein cholerisches Temperament, die Gewohnheit des Trunkes und anderer Ausschweifungen, die Neigung zum Jähzorn und die Nachgiebigkeit gegen diese, wie gegen andere Leidenschaften, dazu der Starrsinn, zu dem cholerische Naturen besonders geneigt sind, bringen eine solche Reizbarkeit und Heftigkeit der Willenskraft hervor, daß es nur hinlänglich starker Veranlassungen von außen her, als: Kränkungen des Stolzes, der leidenschaftlichen Liebe u. s. w., ja oft nicht einmal solcher Veranlassungen bedarf, um einen Anfall von Wuth zu erregen, der, einmal ausgebrochen, leicht wiederkehrt und zuletzt bleibende Krankheit wird, die sich alsdann meistentheils periodisch fixirt, da die Stimmung zur Wuth nur in wenigen Subjecten, vermöge der dazu erforderlichen Energie, permanenter Charakter seyn kann. Ist nun die Wuth oder Tollheit zur Krankheit geworden, d. h. hat sie ihre Höhe erreicht: so steht der Mensch als völlig freyheitsloses Wesen da; alle Seelenkraft scheint sich in die wilden Aeußerungen des Willens concentrirt zu haben, der nur nach fremder oder eigener Vernichtung strebt. Dieser habituell gewordene Zustand, wenn er auch durch helle Zwischenräume von kürzerer oder längerer Dauer unterbrochen wird, dauert dennoch Jahre lang, ja oft durch eine Reihe von Jahren bis zum Ende des Lebens fort, wenn zuletzt physische Ursachen dasselbe herbeyführen. Da aber, wo dieß nicht der Fall ist, erfolgt entweder Genesung, oder Uebergang in fixen Wahnsinn, oder in Melancholie, oder in Blödsinn, je nachdem innere Prädisposition, oder im Verlaufe der Krankheit erzeugte organische Fehler, oder gänzliche Erschöpfung der psychischen und physischen Energie die eine oder die andere dieser Veränderungen bewirken. Ganz anders aber ist das Wesen der entgegengesetzten Krankheitsform, welche den Willen befallen kann, beschaffen. Diese Form wird am besten mit dem Namen der Scheu benannt. Sie ist noch von wenigen Beobachtern als besondere Art ausgehoben worden, wiewohl sie ihren besondern Charakter hat, welcher der der gänzlichen Willenlosigkeit, oder noch mehr, der Umwandlung des Willens aus einer bestimmenden Kraft in ohnmächtige Bestimmbarkeit ist. Man würde die Scheu mit dem Blödsinn verwechseln können, wenn sie sich nicht durch diese Ausartung des Willensvermögens auszeichnete, die den Kranken zu einem wahren noli me tangere macht. Der Mann ist hier in ein furchtsames Kind verwandelt, und ein Kind ist auch im Stande ihm Furcht einzujagen. Das geringste Geräusch erschreckt ihn, vor jeder Berührung weicht er scheu zurück, und der kleinste Wink vermag seinen sclavischen Willen zu bestimmen. Theils Ausschweifungen, welche die physische Constitution untergraben, theils Verbrechen, deren Bewußtseyn auf der Seele lastet, führen diesen Zustand herbey. Die Krankheit beginnt mit einer auffallenden Unruhe und Unstetigkeit, mit Niedergeschlagenheit und Insichgekehrtheit, und einem immer sichtbarer werdenden Mangel an Selbstbestimmung, der zuletzt in die beschriebene krankhafte Reizbarkeit des Willens übergeht, und endiget sich in Melancholie oder auch in völligen Blödsinn. Man hat sie vielleicht darum nicht abgesondert von andern Arten betrachtet, weil sie sich oft als Symptom zu andern psychischen Störungen gesellt: sie erscheint aber auch für sich allein mit ihren charakteristischen Merkmalen in verschiedenen Abstufungen.

So viel über die Gegenstände dieser Rubrik, als Beytrag zur Diagnosis der psychischen Störungen, wiefern sich die Grundformen derselben durch einen besondern Gang charakterisiren.

VI.

Anomalien der psychischen Krankheiten.

Messen wir die in den Irrenhäusern vorkommenden, oder die von Beobachtern beschriebenen Fälle psychischer

Krankheiten mit dem eben vorgelegten Maßstabe der ursprünglichen und Hauptformen derselben, so finden wir eine solche Menge von Abweichungen von der Regel, daß, fänden sich diese Formen nicht auch wirklich in der Natur so rein und unvermischt, als wir sie gezeichnet haben, und ginge nicht aus der Natur des psychischen Wesens ihre nothwendige und bestimmte Ungleichartigkeit hervor, wir überhaupt an einer möglichen regelmäßigen Verschiedenheit derselben zweifeln sollten. Denn in der That ein großer Theil der vorkommenden Fälle läßt sich nicht unter die angegebenen Normen bringen, wovon aber die Ursache einzig und allein in der mannigfaltigen Bestimmbarkeit des menschlichen Organismus und in der Fähigkeit liegt, mit Leichtigkeit die verschiedensten Zustände zu wechseln. Jedoch diese Anomalien selbst können nur dann als solche begriffen werden, wenn wir sie gegen bestimmte Grundformen halten; und ohne diese aufgestellt zu haben, würde uns die ganze Summe der psychischen Störungen nur als ein regelloses Chaos erscheinen, was sie keinesweges sind. Im Ganzen findet der aufmerksame Blick auch in den wechselndsten Erscheinungen immer einen Grundtypus, an welchen er die verschiedensten Abweichungen anreihen kann. Es beziehen sich aber diese Anomalien theils auf Verbindung mehrerer Krankheitsformen mit einander, theils auf den Wechsel und Metaschematismus einer und derselben Krankheitsform. Sie können daher füglich in zwey Klassen getheilt werden. Die erste Klasse liefert uns folgende Krankheitsgruppen. 1) Wahnsinn in Verbindung mit Melancholie. Ein beständiges Wogen und Wechseln des Zustandes von Exaltation und Depression, je nachdem mehr die Phantasie gereizt oder mehr das Gemüth gedrückt wird. 2) Wahnsinn in Verbindung mit Raserey. Die Heftigkeit des Wahnsinns bringt diesen Zustand hervor, der ebenfalls abwechselnd ist, je nachdem die Spannung der Kräfte aufgeregt wird oder nachläßt. 3) Melancholie mit Wahnwitz. Das beständige Haften an Einem Gefühl unterhält auch immer eine und dieselbe Vorstellung, von der sich der Kranke nicht losmachen kann. Diese Verbindung hat denn auch die Veranlassung gegeben den fixen Wahnsinn (besser Wahnwitz) für das wesentliche Merkmal der Melancholie zu halten, wiewohl es eben so gut eine Melancholie ohne Wahnwitz als einen Wahnwitz ohne Melancholie gibt. 4) Melancholie mit Narrheit. Ausgelassene Lustigkeit, von Aeußerungen der Narrheit begleitet, wechseln nicht selten in dem Gemüthe des Melancholischen mit der tiefsten Traurigkeit ab; welcher Zustand von der schwankenden Stimmung des Gemüths herrührt, die sich aber bey weitem nicht bey allen Melancholikern findet. 5) Melancholie mit wahnsinniger Tollheit. Viele Melancholiker haben Perioden, wo ihre Krankheit mit Wuth abwechselt, die aber selbst nicht rein sondern ein Gemisch von Tobsucht und Wahnsinn ist; ein Zustand melancholischer Exaltation, auf welchen gewöhnlich freye Zwischenräume folgen, die sich aber wieder mit melancholischer Stimmung endigen. 6) Wahnwitz mit Narrheit. Der Wahnwitz, der sich um eine fixe Vorstellung dreht, und die Narrheit, welche keinen bleibenden Punkt ihrer Verkehrtheit hat, scheinen sich einander zu widersprechen. Gleichwohl finden sie sich nicht selten in Einem Subject vereinigt; was daraus zu erklären ist, daß der Wahnwitzige oft in eine Spannung versetzt wird, in welcher er zu Handlungen verleitet wird, welche ganz das Gepräge der Narrheit an sich tragen, wiewohl eigentlich der Charakter der Wahnwitzigen mehr zur Melancholie hinüber neigt. 7) Wahnwitz mit Tobsucht. Manche Wahnwitzige sind außerordentlich reizbar, besonders zu manchen Zeiten und in manchen Stimmungen. Durch zufällige Veranlassungen aufgereizt geht alsdann ihr Zustand leicht in Tobsucht über, welche zwar bald vorüber, aber doch so oft wieder kehrt als neue Spannung und Reizung eintritt. 8) Tollheit mit Wahnsinn, mit Wahnwitz, mit Melancholie. Einige Kranke, bey denen der Hauptcharakter der Krankheit die Tollheit ist, und die fast unaufhörlich toben und wüthen, haben gleichwohl ihre Stunden und Augenblicke der Remission, wo der Trieb zu ungestümen Handlungen schweigt, und blos die träumende Phantasie, oder der verkehrte Verstand oder das zerrüttete Gemüth mit sich selbst beschäftigt ist. Solche Wechselspiele der Erscheinungen sind nicht selten, und machen Anomalien der Grundkrankheit aus. 9) Blödsinn mit Tobsucht. Diese Complication findet nur da Statt, wo schon Tollheit vor dem Blödsinn vorhanden war, und sich der Kranke aus seinem stumpfen Zustande zuweilen wieder zur vorigen Energie erhebt. 10) Blödsinn mit Albernheit und Scheu. Abwechselnde Zustände, die von der verschiedenen, lebendigern oder abgestumpfteren Reizbarkeit und Beweglichkeit abhängen.

Und dieß sind denn die vorzüglichsten Anomalien der ersten Klasse, die sich leicht vervielfältigen ließen, wenn wir die mannigfaltigen noch möglichen Neben-Combinationen psychischer Zerrüttungen, wie sie in der Natur vorkommen, weiter verfolgen wollten; was uns aber weiter führen würde, als es die Gränzen dieser Blätter erlauben.

Was die Anomalien der zweyten Klasse betrifft, so gehören dahin diejenigen psychischen Störungen, welche von einem ganz andern Charakter ausgingen, als der ist, den sie späterhin behaupten. Die Variationen sind hier noch weit zahlreicher als in der ersten Klasse, und es gibt beynahe keine psychische Krankheit, die nicht wenigstens möglicher Weise in eine andere umgewandelt werden könnte. Wir können hier auch nur einige der vorzüglichsten solcher Anomalien andeuten, indem beynahe jede Krankengeschichte von einiger Wichtigkeit dergleichen enthält. Es gibt psychisch-Kranke, deren Uebel in dem Verlaufe von mehrern Jahren auch mehrere Krankheitsformen durchläuft. So sind mehrere auf Jahre melancholisch, dann wandelt sich die Krankheit wieder auf einige Jahre in Narrheit um, und endigt endlich in Tollheit oder auch in Blödsinn. Dieser scheinbare Mangel an Consequenz in der Krankheit, macht eben den anomalen Charakter derselben aus; wiewohl diese Wandelbarkeit selbst in den organischen Gesetzen gegründet ist. So gibt es ferner eine versteckte Wuth, die nach einem scheinbaren Blödsinn, nach einer scheinbaren Melancholie ausbricht. Zuweilen waren Kranke lange Zeit melancholisch, deren Krankheit zuletzt in unheilbaren Blödsinn übergeht. Auch bey wahnwitzigen Personen verwandelt sich zuletzt nicht selten die Krankheit in völligen Blödsinn. Personen, die anfangs wüthend waren, endigen mit sogenannten fixen Ideen; auf welchem Standpunkte sie dann vielleicht für immer bleiben. Sehr viele Subjecte, die in Irrenhäusern als halb vernünftig umhergehen und nur von Zeit zu Zeit eine Anwandlung von sogenanntem fixen Wahnsinn bekommen, waren früher melancholisch, oder wahnsinnig, oder toll. Und so sind denn die sämmtlichen psychischen Störungen einer großen Veränderlichkeit unterworfen, die ihnen das Gepräge der Anomalien aufdrückt, weil sie ihrem ursprünglichen Charakter nicht durchaus gleich bleiben. Dieser anomalische Anstrich verschwindet aber, wenn der aufmerksame Beobachter den ganzen Gang der Krankheiten und die nothwendigen Bedingungen ihrer verschiedenartigen Aeußerung genau verfolgt; und es bleibt trotz dieser Abweichungen vom geraden und einfachen Verlaufe dennoch immer im Typus stehen, in welchen sie gerathen müssen nachdem sie einen andern verlassen haben: so daß also das Stu-

Y

dium der Grundformen auch um die Anomalien richtig zu beurtheilen, unerlaßlich ist.

VII.

Heilbarkeit und Unheilbarkeit der psychischen Krankheiten.

Es bleibt noch immer eine der schwersten Aufgaben der psychischen Medizin, zu bestimmen, welche Krankheiten, und in welchem Grade sie heilbar oder unheilbar sind. Folgen wir den Berichten der Aerzte, welche aus langer und genauer Beobachtung einer großen Menge solcher Kranken ein Resultat über das Verhältniß der Heilbarkeit und Unheilbarkeit gezogen haben: so läuft das Urtheil darauf hinaus, daß der Wahnsinn, die Melancholie, der Wahnwitz und die Narrheit im Durchschnitt heilbarer sind als der Blödsinn und die Tollheit. Ferner, daß Uebel, welche noch neu sind, oder wenigstens noch nicht Jahre lang gedauert haben, ungleich heilbarer sind als veraltete, als bey welchen selten eine Heilung zu Stande kommt: so daß von neuen Kranken möglicher Weise der fünfte, von denen aber, die lange Jahre gelitten haben, unter funfzig, ja hundert kaum Einer geheilt wird. Dasselbe Verhältniß beynahe findet in Beziehung auf das Alter der Kranken selbst Statt, so daß, je jünger der Kranke ist, desto eher an Heilung zu denken ist, je älter, desto weniger. Man nimmt als die Gränze der nach dem Alter leichter oder schwerer heilbaren das vierzigste Jahr an. Ueber vierzig hinaus werden die Beyspiele der Heilung immer seltener, je höher das Alter rückt. Allen diesen Beobachtungen liegen natürliche Verhältnisse zum Grunde, die wir aufsuchen müssen, wenn wir einige leitende Grundsätze in Beziehung auf Heilbarkeit oder Unheilbarkeit psychischer Krankheiten aufstellen wollen. Warum wird Blödsinn und Tollheit weniger geheilt als die übrigen Gattungen? Wenn auch der Blödsinn nicht immer angeboren ist, so bemerken wir doch, daß er fast mehr als alle andere psychische Störungen mit organischen Fehlern oder gar mit Desorganisation wichtiger Theile verbunden ist. Wasserkopf, Verletzungen des Gehirns, Krankheiten der Hirnschale finden sich häufig bey dem Blödsinn; die Neigung zur Epilepsie, zu allgemeiner Cachexie u. s. w. gar nicht mit in Anschlag gebracht, aus denen man aber doch auf bedeutende organische Zerrüttungen schließen kann. Der nehmliche Fall beynahe findet bey der Tollheit Statt. Wenn bey dieser nicht schon organische Fehler zum Grunde liegen, so können sie doch, besonders bey einiger Dauer der Krankheit, leicht hervorgebracht werden, indem so ungeheure Anstrengungen, wie sie in der Tobsucht Statt finden, schwerlich ohne Verletzungen und Zerrüttungen des zarten Hirn- und Gefäß-Gewebes bleiben können. Es würde also hieraus der erste Grundsatz hervorgehen: daß wir Krankheiten mit verletzter Organisation für unheilbar halten müssen. Hieraus folgt aber nicht, daß im Wahnsinn, in der Melancholie u. s. w. nicht auch Organisationsfehler Statt finden können, und daß diese Krankheiten etwa durchaus für heilbar zu erklären wären. Zweytens: warum werden veraltete psychische Störungen fast gar nicht, neue hingegen sehr häufig geheilt? Die Leichenöffnungen beweisen, daß bey vielen lange dauernden psychischen Störungen dennoch keine sichtbaren organischen Abnormitäten oder Desorganisationen von der Art aufgefunden werden, wie sie so häufig nicht blos als Ursachen, sondern auch als Folgen psychischer Zerrüttungen erscheinen. Für diese Fälle bleibt kein anderer Ausweg der Erklärung übrig, als der, daß wir der Verwöhnung und der einmal genommenen und lange fortgesetzten falschen Richtung der psychischen Thätigkeiten nicht blos die Dauer, sondern auch die Unheilbarkeit jener

Y 2

Störungen zuschreiben müssen. Es ist bekannt, wie sehr die Macht der Gewohnheit sogar auf solche Menschen wirkt, die noch ihrer Willkühr überhaupt Meister sind, so daß sie sich von gewissen Angewöhnungen auf keine Weise losmachen können. Wir wollen hier Beyspielsweise nur das Tabakrauchen oder Schnupfen, und den Trunk erwähnen. Wie viel mehr muß die Gewohnheit, welche den Menschen als Naturwesen so sehr in Anspruch nimmt und die Kraft der Trägheit oder Beharrlichkeit in ihm zur herrschenden macht, über diejenigen vermögen, die ihrer Freyheit beraubt einem blinden Zuge folgen, gegen den keine Kraft des Widerstandes etwas vermag, weil keine mehr in ihm vorhanden ist, indem der Zwang den sie erleiden, in ihnen zum herrschenden Prinzip geworden ist. Wir können daher als zweyten Grundsatz zur Erklärung der Heilbarkeit und Unheilbarkeit psychischer Störungen annehmen: daß die Daüer der psychischen Störungen, die übrigen Einflüsse abgerechnet, den Grad ihrer Heilbarkeit oder Unheilbarkeit bestimmt. Drittens: wie kommt es, daß jüngere Personen, auch wenn ihre psychischen Störungen schon längere Zeit gedauert, dennoch häufig genug geheilt werden, ältere hingegen, auch wenn sie verhältnißmäßig weit kürzere Zeit gelitten, in dem Maße seltener, wie sie an Jahren vorgeschritten sind? Hier muß Jugend und Alter, d. h. Energie und Ohnmacht der Erregbarkeit und des Wirkungsvermögens, und folglich auch Frischheit oder Abgestumpftheit der Organe entschiedenen Einfluß haben. Wenn Jüngere leichter in mannigfaltige Krankheiten verfallen als Alte, so erholen sie sich auch leichter davon, weil die Quelle des Lebens in ihnen reichlicher fließt als in jenen. Einmal von Krankheiten ergriffen, geneset das Alter schwerer als die Jugend, und meistentheils sind Hauptkrankheiten bey ihnen auch die Ursachen wo nicht des unmittelbaren Todes, doch des allmählichen Dahinsterbens. Die psychischen Störungen können hiervon keine Ausnahme machen, indem sie gerade in den edelsten Theilen des Organismus wurzeln. Wir können daher als dritten Grundsatz feststellen: je weniger Energie der Lebenskraft, desto weniger Heilbarkeit. Und dieses Gesetz trifft junge Subjecte sowohl als alte, wenn ihre Energie vor der Zeit erschöpft worden ist. Mit diesen aufgestellten Normen der Heilbarkeit und Unheilbarkeit der psychischen Störungen müssen wir uns vor der Hand begnügen, indem hiermit freylich für besondere Fälle wenig bestimmt wird; allein diese stehen auch unter einer Menge von Bedingungen, welche sich nicht in allgemeinen Rubriken auffassen lassen, sondern der Gegenstand specieller Beobachtung sind.

Zweyter Abschnitt.

Zur unmittelbaren psychischen Semiotik.

I.

Zeichen der psychischen Gesundheit.

Wir verfolgen die Gegenstände der psychischen Semiotik nach Anordnung der zur Diagnostik gewählten Momente, als wodurch die wesentlichen Punkte, die hier zu berücksichtigen sind, zur Darstellung gelangen, und beyde Abschnitte als Vorbereitung und Folge genau mit einander verbunden werden. Wir betrachten also zunächst die Zeichen ärztlich-psychischer Gesundheit, weil da, wo diese sich finden, nach psychischer Krankheit weiter gar nicht die Frage seyn kann. Wir haben das Wesen der psychischen Gesundheit in die Integrität der psychischen Thätigkeiten gesetzt. Es sind also die Zeichen dieser Integrität aufzustellen, die so klar und in die Augen fallend sind, daß sie nur einer kurzen Erörterung bedürfen. Alles, was uns verräth, daß ein Mensch seiner mächtig ist, ist ein Zeichen seiner ärztlich-psychischen Gesundheit: denn der allgemeine Charakter der psychischen Krankheiten ist die Freyheitslosigkeit. Ein Mensch also, welcher in seinem ganzen Wesen zeigt, daß er wie Andere, die von der allgemeinen Menschen-Norm nicht abweichen, empfindet, denkt und handelt, d. h. nicht unter der Gewalt bestimmter unnatürlicher Empfindungen, Denk- und Handels-

Weisen sieht, oder keine hervorstechende Schwäche oder Unterdrückung dieser Thätigkeiten verräth, ist für psychisch-gesund zu achten, nach dem Maßstabe, den der Arzt für psychische Gesundheit hat. Der Charakter der psychischen Gesundheit ist also genau genommen mehr negativ als positiv, und die Zeichen derselben sind mehr von dem Mangel der Krankheitscharaktere als von bestimmten, in die Augen fallenden Merkmalen herzunehmen. Es ist auch hier mit der psychischen Gesundheit wie mit der physischen: ihr Vorhandenseyn ist weniger charakterisirt als ihre Abwesenheit. Doch können wir im Allgemeinen allerdings als positives Zeichen psychischer Gesundheit die Lebendigkeit festsetzen, mit welcher die psychischen Thätigkeiten von Statten gehen. Diese aber offenbart sich auf doppelte Art, nehmlich erstlich in Absicht auf die Empfänglichkeit der receptiven, und zweytens in Absicht auf das Wirkungsvermögen der freythätigen psychischen Kräfte. Je empfänglicher das Gemüth für äußere Sinnenreize nicht blos, sondern auch für Ideen der Vernunft, und namentlich für die Mahnungen und Weisungen des Gewissens sich zeigt, (was sich aus der ganzen äußern Erscheinung des Menschen ergibt,); ferner: je reger, schnell- und viel-umfassender das Apperceptionsvermögen und das Gedächtniß ist, auf desto höherer Stufe der Gesundheit stehen diese Seiten der psychischen Sphäre. Sodann: je schärfer, schneller und ausgebreiteter das Vermögen Begriffe zu fassen, zu ordnen, zu übersehen, oder der Verstand, je reicher das Vermögen der Selbstschöpfung neuer Vorstellungen, oder die Phantasie, ist, je energischer und ausdauernder die Kraft der Selbstbestimmung und des Handelns, desto eminenter ist die psychische Gesundheit auf diesen Punkten. Das Leben des Menschen, seine ganze Erscheinungsweise gibt deutliche Zeichen dieser Beschaffenheit her. Das liebende Gemüth, der scharfsinnige Geist, der eiserne Wille, wie könnten sie uns in ihren Wirkungen verborgen bleiben? Ja, das äußere Gepräge des Menschen deutet sogar auf diese inneren Beschaffenheiten hin. Wir unterscheiden fast auf den ersten Blick den fähigen Knaben, die gefühlvolle Mutter, den phantasie-reichen Jüngling, den festen Charakter des Mannes. Die offene Stirn, die sprechenden Züge, das lebhafte Auge, die ernste Haltung, sie trügen nicht. In allen drückt sich innere Lebendigkeit von bestimmter Art aus: und wo diese ist, sobald sie nicht der Harmonie der Natur widerspricht, da ist auch psychische Gesundheit. Diese findet aber in dem Maße mehr Statt, wie auch das Aeußere in der physischen und psychischen Lebensweise Ordnung und Harmonie verkündigt. Der Mensch der im Essen und Trinken, im Schlaf und Wachen, in Thätigkeit und Genuß Ordnung und Maß erhält, ist auch gewiß psychisch-gesund, denn er documentirt durch diese Zeichen seines innern Lebens seine Fähigkeit zur Selbstbestimmung, welche der richtigste Maßstab psychischer Integrität ist.

II.

Zeichen der Gegenwart psychischer Krankheiten.

Die Zeichen der Gegenwart psychischer Krankheiten aller Art sind höchst mannigfaltig, und erfordern, um gehörig erkannt und gewürdigt zu werden, einen aufmerksamen Blick nicht blos auf die kranken Individuen selbst und ihr äußeres Ansehen, sondern auch auf die Umgebungen, welche zunächst mit ihnen, und mit denen sie selbst in Berührung stehen. Denn jeder Mensch trägt das innere Gepräge seines Wesens auf seine äußern Verhältnisse über, und so wird die Beschaffenheit dieser oft zum sichern Verräther dessen, was der sich seiner selbst nur noch einiger Maßen bewußte Mensch nicht selten künstlich zu verbergen weiß. Man kann demnach jene Zeichen füglich in drey Klassen eintheilen, deren die erste von den Umgebungen psychisch-Kranker, die zweyte von ihrem äußern Ansehen, und die dritte von ihrer Persönlichkeit hergenommen ist.

Was erstlich diejenigen Zeichen psychischer Krankheiten betrifft, welche aus den Umgebungen der kranken Individuen hervortreten, so beziehen sich diese auf die Beschaffenheit des Aufenthaltsortes der Kranken, auf die Beschaffenheit ihrer Geräthe, Werkzeuge, Schriften und Bücher u. s. w. vorzüglich aber ihre Kleidungsstücke und ihrer ganzen körperlichen Umgebung. Man erkennt schon aus der Beschaffenheit aller dieser Dinge zum großen Theil den Wahnsinnigen, den Narren, den Wahnwitzigen. den Tollen, den Blödsinnigen u. s. w.; kurz, es ist kaum eine Art psychischer Störungen, die sich nicht durch diese Aeußerlichkeiten verriethe. Ein Zimmer, oder überhaupt ein Aufenthaltsort, wo Fenster, Ofen, Tisch und Stühle zerschlagen und die Trümmer bunt durch einander liegen, verräth den Tollen; umgekehrt eine Ordnung, ein Schmuck des Zimmers, die auf die abentheuerlichste, widersinnigste Art hervorgebracht und zusammengesetzt sind, wo z. B. aus tausend bunten Lappen und Papierschnitzeln Guirlanden und Kränze, kurz Decorationen aller Art verfertigt und hier und da im Zimmer angebracht sind, den Wahnsinn oder die Narrheit; confuse Anhäufung von Büchern und Papieren, alchymistischen, cabbalistischen, theosophischen Inhalts u. s. w., dazu Manuscripte voll offenbaren Unsinns deuten auf Verrücktheit und fixe Ideen, kurz auf Wahnwitz; so auch ein ängstliches Verwahren und Verrammeln des Zimmers mit Stricken, vorgesetztem Geräthe u. s. w. wenn dieß nicht ein bloßes Zeichen einer an die Melancholie gränzenden

Hypochondrie ist; welcher Zustand übrigens nahe an den Wahnwitz gränzt. Bey den Blödsinnigen, Albernen, oder Narren, wenn diese Kranken, so wie die vorigen, sich selbst überlassen sind, ist Alles sie Umgebende in der größten Unordnung, Unsauberkeit, Verwahrlosung; alles drückt deutliche Spuren eines hier nicht mehr waltenden Geistes aus. Ganz vorzüglich aber wird die innere Zerrüttung an der Umgebung des Körpers klar. Zerrissene, in Stücken herumhängende oder ganz abgeworfene Kleidungsstücke sind Zeichen der Tollheit; phantastischer Anzug, Ausschmückung mit Bändern, Läppchen, verwelkten Blumen u. s. w. sind Zeichen des Wahnsinns; widersinniger, lächerlicher Schmuck: z. B. papierne Königskrone, oder Bischoffsmütze, papierne Kränze, Sterne, Ordensbänder u. s. w. sind nichts als Insignien der Narrheit; schmutzige, ganz vernachlässigte, liederlich herumhängende Kleidung sind Zeichen der Melancholie und des Blödsinns. Da die nähern und nächsten Umgebungen psychisch-Kranker noch auf mannigfaltige andere Art, als hier Beyspielsweise angegeben worden, charakteristisch seyn können: so wird ein aufmerksamer Beobachter zu den angegebenen Zeichen leicht mehrere hinzufügen können, die alle von ähnlicher Bedeutung sind.

Zweytens, anlangend das äußere Ansehen der Kranken, so bestätigt dieß nicht blos die aus den Umgebungen hervorgehenden Zeichen, sondern es drückt die bestimmten psychischen Zustände noch weit sprechender als jene aus. Wir dürfen nur einen Blick auf die Gestalt, die Gesichtszüge, den Blick, die Stellung oder Lage dieser Kranken werfen, und wir werden deutliche Spuren ihres innern Zustandes gewahr. Ein fester, gedrängter Knochen- und Muskel-Bau, schwarzbraune Farbe, pergamentartige Trockenheit und Härte der Haut, schwarzes, starkes, verworrenes Haar, dunkelrothes aufgetriebenes Antlitz, hervorgetretene glotzende Augen, ein funkelnder, drohender, wilder Blick, kecke, drohende Stellung oder unruhige Lage mit schamlos entblößtem Körper, verrathen, besonders wenn andere Zeichen damit übereinstimmen, die Tobsucht und Tollheit. Hagere Gestalt, schwarzgelbe, ebenfalls pergamentartige, spröde Haut und schwarzes verworrenes Haar, verfallenes, verstörtes Ansehen, tiefliegende, meistentheils niedergeschlagene, oder starr vor sich hinblickende Augen, gleichsam versteinerte, in sich verschränkte, den Anblick der Menschen meidende Stellung oder Lage, sind Zeichen der Melancholie. Zartgebaute, abgemagerte Gestalt, zarte, weiche, feine Haut, blondes, zerstreutes, herumflatterndes Haar, bleiches, verstörtes leidendes, oder glühend rothes Gesicht, glänzendes Auge, fremder, wild umherfliegender oder fixer, stechender Blick, phantastische Stellung, sind, wenn die übrigen Zeichen damit übereinstimmen, Merkmale des Wahnsinns. Hagere Gestalt, vertrocknetes Ansehen, verzerrte Physiognomie, gespannte Stirn, emporgezogene Augenbrauen, lebhafter, blitzender Blick, meistentheils meditirende, in sich versunkene Stellung oder Lage sind, mit Uebereinstimmung anderer Zeichen, Zeichen des Wahnwitzes. Ebenfalls hagere, vertrocknete Gestalt, aber jovialisches selbstgefälliges Ansehen, lebhaftes Auge, herumflatternder Blick, verzerrte Mundwinkel, widriges Lächeln, pomphafte, gravitätische Stellung, sind die äußern Kennzeichen des Narren. Ausgemergelte, oder auch aufgedunsene, schlaffe, zusammengefallene Gestalt, blasses, bedeutungsloses Ansehen, seelenloses Auge, stierer, nichtssagender Blick, offenstehender Mund, herabhängendes Kinn, seelenlose, schlaffe, gekrümmte Stellung oder Lage, aus welcher sich der Kranke nur mit Mühe bringen läßt, sind die unverkennbaren Zeichen des Blödsinns. Fast dieselbe äußere Beschaffenheit, doch zuweilen auch eine dem Ansehen nach robuste Constitution, aber mit den auffallendsten Merkmalen der Verschüchterheit, furchtsamer, unsteter, verstörter Blick, Zittern, in sich zurückgezogene Stellung und Lage sind offenbare Zeichen der Scheu. Und so gibt es denn keine Art der psychischen Krankheiten, die sich nicht durch das äußere Ansehen mehr oder weniger zu erkennen gäbe; wiewohl man nicht erwarten darf daß die Charakteristik dieser Uebel durch die zuletzt und zuerst dargelegten Zeichen vollendet sey. Denn theils ist mehreren psychischen Störungen vieles gemeinschaftlich, was anderer Unterscheidungsmerkmale bedarf um nicht verkannt zu werden; theils sind manche charakteristische Zeichen, z. B. des Baues, der Hautfarbe doch nicht immer anzutreffen, oder sie bedürfen wenigstens der Unterstützung durch andere Zeichen, um vollgültige Bedeutung zu erhalten: die evidentesten Zeichen aber gehen aus der Persönlichkeit selbst hervor.

Die von der Persönlichkeit hergenommenen Zeichen, als welche die dritte Klasse ausmachen, dienen den übrigen theils zur Bestätigung, theils zur Ergänzung. Zu ihnen gehört Alles, was die Existenz der Person physischer oder psychischer Weise, positiv oder negativ, bezeichnet: nehmlich das Verhältniß der physischen und psychischen Functionen. Schlaf und Wachen, Nahrungstrieb und Geschlechtstrieb, das Verhalten in der Einsamkeit und in der Gesellschaft; mit einem Worte: alles Handeln und Leiden der kranken Individuen kommt hier in Betracht. Ein widernatürlich-gespanntes, anhaltendes Wachen zur Zeit des Schlafs ist den Tollen und den Wahnsinnigen eigen; ein widernatürlicher, häufiger Schlaf zur Zeit des Wachens den Blödsinnigen. Widernatürliche Gefräßigkeit, das Verschlingen von ungenießbaren Dingen, ja vom eigenen Koth zeichnet die Tollen aus. Aber auch die Wahnwitzigen, die Narren, die Blödsinnigen sind oft sehr gefräßig. Wahnsinnige, Melancholische verschmähen oft alle Nahrung, und nicht selten zeigt sich bey ihnen der Trieb sich zu Tode zu hungern, und zu dursten. Desto begieriger sind die Tollen und Wahnwitzigen auf alles Getränk, und die letztern besonders auf spirituöse Getränke. Die meisten psychischen Kranken sind zu Verstopfungen geneigt, schwitzen wenig, sind unempfänglich für epidemische Ansteckungsstoffe und sehr gleichgültig gegen die Einwirkungen der Kälte. Der Geschlechtstrieb äußert sich oft bey Tollen und Wahnwitzigen außerordentlich stark, bey Blödsinnigen ist es oft noch der einzige Trieb, den sie bey ihrer Abgestumpftheit verrathen; auch sind diese letztern sehr zur Manustupration geneigt. Wahnsinnige Weiber beschäftigen sich oft nur mit Vorstellungen, die auf den Geschlechtstrieb Bezug haben. Es gibt eine Art melancholischer Manie, die sich durch viehische Wollust charakterisirt. Der Hang zur Einsamkeit ist Melancholischen eigen, der Geselligkeitstrieb den Narren. Die Tollen, Wahnsinnigen, Wahnwitzigen, werden in der Gesellschaft aufgereizt, die Melancholischen niedergedrückt und mehr als vorher in sich selbst gekehrt. Den Blödsinnigen ist die Gesellschaft ganz gleichgültig. Den Tollen ist Brüllen, Fluchen und Schimpfen eigen, den Wahnsinnigen lautes Klagen oder wildes phantasirendes Reden, den Wahnwitzigen und Narren heftiges, unausgesetztes, widersinniges unzusammenhängendes Geschwätz, den Albernen leises stilles vor sich Hinmurmeln, den Blödsinnigen das Ausstoßen karger, unarticulirter Laute, den Melancholischen hartnäckiges Schweigen, oder stilles tiefes Seufzen. Die Handlungen der Tollen gehen sämmtlich auf das Zerstören und Vernichten aus, sowohl der Geräthe und der Kleidungsstücke als ihres eigenen Körpers. Sie verletzen und verstümmeln sich wo und wie sie nur können. Ein nicht zu bändigender Trieb reizt sie nicht selten, sich selbst oder Andere gewaltsam ums Leben zu bringen, und sie zeigen sich in den Anschlägen zu solchen Gewaltthaten eben so listig und gewandt, als in der Ausführung grausam. Besonders strengen sie alle Kräfte des Körpers und Geistes an, sich in Freyheit zu setzen. Die Handlungen der Wahnsinnigen drücken theils den Zustand aus, in dem sie sich befinden, sind auf Personen und Gegenstände gerichtet, die nicht zugegen sind, und bezeichnen überhaupt ein Leben in einer andern Welt als die wirkliche ist, oder sie gehen auf den versteckten oder offenbaren Plan aus, ihrem Leben ein Ende zu machen. Die Handlungen der Wahnwitzigen beziehen sich auf ihre fixen Ideen: sie senden in alle Theile der Welt Schiffe aus, sie sprechen Segen und ertheilen Absolution, sie kommandiren Flotten und Armeen, sie geben als Minister, Könige, Kaiser, Audienzen, vergeben Aemter und Würden, unterzeichnen Todesurtheile, sie halten Gericht über das Menschengeschlecht und zertrümmern als Götter die Welt. Oder auch sie erfinden neue Maschinen, neue Wissenschaften, erklären die Apokalypse, die Quadratur des Zirkels u. s. w. Die Handlungen der Narren tragen das Gepräge der Neckereyen und Schelmereyen, oft auch der Bosheit, der Schadenfreude an sich. Die Albernen handeln nicht, sondern spielen kindisch; die Blödsinnigen stehen oder liegen unthätig da, und die Melancholischen sitzen in sich versunken und scheinbar nur mit sich selbst beschäftigt. Oft gehen die letztern in aller Stille auf Selbstentleibung aus. Ueberhaupt ist der Hang der Melancholischen zum Selbstmord groß. Im Tollen lebt nur der Wille, im Wahnsinnigen die Phantasie, im Wahnwitzigen und Narren der verkehrte Verstand; im Melancholischen ist das Gemüth, im Blödsinnigen sind alle psychischen Thätigkeiten erstorben.

III.

Zeichen der Quellen psychischer Krankheiten.

Die Zeichen, welche sich auf diese Rubrik beziehen, sind ihrer Natur nach anamnestisch, und können nicht sowohl aus den Personen und ihren Umgebungen selbst, sondern müssen vielmehr aus ihren früheren Beschaffenheiten und Verhältnissen geschöpft werden. Es kommt hier auf den Unterschied der physischen und psychischen Eigenheiten an, wie sie dem gegenwärtigen Zustande vorausgingen und ihn bedingten. Da erstlich die physischen Quellen psychischer Störungen auf dreyfache Weise verschieden sind, so werden es auch ihre Zeichen seyn. Die Zeichen der angeerbten Krankheiten oder wenigstens Dispositionen können wir nur bey den Aeltern suchen. Zur Tollheit, zum Wahnsinn, zum Wahnwitz, zur Melancholie geneigte Aeltern, geben Aufschluß über die Entstehung derselben Krankheiten, wenn sie bey den Kindern Statt finden. Wenigstens auf die Anlage zu diesen Krankheiten läßt sich in der körperlichen und geistigen Disposition der Kinder rechnen. Eben so entwickelt sich leicht aus körperlichen Krankheiten der Aeltern eine Anlage zu psychischen Krankheiten bey den Kindern. Aeltern, die an hartnäckigen Hämorrhoidalbeschwerden, an chronischen Nervenkrankheiten, z. B. der Epilepsie, der Hysterie, leiden, lassen nicht blos die Anlage zu diesen Krankheiten auf die Kinder übergehen, sondern auch zugleich die Disposition zu psychischen Störungen, die sich nicht selten aus diesen körperlichen Anomalien entwickeln. Die Hämorrhoidal-Krankheit ist häufig die Mutter nicht blos der Hypochondrie, sondern auch der Melancholie und des Wahnwitzes. Die Epilepsie erzeugt nicht selten als Folge des geschwächten Nervensystems den Blödsinn. Und so sind dann jene Krankheiten der Aeltern Zeichen der physischen Quellen psychischer Krankheiten bey den Kindern, die daran leiden. Zeichen physischer Quellen der zweyten Art, wo nehmlich zwar nicht angeerbte, aber doch angeborne Disposition psychischen Krankheiten zum Grunde liegt, sind solche, die sich auf die Conformation der Theile beziehen, von welchen aber freylich nur die, welche die Bildung des Kopfes betreffen und äußerlich zu erkennen sind, hier in Betrachtung kommen. Es ist nicht zu läugnen daß nicht blos die Schädel-, sondern auch die Gesichtsbildung, abgerechnet nehmlich von den erworbenen und angebildeten Zügen, eine Verrätherin von Beschaffenheiten ist, welche schon von Natur Hemmungen der psychischen Thätigkeiten erzeugen. Was die Schädelbildung betrifft, welche mit der Bildung des Gehirns im genäuesten Zusammenhange steht, so steht ein in der Stirnbein-Gegend von oben herab zusammengedrückter Schädel, bey dem das Stirnbein so niedrig ist, daß es fast zu fehlen scheint, ferner ein Schädel mit ganz zusammengedrückten Seitenbeinen, so daß der Kopf dadurch außerordentlich schmal wird, endlich ein Schädel, bey dem das Hinterhaupt außerordentlich hervorragend und gerundet ist, der Beobachtung zu Folge in einem bestimmten Causalnexus mit dem angebornen Blödsinn, so daß man diese Anomalien als Zeichen physischer Quellen solcher Art psychischer Abnormitäten ansehen kann. Die Theile des Gesichts stehen mit solchen anomalen Schädelbildungen im correspondirenden Verhältniß, und das zusammengedrückte, verschobene, schlaffe Wesen dieser Theile deutet mit vieler Bestimmtheit darauf hin, daß die physische Ursache dieser Unvollkommenheit auch die der innern psychischen ist. Noch muß man zu den Zeichen der angebornen Ursachen psychischer Störungen die Züge rechnen, durch welche sich die Temperamente zu erkennen geben. Die energische Lebhaftigkeit des cholerischen Temperaments begründet

venigstens die Anlage zur Tollheit; die flatternde Glut
des sanguinischen, die Anlage zum Wahnsinn; die stille,
n sich selbst gekehrte Gemüthlichkeit des melancholischen,
die Anlage zur Melancholie; und endlich die Stumpfheit
des phlegmatischen, die Anlage zur Albernheit und zum
Blödsinn. Man kann bey vorhandenen psychischen
Krankheiten die Arten derselben schon aus den Spuren der
Temperamente schließen. Weit sprechender aber noch,
oder wenigstens von weit größerm Umfange sind die Zeichen derjenigen physischen Quellen von psychischen Störungen, welche selbst erst eine Folge der Unordnung in
der ganzen Lebensweise der Individuen sind. Ausschweifungen aller Art, im Trunke, in der Befriedigung des
Geschlechtstriebes, in sogenannten heimlichen Sünden,
ja sogar im Studiren und überhaupt in geistigen Anstrengungen, ferner die Martern lange gehegter Leidenschaften,
welche sämmtlich die körperlichen Kräfte und Organe zerrütten, legen durch diese Zerrüttungen den Grund zu
psychischen Uebeln. Und jene Zerrüttungen, als die Quellen dieser Uebel, geben sich dem Beobachter durch auffallende und deutliche Zeichen zu erkennen. Die aufgedunsene Gestalt, das mit dunkler Röthe überzogene Gesicht,
das hervorstehende, stiere Auge des Trinkers; die krumme,
hinschwindende Gestalt, das verfallene Gesicht, das tiefliegende, matte, seelenlose Auge des Wollüstlings; die
abgemagerte wankende Gestalt, das hypochondrische,
menschenscheue Wesen, das abwechselnd überspannte und
schlaffe Ansehen des Mannes, welchen übermäßige geistige
Anstrengungen um seine Gesundheit gebracht haben; die
nicht minder verfallene Gestalt, das nicht minder trübe,
abgemattete Ansehen derer, denen Kummer, Gram und
Sorge von mancherley Art die Kräfte geraubt und den
Körper zerrüttet haben; alle diese Bilder physischen
Elends mit ihren Nebenzügen: der zerrütteten Verdauung,

Z

der Schlaflosigkeit, der allgemeinen Nervenschwäche u. s. w. sind, wenn solche Individuen in psychische Zerrüttungen mancherley Art, als: Melancholie, Wahnsinn, Wahnwitz, Blödsinn u. s. w. verfallen, bestimmte Zeichen der nächsten physischen Quellen dieser Uebel, welche Quellen, wie sie selbst zuerst meistentheils psychischen Ursprungs waren, nun auch mit verderblichen psychischen Folgen endigen. In der That wird man vielen Wahnsinnigen, Melancholischen und Blödsinnigen den nächsten körperlichen Ursprung ihres Zustandes, vermittelst jener Zeichen, ohne alle Zweydeutigkeit ansehen.

Weit mehr aber als die bisher beschriebenen liegen die psychischen Quellen psychischer Uebel außer dem Kreise unmittelbarer Beobachtung, und nur genaue Erkundigung nach den früheren Verhältnissen der kranken Individuen, kann uns eine Anzeige dieser Quellen geben. Hier ist das Feld der eigentlichen Anamnestik. Eine sorgfältige Nachforschung nach der Art der ersten Erziehung oder vielmehr Verziehung: ob allzugroße Strenge oder allzugroße Nachsicht, ob moralische oder geistige Verwahrlosung ihre Grundlage machte, kann uns über das Wesen späterer psychischer Verirrungen großen Aufschluß geben und bey der Bestimmung derselben zum Fingerzeig dienen. Sodann ist zu erforschen, in welche politischen, öconomischen, Familien-Verhältnisse die jetzt psychisch-kranken Individuen gelangten, und welche Veränderungen und Bestimmungen der Charakter und das ganze psychische Wesen derselben durch diese Verhältnisse erlitt, in denen sie vielleicht einen großen Theil ihres Lebens zubrachten. Endlich ist zu untersuchen, welche Richtung ihr Geist, ihr Gemüth, ihr Wille durch sich selbst und von Natur nahm, und wie die äußern Verhältnisse diesen Richtungen günstig waren oder widersprachen; welche Resultate dann aus dem Conflict des innern Strebens und äußern Entgegenstrebens für die

Individuen entstanden; und wie nun noch zufällige Ursachen zu besonderer psychischer Exaltation bald, und bald Depression, sowohl des Gemüths und Willens, als des Geistes und der Phantasie, mitwirkten, und so Zustände hervorbrachten, welche, wenn sie noch nicht psychische Krankheiten waren, doch wenigstens die Keime dazu vollständig enthielten. Alle in Beziehung auf jene mannigfaltigen Umstände aufgefundene historische Spuren sind eben so viele Zeichen der psychischen Quellen psychischer Uebel; und jede entdeckte falsche Richtung des Geistes, Willens und Gemüths in dem vergangenen Leben psychisch-kranker Individuen ist ein wichtiger Beytrag zur Diagnose ihrer Krankheiten.

Als Zeichen der psychischen Quellen, aus denen psychische Störungen hervorgehen, sind demnach anzusehen, erstlich: alle Spuren eines verweichlichten, oder gar verdorbenen Gemüths, von früher Jugend an, als: der Hang zu sinnlichen Genüssen, und überhaupt Hegung und Pflegung egoistischer Sinnesart, des Hanges zu Geiz, Neid und Mißgunst, zur Schadenfreude u. s. w.; zweytens: alle Spuren eines vernachlässigten oder schiefgerichteten Geistes, als: Mangel an Bekanntschaft mit den Gegenständen der Natur und ihren Verhältnissen, Mangel an Ausbildung des Verstandes und der Urtheilskraft, Angewöhnung an Vorurtheile aller Art, übermäßige Beschäftigung und Verwöhnung der Phantasie, Anreizung und Begünstigung des Hanges zu müßiger Speculation u. s. w.; drittens: Verwöhnung und Verderbniß des Willens von Jugend auf, theils durch schwächliche Nachsicht, theils durch despotische Strenge, wodurch auf der einen Seite Trotz, Uebermuth, Ungestüm, auf der andern knechtische Furcht, Falschheit, Tücke, Hang zur Rachsucht u. s. w. entsteht. Alle diese Fehler und Verirrungen sind als eben so viele Fäden anzusehen, aus denen nach und nach das mannigfaltige Gewebe psychischer

Krankheiten entsteht. Wer sieht z. B. nicht, daß ein seinen ungestümen Neigungen ungezähmt nachhängendes Gemüth, begünstigt durch üppige Nahrung der Phantasie, unausgebildete und unbefestigte Urtheilskraft, bey ungebändigtem Willen, leicht zum Wahnsinn oder zur Tollheit führen kann; daß ein eingeschüchtertes Gemüth, ein nicht entwickelter Verstand, ein unterdrückter Wille Scheu und Blödsinn herbeyführt; daß eine aufgereizte Phantasie und irre geleiteter Verstand bey schwachem Gemüth und Willen zu Quellen des Wahnwitzes werden müssen; daß Mangel an Herrschaft des Geistes und Willens bey einem weichen, zum Genuß gebildeten, aber von Kummer gedrückten Gemüthe Melancholie erzeugt? Von großer Bedeutung also sind die Zeichen der psychischen Quellen psychischer Störungen, und nicht genug, theils zum Behuf des Studiums der Krankheiten selbst, theils zur Aufsuchung passender Heilmittel, zu empfehlen.

IV.

Zeichen der Hauptformen der psychischen Krankheiten.

Wir haben hier eigentlich nur das bis jetzt zerstreut und einzeln dargelegte zu sammeln und zum vollständigen Bilde bestimmter Krankheiten zu ordnen, wiefern sie sich charakteristisch und unverkennbar in der Gesammtheit ihrer Zeichen darstellen. Man würde nicht so lange über die Feststellung der Gattungen und Arten psychischer Krankheiten geschwankt haben, und nicht, wie es noch geschieht, manches (zum Nachtheil nicht blos der Theorie sondern auch der Praxis) vermischen, was getrennt werden, und trennen, was verbunden bleiben sollte, wenn man früher darauf bedacht gewesen wäre sich genau und vollständig um die verschiedenen Zeichen verschiedener Krankheitsformen zu bekümmern. Deswegen wird man es hoffentlich nicht blos entschuldigen, sondern billigen, daß wir nun im Zusammenhange und in vollen Gegensätzen darstellen, was früherhin in Bruchstücken aus einander gelegt war.

Die Gemüths-, Geistes- und Willens-Krankheiten unterscheiden sich als Grundformen wesentlich durch ihre Zeichen von einander. Zuerst von den gesammten Zeichen der Gemüthskrankheiten. Sie sind entgegengesetzter Art, wie es die Formen der Krankheiten in dieser Sphäre sind.

1) Gesammt-Zeichen der Melancholie. Der Melancholische ist der Gesellschaft abgestorben und sucht die Einsamkeit. In sich gekehrt, still, oder mit leisem Klagen und Seufzen geht er umher, mit nichts beschäftigt als mit seinem tiefen Gram, der nur nach dem Tode strebt, als dem gewünschten Ende seiner Leiden. Wenn er noch etwas in der Welt sucht, so ist es eine Höhe, von der er sich herabstürzen, noch weit lieber aber ein Wasser, in dem er sich ersäufen kann, am liebsten aber ein Messer oder ein Strick: denn jemehr Thatkraft zum Tode erfordert wird, desto weniger ist er ihm willkommen. Einige finden den Hungertod am bequemsten, aber der Tod ist es überall, den ihr Leben-verlassenes Gemüth sucht. Die wenigen, abgebrochenen Worte, die wir von melancholischen Personen vernehmen, bezeichnen das Verbrechen (wirkliches oder eingebildetes) das sie drückt, die Strafe, die sie fürchten, das Gut, welches sie verloren haben, oder verloren zu haben glauben, das Ende, welches sie wünschen oder fürchten. Sie essen, trinken, schlafen, bewegen sich wenig, sitzen meistentheils bewegungslos und wie versteinert da, mit gesenktem Haupt, mit niedergeschlagenen oder starr vor sich hinblickenden Augen. Ihr verfallenes, blasses, oft schwarzgelbes Gesicht, ihre verstörten Züge, ihr verwildertes, schwarzes

Haar, ihre trockne Haut, ihre Neigung zu Obstructionen zeugen von dem allgemeinen Stillstand alles Lebens in ihnen, welchen der langsame, träge Puls, das langsame, tiefe, seufzende Athmen bestätigt. Nicht selten sind ihnen die Füße angelaufen, und der Unterleib ist voll und hart, zuweilen auch zusammengezogen. In ihren Umgebungen ist die gänzliche Sorglosigkeit um dieselben ausgedrückt. Freunde, Verwandte, sonst geliebte Personen sind ihnen jetzt gleichgültig oder zuwider. Ihre ganze Erscheinung ist der Ausdruck eines erstarrten Gemüths. Dieß sind die Zeichen dieser Krankheit, wenn sie rein und zu völliger Reife gekommen ist.

2) Gesammt-Zeichen des Wahnsinns. Sie sind denen der Melancholie völlig entgegengesetzt. Der Wahnsinnige ist in unaufhörlicher, höchster Unruhe der innern und äußern Bewegung. Sein glühendes, oder vor Sehnsucht blasses Gesicht, sein funkelndes Auge, seine ausgebreiteten Arme suchen unausgesetzt oder umfassen auch den Gegenstand, mit dem sich seine erhitzte Phantasie und sein über alle Schranken hinaus begehrendes Herz beschäftiget. Der Wahnsinnige kennt keine wirkliche Person und keinen wirklichen Ort; seine Phantasie, auf Antrieb seines von Einem Gegenstande erfüllten Herzens, zaubert ihm ganz andere Personen, Dinge, und Verhältnisse, als die gegenwärtigen, vor. Es offenbart sich dieß, wie seine Krankheit selbst, aus allen seinen Reden und Handlungen, überhaupt aus seinem ganzen Benehmen. Der Wahnsinnige singt oft und anhaltend, bald im Uebermaß seines Entzückens, bald im Uebermaß seiner Traurigkeit; er umfaßt leblose Gegenstände als belebte, und stößt geliebte Personen als Fremde oder Feinde zurück. Seine Reden verrathen die innere Stimmung seines Gemüths und die Gegenstände seiner Phantasie, mit denen er sich auf das

lebhafteste und leidenschaftlichste unterhält. Der Nahrung, des Schlafs scheint er gar nicht bedürftig zu seyn. Die höchste Unruhe, die höchste Spannung verräth sich in allen seinen Bewegungen, in seinen Gesichtszügen, in seinen Blicken, in seiner ganzen Gestalt. Beständiges Gesticuliren, Lachen oder Weinen, Singen oder Declamiren, jederzeit mit der entsprechenden Mimik, unruhiges Umherwerfen der irren Blicke, oder starres Fixiren bestimmter Gegenstände, macht sein Tagewerk aus. Sein ganzes Aeußere trägt das Gepräge und die Spuren des innern Zustandes. Verfallene Gestalt, verstörte Physiognomie, als Folge der ungeheuern Anspannung, fliegender Puls und Athem. Dabey vernachlässigtes, frey herum flatterndes Haar; vernachlässigte oder phantastische Kleidung; die sonderbarste Zusammenstellung und Ausschmückung der Umgebungen; dieß sind die Zeichen, welche den Wahnsinn verkündigen und darauf hindeuten daß das Gemüth in dieser Krankheit eben so sehr außer sich, in den Gegenständen lebt, die ihm die Phantasie vorbildet, als bey der Melancholie es in sich versunken und von der Welt der Gegenstände getrennt, sich in sich selbst verzehrt.

Was nun zweytens die Hauptformen der Geisteskrankheiten betrifft, so sind sind sie sowohl unter sich selbst, als von den Gemüthskrankheiten, in den sie offenbarenden Zeichen auf eine auffallende Weise verschieden.

1) Gesammt-Zeichen des Wahnwitzes und der Narrheit. Wollte man das körperliche Befinden vorzüglich zu Rathe ziehen, so würde sich der Wahnwitzige und der Narr von andern Menschen kaum unterscheiden lassen. Beyde essen, trinken, schlafen, so gesund und mit so vielem Wohlbehagen wie vernünftige Menschen, und zuweilen verräth sogar ihr Ansehen die innere Krank-

heit nicht, wenigstens nicht auf den ersten Anblick. Doch ist auch nicht zu läugnen, daß Viele dieser Art das Gepräge ihrer Krankheit schon äußerlich an sich tragen. Dem aufmerksamen Beobachter verräth auch bey denen, wo die Krankheit weniger auffallend ist, die ganze Gestalt, die Haltung, der Gang, das gesammte Benehmen, und besonders ihre Rede und ihre Handlungsweise, weß Geistes Kinder sie sind. Meistentheils ist die Gestalt des Wahnwitzigen und Narren verfallen, das Gesicht auf gewisse Weise verzerrt, der Blick irre, herumschweifend oder stier. Dazu kommt die Vernachlässigung oder Sonderbarkeit in der Kleidung, die eben so sehr mit der von verständigen Menschen contrastirt, als sie mit dem übrigen Wesen dieser Kranken harmonirt. Ihr Gang ist unstät, zwecklos, unruhig; und vor allem verräth ihr übriges Benehmen die innere Zerrüttung. Der Wahnwitzige theilt mit scheinbar stolzem Scheinbewußtseyn seine fixen Ideen mit. Z. B. daß er die vierte Person der Dreyeinigkeit sey. Der Narr, vermöge seiner veränderlichen Natur, wechselt auf das mannigfaltigste mit seinen Aeußerungen. Nirgends findet sich das Spiel der Narrheit besser beschrieben als bey Pinel. „Dieser Narr, sagt er *), nähert sich mir, sieht mich an, und überschwemmt mich mit seinem Geschwätz. Gleich darauf macht er es mit einem Andern eben so. Kommt er in ein Zimmer, so kehrt er alles darin um, faßt Tische und Stühle, ohne dabey eine besondere Absicht zu verrathen. Kaum hat man das Auge weggewandt, so ist er schon auf einer benachbarten Promenade, und daselbst eben so zwecklos geschäftig als im Zimmer, plaudert, wirft Steine weg, rupft Kräuter aus, geht und geht denselben Weg wieder. Kurz ein ununterbrochener

*) Abhandl. über Geistesverirrungen, übersetzt von Mich. Wagner. Wien, 1801. S. 176.

Strom losgebundener Ideen bestürmt ihn und veranlaßt ihn zu eben so isolirten und zwecklosen Handlungen. — Ein Anderer spricht wechselsweise von seinen Hof, Pferden, Gärten, und von seiner Perücke ohne auf Antworten zu warten und dem Zuhörer Zeit zu lassen seinen unzusammenhängenden Reden zu folgen. Er schwärmt wie ein Irwisch in seinem Hause herum, schreit, schwatzt, quält seine Dienerschaft mit kleinlichen Befehlen, seine Verwandten mit Ungereimtheiten, und weiß den Augenblick darauf nicht mehr was er gesagt und gethan hat." An allen diesen Zeichen erkennt man mit Sicherheit den Narren, von dem der Wahnwitzige nur in so fern unterschieden ist, daß seine Verkehrtheit ihr bestimmtes Ziel (die fixen Ideen) hat, was bey dem Narren nicht der Fall ist. Beyde gerathen, wenn man sie reizt, in Hitze, und brechen leicht in Beleidigungen und Thätlichkeiten aus, von denen sie jedoch bald wieder zurückgebracht werden können.

2) Gesammt-Kennzeichen des Blödsinns und der Albernheit. Der Blödsinnige und der Alberne geben sich auf den ersten Blick zu erkennen. Eine völlige Seelenlosigkeit ist nicht blos in ihren Blicken und Zügen, sondern in ihrer ganzen Gestalt und in allen ihren Bewegungen ausgedrückt. Die Blicke gehen leer und matt aus den gesunkenen, glanzlosen Augen hervor, ja bey manchen sollte man zweifeln, daß sie einen Blick haben: denn die Außenwelt reizt sie nicht mehr, und sie halten darum auch keinen Gegenstand fest. Aus ihren Zügen ist aller Charakter verschwunden, den der gänzlichen Schlaffheit ausgenommen. Nur den Mund der Albernen umzieht ein fast immerwährendes, nichts sagendes Lächeln, von leisem, gedankenlosem Murmeln begleitet. Der Blödsinnige hingegen sitzt oder steht fast immer mit geöffneten Lippen. Ueberhaupt ist sitzen oder stehen, oder am liebsten

liegen das Tagewerk dieser Kranken. Gehen sie herum, so geschieht es, wie alles was sie maschinenmäßig thun, mit allen Zeichen der Erschlaffung, mit gesenktem, oder vielmehr hängendem Kopfe, gekrümmten Rücken, schlaff herabhängendem Armen, schlotternden Beinen. Sie essen und trinken, aber wissen wohl kaum davon; und ihr liebstes Geschäft ist Schlafen. Sie sind wenig empfindlich gegen den Schmerz. Weder sanftes noch heftiges Anreden vermag sie in Bewegung zu setzen. Das Schauspiel der Welt, in seiner bunten Mannigfaltigkeit, hat keine Reize mehr für sie. Mit Einem Worte: sie vegetiren; doch so, daß der Alberne wenigstens noch einen Schein von Thätigkeit und gleichsam von innerem Behagen von sich gibt, nur zurück versetzt in die Sphäre des Kindes, und, gedankenloser als dieses, vor sich hin spielend, der Blödsinnige hingegen auch diesen Schein verloren hat.

So wie die Gemüths- und Geistes-Krankheiten sich als Gattungen, und unter einander selbst als Arten, durch bestimmte unzweydeutige Charaktere hinlänglich unterscheiden: so wurden auch die psychischen Abnormitäten des Willens durch scharfe Gegensätze, als unterschieden von jenen und unter sich selbst, bezeichnet.

1) Gesammt-Zeichen der Tollheit. Wiewohl auch der Wahnsinn, der Wahnwitz, die Melancholie, besonders nach äußern Veranlassungen, ihre heftigen Anfälle haben, so sind doch die Zeichen der eigentlichen Tollheit von jenen heftigen Ausbrüchen wesentlich verschieden. Der Tolle, dessen Krankheit wesentlich die Tollheit ist und keine andere, ist außer seinen Anfällen meistentheils ruhig, ja scheinbar vernünftig, indem er nicht selten für Gefühle der Freundschaft und Liebe u. s. w. empfänglich, in seinem Urtheile besonnen, in seinen Handlungen human ist. Wiewohl dieß auch seine großen Ausnahmen

leidet: denn viele Tolle sind auch außer den Anfällen brutal, stupid und unempfänglich für zartere Behandlung. Wir abstrahiren aber von diesen, um die Zeichen der Tollheit selbst desto fester ins Auge zu fassen. Im Moment des Anfalles wird der Kranke unruhig, geht mit starken, heftigen Schritten umher, reizbar, ärgerlich, zänkisch. Das Auge funkelt; dunkle Röthe überzieht die Wangen; die Stirn glüht; die Carotiden klopfen; immer höher steigt die Brust; es ballen sich die Fäuste; immer schneller und heftiger wird der Schritt; der Kranke murmelt erst still vor sich hin, dann droht er laut, dann schreit und brüllt er, packt und zerreißt alles was ihm entgegen steht mit ungeheurer Kraft, zertrümmert was sich zertrümmern läßt, und kann er eines verletzenden Werkzeuges habhaft werden, so greift er damit sich oder Andere an, indem eine offenbare Mordlust sich seiner bemächtiget hat, die er auch gewiß befriediget, wenn nicht stärkere Gewalt ihm Einhalt thut. Nur erst wenn der Tolle sieht, daß er der Gewalt nicht mehr widerstehen kann, wird er ruhiger. Einige kommen nun wieder zu sich, bey Andern geht der erstere Zustand in einen wahnsinnigen oder melancholischen über, bis eine neue Periode der Tollheit eintritt. Da wo diese oft erscheint und gleichsam den permanirenden Zustand des Kranken ausmacht, so daß er immer in strenger Verwahrung gehalten werden muß, nimmt sowohl er selbst, als alles was ihn umgibt, einen Charakter von Verwilderung an, der in der That schaudervoll ist, und die Art der Krankheit schon in der Ferne ahnen läßt. Ein fast unaufhörliches Gebrüll verkündigt die Nähe dieser Unglücklichen; sie toben und rasseln mit ihren Ketten, da wo es noch in Gebrauch ist sie damit zu belegen; sie zerschlagen sich die Fäuste an den Gegenständen wund, die sie berühren können; ihre Kleider, die Decken ihres Lagers hängen in Fetzen umher; sie selbst sind mit dem häßlichsten

Schmutze bedeckt; ihr verwildertes, verworrenes Haar, ihr langgewachsener Bart läßt kaum noch die Züge ihres Gesichts erkennen, und ein widriger Geruch von ganz eigener Art ist in ihrer Atmosphäre verbreitet, so daß der Raum, in welchem sie sich befinden, auch wenn sie daraus entfernt sind, noch lange diesen specifischen Geruch an sich behält, der nicht von zufälligen Unsauberkeiten herzukommen, sondern aus ihrem eigenen Körper auszudünsten scheint. Auch melancholischen und wahnwitzigen Personen, besonders wenn deren mehrere in einem Raume beysammen sind, ist ein ähnlicher Geruch eigen, nur nicht in dem Grade wie den Tollen. Da diese Kranken fast nie schwitzen, und dabey sehr zu Obstructionen geneigt sind, so scheint es, ihre unmerkliche Ausdünstung nehme eine besondere Art von scharfer Beschaffenheit an.

2) Gesammt-Kennzeichen der Scheu. Ein furchtsam umherspähender, zugleich irrer Blick, eine Neigung sich zu verstecken, ein schüchternes Zurück- und Zusammenfahren bey der leisesten Berührung, überhaupt eine Furchtsamkeit, die auf jeden Wink, auf jede Miene rege wird, kündigt diese Kranken an, die übrigens mit den Blödsinnigen äußere und innere Beschaffenheit gemein haben und sich von ihnen nur durch diese widernatürliche Bestimmbarkeit unterscheiden, die das Kennzeichen ihrer kranken, von ihrem eigenthümlichen Charakter abgewichenen, Willenskraft ist. Sie fliehen die Gesellschaft, wie die Melancholischen, und sind nur dann ganz ruhig, wenn sie ganz ungestört sind.

V.

Zeichen der Anomalien psychischer Krankheiten.

Ein Zustand, der bald sich in lebhaften Aeußerungen einer aufgereizten Phantasie, durch Singen lustiger oder trauriger Lieder, deren Inhalt leidenschaftliche Gefühle verräth, aber sich in verworrenen Gedanken ausspricht, durch pathetische Declamationen und Anreden geliebter Gegenstände, durch lebhafte Gesticulationen und ausdrucksvolle, wiewohl verstörte, Mienen und Blicke zu erkennen gibt, bald aber wieder mit einem stillen Hinbrüten, mit einem in sich verschlossenen Wesen, mit einem stummen Dasitzen, niedergeschlagenen Blicken, trauriger Neigung des Kopfs, zusammengefalteten Händen, Seufzen, Weinen, abwechselt, ist der Verkündiger des mit Melancholie verbundenen Wahnsinns. Ein Zustand, der den Kranken jetzt unter allerhand verworrenen Reden und lebhaften Bewegungen übermäßig lustig oder übermäßig traurig zeigt, doch ohne Theilnahme an den Umstehenden, oder wenn diese Statt findet, auf eine liebreiche, freundliche, einnehmende Art theilnehmend, jetzt wieder plötzlich den Kranken gleichsam aus einem Lamm in einen Tieger verwandelt darstellt, so daß Niemand, ohne Gefahr verletzt zu werden, in seiner Nähe bleiben kann; wo sich nun Rede und Gesang in Gebrüll, ein ruhiges oder pathetisches Hin- und Hergehen in wildes Hin- und Hertoben verwandelt, und der Kranke, wenn er Andere nicht erreichen kann, Hand an sich selbst zu legen sucht: dieser Zustand drückt den mit Raserey verbundenen Wahnsinn aus. Derjenige Zustand, wo der Kranke allerley verkehrte Begriffe äußert, die bey ihm zu fixen Vorstellungen geworden sind, und die sich bald auf politische, bald auf religiöse, bald auf öconomische u. s. w. Verhältnisse und Gegenstände beziehen, wobey aber ein tiefes Hinbrüten, ein Versunkenseyn in sich selbst, ein Mangel von Theilnahme an allen Umgebungen Statt findet, bezeichnet die Verbindung von Wahnwitz und Melancholie. Eben so bezeichnet eine ausgelassene Lustigkeit, mit Verübung einer Menge von närrischen

Streichen, die alle das Gepräge der Verkehrtheit und Ungereimtheit an sich tragen, und nun plötzlich wieder ein ganz umgewendtes Wesen, wobey der Kranke gar nicht mehr derselbe zu seyn scheint, still, traurig, in sich gekehrt dasitzt, Ohr und Auge, bey völligem Wachen, für alles Aeußere verschlossen hat, stumm und düster einem tiefen Grame nachzuhängen scheint, doch auf einmal wieder diese Rolle mit der vorigen vertauscht, die Verbindung der Narrheit mit der Melancholie. Diejenige Erscheinungsweise der Kranken, wo sie sich eine lange Zeit hindurch in einem trüben, in sich gekehrten Zustande befinden, sich mit finstern Bildern und Vorstellungen beschäftigen, an Leben und Seligkeit verzweifeln, aller Thätigkeit und aller Gemeinschaft mit der Welt abgestorben sind; doch nun auf einmal unruhig werden, heftig zu sprechen und zu gestikuliren anfangen, aufspringen, wild umher laufen, mit Ungestüm ins Freye verlangen, aus Zank und Streit in Thätlichkeiten übergehen, die immer wilder, immer wüthender werden, bis der ganze Zustand zur vollendeten Tobsucht wird, die aber allmählich wieder in die vorigen Schranken zurücktritt, bis äußere Zufälle oder innere Veränderungen dieselben Scenen wiederum herbeyführen: diese Erscheinungsweise bezeichnet die mit Tollheit verbundene Melancholie. Wenn sich jetzt ein Kranker ausschlüßlich mit einer Vorstellung beschäftiget, und sie bey jeder Veranlassung, und auch ohne Veranlassung, in alle seine Reden einfließen läßt, außerdem aber sich still und ruhig verhält; jetzt aber plötzlich jene Vorstellung fahren läßt, auf einmal über hunderterley Gegenstände schwatzt, unruhig hin und her faselt, lacht, schreyt, die Umstehenden neckt; dann wieder nach einiger Zeit zu seiner vorigen fixen Idee, und überhaupt in seinen vorigen Zustand zurückkehrt: so bezeichnet dieses den mit Narrheit verbundenen

Wahnwitz. Derjenige Zustand, wo ein Kranker an einer fixen Idee leidet, z. B. daß er Kaiser oder König, oder Pabst sey, oder gar eine Person der Gottheit; wo er aber nun plötzlich aufhört diese seine Vorstellung zu äußern, sein ruhiger Blick wild, sein bleiches Gesicht glühend wird, seine schlaffen Muskeln anschwellen, er nun anfängt unarticulirte Töne auszustoßen, zu brüllen, zu toben, um sich zu schlagen, so daß er gefesselt werden muß, bis sich nach und nach sein ungestümes Wesen wieder legt, und er wieder in den Kreis seiner stillen Geistesverwirrung eintritt: dieser Zustand bezeichnet den mit Tobsucht verbundenen Wahnwitz. Wenn Kranke, deren gewöhnlicher Zustand ein blindes Toben und Wüthen ist, in Zwischenzeiten anfangen sich mit eingebildeten Personen und Gegenständen zu unterhalten und sich mit ihren Phantasiebildern lebhaft äußerlich zu beschäftigen, oder wenn sie in scheinbarer Besinnung eine Vorstellung festhalten und die Betrachtung derselben zum fortgesetzten Gegenstande ihrer Beschäftigung machen, oder wenn sie, ganz im Gegensatz gegen ihr voriges Benehmen, still vor sich hinstarren, Theil an nichts nehmen, in tiefem Hinbrüten versunken sind: so bezeichnen diese wechselnden Zustände die Verbindung der Tollheit mit Wahnsinn, Wahnwitz, Melancholie. Wenn Kranke, die man vorher in völliger Abspannung, ja Lähmung der physischen und psychischen Kräfte, in gänzlicher Unfähigkeit zu empfinden, zu denken, zu wollen, gesehen hat, so daß sie mit völliger Lebensstumpfheit keinen Antheil am fremden, kein Gefühl des eigenen Zustandes zeigen; wenn diese plötzlich sich ermannen, wild werden, das todte Auge wieder Leben, das bleiche Antlitz wieder Farbe bekommt, und die gelähmten Arme von neuer Kraft geschwellt werden und Alles was sich ihnen widersetzt, auf die Seite werfen: so sind dieß Zeichen von einem nur vorübergehenden Blödsinn, welcher bey energischen Naturen durch Betäubung oder Abspannung entstanden ist, und nach neu gesammelten Kräften, bey neuen äußern Reizen wieder verschwindet, und seine Gestalt mit einer entgegengesetzten vertauscht, kurz: von Blödsinn in Verbindung mit Tobsucht. Unfähigkeit zum Denken, Empfinden und Handeln, die sich durch allgemeine Stumpfheit des Kranken äußert, wenn sie jetzt mit kindischer Freude und kindischer Geschäftigkeit abwechselt, und dann zu anderer Zeit wieder als kindische Schüchternheit und Furchtsamkeit mit völliger Unfähigkeit zum Widerstande erscheint: dieser Zustand bezeichnet die Verbindung des Blödsinns mit der Albernheit und der Scheu. Manche Kranke, die früherhin Jahre lang im stillen Hinbrüten gesessen hatten, und für jede Aeußerung von Thätigkeit erstorben schienen, indem sie sich nur mit der Vorstellung der Tiefe ihres Elends beschäftigten, wandeln auf einmal ihren ganzen Charakter um, werden beweglich, lebhaft, laut, lustig, und verfallen in dieser Stimmung, der sie auf lange Zeit treu bleiben, auf eine Menge von Ungereimtheiten. Zuletzt verwandelt sich denn auch dieser Charakter. Sie werden entweder zänkisch, ausgelassen, wild, schlagen um sich herum, und, durch den Widerstand nur aufgebrachter gemacht, werden sie immer wüthender, bis man sie fesseln und von nun an eingesperrt halten muß. Oder ihre vorige Lebendigkeit geht wieder in Stille über, die aber von ganz anderer Art als die ursprüngliche ist. Erschlafft und abgestumpft nehmen sie an Nichts, nicht einmal an sich selbst mehr Theil; ihre Gestalt verfällt, ihr Auge erlischt, ihre Züge verlieren alle Bedeutung, und in todter Gleichgültigkeit verzehrt sich der Rest ihrer Tage.

Diese Metamorphosen bezeichnen diejenige Anomalie, wo sich aus der Melancholie Narrheit entwickelt, und diese zuletzt in Tollheit oder Blödsinn übergeht.

Welche Zeichen erscheinen müssen, wenn sich ein scheinbarer Blödsinn, eine scheinbare Melancholie, die eine Zeitlang die wahre Krankheit maskirt haben, in Wuth umwandeln, ferner wenn die Melancholie oder auch der Wahnwitz sich in bleibenden Blödsinn, die Tollheit in bleibenden Wahnwitz schematisirt: dieß ist nach den wiederholt dargestellten Charakteren dieser Krankheitsformen, einzeln genommen, nicht weiter nöthig auszuführen; und man kann, nach den hier durchgeführten Beyspielen, nun leicht jede Anomalie, die in der Natur vorkommt, analysiren, und, nach Maßgabe der vorhandenen Zeichen, unter bestimmte Rubriken bringen, indem bey aller Mannigfaltigkeit der Combinationen, die Grundzüge der Hauptformen, aus denen sie zusammengesetzt sind, überall hervorschimmern, und so leicht der Hauptcharakter vom Nebencharakter und das primitive Leiden von dem secundären geschieden werden kann.

VI.

Zeichen der Entwickelung, der Höhe, des Ausganges psychischer Krankheiten.

Da die verschiedenen psychischen Krankheiten in ihrem Gange von einander abweichen, so gibt sich diese Abweichung natürlich auch durch verschiedene Zeichen zu erkennen. Wir verfolgen diese Verschiedenheit nach den Stadien der Entwickelung, der Höhe, und des Ausgangs.

1) Zeichen der Entwickelung. Wie mit vielen Krankheiten des körperlichen Organismus, so ist es auch mit den psychischen: man kann im Anfange nicht genau bestimmen, welche Krankheitsform sich entwickeln

Aa

werde, und alle Zeichen der ersten Entwickelung laufen entweder auf allgemeine Exaltation oder Depression hinaus. Die werdende Krankheit mag sich nun zur Gemüths- oder Geistes- oder Willenskrankheit gestalten wollen, so sind anfangs alle psychischen Kräfte afficirt und entweder aufgeregt oder niedergedrückt. Man kann also nur im Allgemeinen sagen daß bey gewissen Zeichen psychische Krankheiten bevorstehen. Die bedeutendsten dieser Zeichen sind folgende. Die Candidaten solcher Krankheiten fangen an ihre vorigen Gewohnheiten, Neigungen, Bestrebungen abzuändern. Z. B. Wer gewohnt gewesen war strenge Ordnung in seinen Geschäften, Papieren, Geräthschaften u. s. w. zu halten, fängt nun an unordentlich, nachlässig zu werden. Wer vorher etwa die Jagd, Musik, Gesellschaft liebte, wird gegen Alles dieß gleichgültig. Der Ehrgeizige, der Stolze, der Eifersüchtige, der Künstler, der Gelehrte u. s. w., alle lassen die Gegenstände ihres vorigen Strebens aus den Augen. Eine ungewöhnliche Unruhe befällt diese Personen; sie fangen an sich rastlos hin und her zu bewegen; aus ihrem schnellen und heftigen Sprechen sieht man, daß ihre Gedanken einander ungewöhnlich treiben. Sie sind empfindlich, argwöhnisch, lauschen auf eingebildetes Geflüster oder leises Geräusch; bald erfüllt sie eine widernatürliche Heiterkeit ohne äußere Veranlassung, bald eben so ohne besondere Ursache tiefe Betrübniß. Bald scheinen sie in tiefem Sinnen begriffen, bald sind sie zerstreut und gedankenlos, ja ihr ganzer Geist scheint abwesend zu seyn. Sie träumen viel, aber schreckhafte, abentheuerliche oder abgeschmackte Träume; oft dagegen sind sie auch ganze Nächte hinter einander schlaflos. Am Tage ketten sich einige ängstlicher als gewöhnlich an ihre Geschäfte, bey denen man aber eine Menge von Verirrungen gewahr wird; Andere schweifen frey umher und bekümmern sich nicht um Pflichtverhältnisse. Einige haben glänzende Einfälle, schärfern Verstand, lebhaftere Phantasie, stärkere Fassungsgabe als gewöhnlich; Andere sind stumpfer als sonst, im Fassen und Beurtheilen. Einige zeigen heftige Antipathien, Andere mächtige Neigungen. Einige zeichnen sich durch Sonderbarkeiten in Kleidung, Gang, und Ausdruck aus, sind stolz, eingebildet, prahlerisch, leicht erzürnt, schwer besänftigt, streitsüchtig. Einige sind immer die Helden ihrer eignen Erzählung, sprechen mit Pomp in einer übertriebenen, hochtrabenden Sprache und begleiten ihre Reden mit unnatürlichen Gebehrden, unpassenden Bewegungen und häufig mit schreckhaften Mienen. Bey der unbedeutendsten Veranlassung argwohnen sie böse Absichten, verfallen aus höchst lächerlichen und eingebildeten Ursachen in Furcht und Schrecken; und ergreifen dann wieder einmal jede Gelegenheit um romanhaften Muth und kühne Thaten zu zeigen, und überlassen sich dann allen Arten von Ausschweifungen *). Zu keiner Zeit ist die Neigung zu Congestionen, zu Obstructionen, so groß, als zu Anfange psychischer Störungen. Das Gesicht solcher Personen ist bald widernatürlich roth bald bleich; ihr Blick hat immer etwas eigenes, fremdes und verstörtes. Ihr Puls ist bald schnell und groß, bald langsam und träge.

Alle diese Zeichen angehender psychischer Störungen sind gleichsam noch ein Chaos, das bestimmten Krankheitsbildungen vorausgeht, sie selbst aber deuten nur ein Hinneigen zu entschiedenen Krankheitsformen an, je nachdem diese auf der Seite der Exaltation liegen, wie Wahnsinn, Wahnwitz und Tollheit; oder auf der der Depression, wie Melancholie und Blödsinn. Inzwischen lassen uns diese Zeichen nicht lange in Ungewißheit, indem sie

*) J. M. Cox, praktische Bemerkungen über Geisteszerrüttung. Halle, 1811. Zu Anf.

bald eine bestimmte Richtung nehmen, wobey die Krankheiten zu ihrer Ausbildung und Höhe gelangen.

2) Zeichen der Ausbildung und Höhe der psychischen Krankheiten. Wir stellen diese Zeichen nach der bis jetzt befolgten Ordnung der Hauptformen psychischer Krankheiten dar. a) Kranke, die vorher nur übermäßig leidenschaftlich, heftig, reizbar gewesen waren, die nur in freyen Augenblicken sich mit Bildern der Phantasie beschäftigt, nur dann und wann Geistesabwesenheiten gezeigt hatten, verlieren nun die wirkliche Welt ganz aus den Augen, sehen nur Bilder der Phantasie vor sich, zu denen ihnen ihr leidenschaftlich bewegtes Gemüth den Stoff zuführt, und beziehen alle ihre Empfindungen, Gedanken und Handlungen auf diese Phantasien-Welt; sie sehen nicht, sie hören nicht was außer ihnen vorgeht. Eine leidenschaftliche Thätigkeit hält sie in beständiger Bewegung, die ihnen kaum die nothdürftigste Nahrung, kaum den nöthigsten Schlaf zu genießen erlaubt. Ihr Auge irrt funkelnd umher, ihre Wangen glühen, ihr Puls jagt fieberhaft. Der Wahnsinn hat sich gebildet und steht in seiner Vollendung da.

b) Kranke, die bis jetzt nur schüchtern, mißtrauisch, argwöhnisch, ängstlich waren, die entfernte Uebel für nahe, mögliche für wahrscheinlich hielten, die nach und nach die Liebe und Neigung zur Welt, ihren Freuden und Geschäften verloren, die sich lieber in die Einsamkeit zurückzogen als sich der Gesellschaft widmeten: diese sehen jetzt überall Unglück, Gefahr, Verderben, das nahe, das wahrscheinliche Uebel ist zum gegenwärtigen, das geringe wirkliche zum ungeheuren eingebildeten geworden. Die Welt drückt, verfolgt sie, stellt ihnen nach; ein finsterer Abgrund öffnet sich vor ihnen, aus dem sie die Verzweiflung vernichtend anstarrt. Es zeigt sich in ihrer trostlosen Stellung, in ihren starren Blicken, vor denen die Außenwelt verschwunden ist, in ihrer zusammengesunkenen Gestalt, daß es die Melancholie ist, zu der sich ihre Krankheit ausgebildet hat.

c) Der Kranke, welcher vorher, vielleicht ganz wider seine Gewohnheit, eine Menge witziger Einfälle, glänzender Gedanken und Bilder in schneller Aufeinanderfolge hervorbrachte und dabey auf das lebhafteste erregt bald übermäßig und widernatürlich lustig erschien, bald mit Hitze und Ungestüm über Kleinigkeiten stritt und mit großem Dünkel alle Andern zu übersehen glaubte, ist nun in einem Zustande, wo sich die ganze Thätigkeit seines Geistes um Eine Vorstellung herumdreht: er wähnt der Richter des Menschengeschlechts zu seyn, und Alles was sich ihm naht, muß vor sein Tribunal. Gravitätisch ist seine Stellung, hochaufgezogen seine Augenbraue, blitzend sein Auge, weit ausgestreckt seine Rechte, und seine Stimme donnert in einem unaufhaltsamen Strome Anklagen und Verurtheilungen aller Art hervor. Die Krankheit hat sich zum vollständigen Wahnwitz ausgebildet.

d) Die Spuren von Zerstreuung, von augenblicklicher Geistes-Abwesenheit, von Stumpfheit des Fassungsvermögens und der Urtheilskraft, die sich früher nur von Zeit zu Zeit zeigten, haben nicht blos überhand genommen, sondern ein völliger Stumpfsinn hat sich eingestellt, der, so wie er auf der einen Seite das Bewußtseyn verdunkelt und alle Lebhaftigkeit und Deutlichkeit der Vorstellungen unterdrückt, auf der andern gegen alle Gegenstände des Lebens gleichgültig macht und alle Kraft zum Handeln lähmt. Der Kranke trägt nun auch äußerlich das Gepräge dieses innern Zustandes. Er sitzt in phlegmatischer Ruhe da; von seiner Stirn sind die Spuren des Denkens verwischt, sein Auge blickt matt und seelenlos vor sich hin, seine Züge, die ganze Haltung seines Körpers zeugen von der innern Abstumpfung und Erschlaffung, welche von der überhandnehmenden Geisteslosigkeit erzeugt und unterhalten wird; nur selten erscheint ein Ausbruch ohnmächtiger Leidenschaftlichkeit, die von einem Ueberreste schwächlicher Reizbarkeit erzeugt wird. Der völlige Blödsinn hat sich gebildet.

e) Das hastige, auffahrende, zänkische Wesen hat überhand genommen. Auf die geringste Reizung zeigt sich eine schnell hervorbrechende Zornmüthigkeit, ein Hang zu gewaltthätigen Handlungen, deren Heftigkeit mit der veranlassenden Ursache in keinem Verhältnisse steht. Dieser Hang wird durch kurze Uebung zur gewöhnlichen Stimmung, ja erscheint nach und nach ohne alle Veranlassung in wachsenden Graden mit einem Ungestüm, dem der Kranke, selbst in Augenblicken der Besinnung, nicht mehr gebieten, nicht mehr widerstehen kann. Sein Aeußeres ist ein Abdruck dieser innern Beschaffenheit. Sein Haar sträubt sich, sein Auge funkelt und sprüht Flammen, seine Stirn, sein ganzes Gesicht ist in Glut, die Brust fliegt, die Adern klopfen, die Muskeln schwellen auf. Er selbst fühlt die Annäherung dieses Zustandes in einer Aengstlichkeit, in einem Zusammenschnüren, in einem Brennen im Unterleibe und in der Gegend der Präcordien; der Kopf wird ihm eingenommen, die Gedanken verwirren sich, er weiß nicht mehr was er thut, sondern fühlt sich nur mit wilder Hastigkeit blutdürstig zu grausamen Handlungen hingerissen *). Er schreyt und tobt unaufhörlich; in diesem Zustande fühlt er keinen Hunger, keine Kälte, kein Bedürfniß des Schlafes **); und dieß nicht blos

*) Pinel, Abhandl. über Geistes-Zerrüttung. §. 14. S. 260.

**) v. Swieten, Commentar. T. III. p. 521. Vidi maniacum omnia corporis integumenta lacerasse et nudum stramini incu-

Tage sondern Wochen lang. Die Krankheit ist auf ihre Höhe gelangt und hat sich zur völligen Tollheit ausgebildet.

f) Die Unruhe über versäumte Pflichten, über begangene Verbrechen, die Furcht vor der Strafe und vor der Schande treibt den Menschen aus der Gesellschaft hinweg. In seiner Einsamkeit wird er unthätig, stumpf, zittert vor jedem Geräusch, ängstigt sich ab, verfällt, wird schwächer, und bey zunehmender Schwäche immer reizbarer, immer schüchterner. Rath- und Gedankenlos sitzt er da, nur von dem Gedanken der Furcht gequält, bis sich dieser in allgemeiner stumpfsinniger Schüchternheit verliert. Der Kranke würde sich das Leben rauben, wenn er sich nicht vor dem Tode fürchtete, und Kraft des Willens genug hätte ihn aufzusuchen. Aber er ist keines Entschlusses mehr fähig, und seine matte Reizbarkeit erhält ihn blos in einem immerwährenden Zustande von Aengstlichkeit und Bangigkeit, die sich auf seinem Gesichte, in dem schüchtern umherblickenden Auge, in den schlaffen zitternden Bewegungen seines Körpers ausdrückt. Jedes Geräusch, jedes Nahen eines Menschen, und wenn es ein Kind wär, erschreckt ihn. Die Krankheit hat sich zur Scheu, dem Mittelgliede zwischen Melancholie und Blödsinn, ausgebildet.

Und dieß sind die bedeutendsten Zeichen der Hauptformen psychischer Krankheiten auf ihrer Höhe. Nicht immer stellen sich gerade dieselben, hier angeführten Aeußerungen ein, weil die äußern Veranlassungen und die

buisse in loco lapidibus strato, dum asperrima saeviebat hyems, per plures septimanas; quandoque per octo dies cibo omni abstinuisse, dein oblata quaevis ingurgitasse avidissime; immo et foetidissimo spectaculo proprias faeces alvinas devorasse, licet optimi cibi suppeterent. Per plures septimanas noctes et dies pervigil horrendis clamoribus totam replebat viciniam cet.

Individualität der Kranken so ve.
der Charakter der Aeußerungen,
Form ein bestimmtes Beyspiel ge
gleich, wenn auch die Umstände
nen jener Aeußerungen selbst he.

3) Zeichen des Au...
Krankheiten. Da der Ausg...
verschieden ist, so sind es auch die Zeichen. ...
in Zeichen der Genesung, des Todes, und des Ueberganges in andere Krankheitsformen. Wir verfolgen sie in der bisher gehaltenen Ordnung.

a) Soll die Melancholie zur Genesung übergehen, so zeigen die Kranken eine wieder rege werdende Empfänglichkeit für das äußere Leben, und in dem Maße, wie diese zunimmt, eine Abnahme der Insichselbstversunkenheit, des Trübsinns, der starren Unthätigkeit. Sie lernen wieder auf die Gegenstände, auf die Personen um sich her achten, hören auf freundliches oder ernsteres Zureden, lassen sich, wenn neue Unruhen und Aengstlichkeiten in ihnen erwachen, durch Gründe, durch Bitten, durch Aussichten in eine heitere Zukunft beruhigen. Sie thun wieder was ihnen geheißen wird, zwar langsam und unvollkommen, aber doch mit einiger Bereitwilligkeit und einigem Vermögen der Anstrengung. Sie bekommen nach und nach Appetit und Schlaf; ihr Blick wird belebter und offener, ihr Gesicht verliert allmählich die düstern Spuren des Insichversunkenseyns und der Verzweiflung; ihr Puls wird freyer und kräftiger, ihre Ausleerungen werden regelmäßiger, ihr Körper nimmt an äußerer Stärke und innerer Kraft zu; ja Einige zeigen eine Anlage zum Fettwerden, und Beobachter (Haslam) führen es sogar als ein Merkmal der Genesung an, wenn Kranke dieser Art anfangen fett zu werden. Das sicherste Zeichen der

Genesung ist aber, wenn sie anfangen die ihnen aufgetragenen Geschäfte wieder mit Lust zu verrichten. Umgekehrt: werden solche Kranken immer stumpfer und in sich gekehrter, nehmen sie gar keine Notiz mehr von allem was außer ihnen ist und auf sie einwirkt, verschmähen sie hartnäckig alle Nahrung, sind sie fast immer schlaflos, magern sie immer mehr ab, werden sie immer matter, so daß sie zuletzt ihr Lager nicht mehr verlassen, wird ihr Unterleib härter, schwellen die Füße an, nimmt die Neigung zu Obstructionen immer mehr zu, oder stellt sich Durchfall ein: so zehren sie sich entweder allmählich auf, oder sterben, nach vorhergegangener Lähmung einzelner Gliedmaßen oder Sinne, apoplectisch. Tritt aber diese Reihe von Zeichen eben so wenig als die der Genesung ein, kommen von Zeit zu Zeit heftige Congestionen nach dem Kopfe, werden sie unruhig, springen sie unter lebhaftem Phantasien von ihrem Lager auf, gehen hastig in ihrem Behältnisse unter heftigen Gesticulationen und Declamationen, mit Schimpfen und Schmähungen auf und ab, werden sie immer reizbarer, zänkischer, auffahrender, tollkühner: so geht die Krankheit in die Tobsucht über. Oder, zeigen ihre Reden, ihre Bewegungen, alle ihre Aeußerungen, daß die traurigen Vorstellungen, die sie bis jetzt drückten, die Hoffnunglosigkeit wegen gescheiterter Pläne, die Furcht vor Strafen, die Verzweiflung über verlorne Güter, vermöge einer neuen Spannung der Phantasie und der zerrütteten Gedanken, in frohe Erwartungen, in Wahn des Besitzes von Reichthümern, Ehrenstellen u. s. w. übergehen, so verwandelt sich der Zustand der Melancholie in den der Narrheit und des Wahnsinns. Jener arme Studiosus, der zuerst wegen fehlgeschlagener Hoffnung des großen Gewinstes in der Lotterie melancholisch geworden war, bildete sich zuletzt ein, er habe das große Loos wirklich gewonnen und wurde närrisch. Endlich kann sich auch die Starrheit und Unempfindlichkeit der Melancholischen allmählich in völlige Stumpfheit und Seelenlosigkeit verlieren, welches sich an ihrem Aeußern zeigt, das die reine Apathie ausdrückt: gänzliche Sorglosigkeit, gänzliches Verschwinden aller Empfindung und aller Thätigkeit: kurz, Blödsinn.

b) Die Zeichen des in Genesung übergehenden Wahnsinns sind: eine allmähliche Abnahme der Heftigkeit der phantastischen Bewegungen und Aeußerungen überhaupt, ruhigeres, sanfteres Betragen, einzelne helle Blicke in die Wirklichkeit, Wiedererkennung der Personen und Gegenstände, Empfänglichkeit für ihr Einwirken, und, zum Beweis derselben, verständige Zurückwirkung; beruhigte Leidenschaftlichkeit, und als Zeichen derselben ein nicht mehr so verstörtes Gesicht, ein nicht mehr so irrer, stechender Blick; natürliche Thränen, eine natürliche Trauer, die von der Wiederbesinnung zeigt; rückkehrender Schlaf und Appetit, beruhigter Puls, gefaßtes Wesen. Zeigt sich aber keines von diesen Zeichen, nehmen im Gegentheil alle Spuren innerer Zerrüttung immer mehr überhand, kommt der Kranke nie zu sich, sondern lebt Tag und Nacht in seinen Phantasien, verweigert er hartnäckig alle Nahrung, entzieht er sich dem Schlafe: so reibt er sich selbst auf, verfällt in Abzehrung und vielleicht, ja sehr oft, nur in den letzten Stunden seines Lebens kehrt ihm die Vernunft zurück; welche Rückkehr von den Beobachtern zugleich als ein Zeichen des nahen Todes angesehen, und als solches aufgestellt wird. Verliert der Wahnsinn nach und nach seine Heftigkeit, ohne aber andere Spuren der Genesung zu zeigen, sondern bleibt nur irgend eine feste Vorstellung haften, die der Kranke, mit Ruhe zwar, aber doch mit Anstrengung und Nichtbeachtung alles dessen was außer ihm vorgeht, verfolgt, ja die er nicht losläßt, auch dann, wenn ihm die äußere

Welt nach und nach wieder in ihrer wahren Farbe erscheint, zeigt überdieß der Kranke keine Rückkehr zu seinen alten Neigungen und Gewohnheiten: so ist der Uebergang des Wahnsinns in den Wahnwitz gewiß. Verfällt der Kranke aus seiner vorigen Lebhaftigkeit in eine hinbrütende Stille, verwandelt sich sein hastiges, heftiges Sprechen in leises schweres Seufzen, fängt er an still zu sitzen, starr vor sich hin zu sehen, und Tage lang in dieser Stellung und Stumpfheit zu verharren, erfolgt keine Rückkehr seiner vorigen Phantasien und lauten Träume, sondern wird er immer verschlossener, immer finsterer: so ist ein offenbarer Uebergang des Wahnsinns in Melancholie vorhanden. Nimmt umgekehrt der Wahnsinn eine immer größere Heftigkeit an, was sehr häufig geschieht, verwandelt sich das Sprechen in Schreyen und Brüllen, das bloße Gesticuliren in Umsichherschlagen, und hält dieser Zustand an, ja nimmt er immer mehr überhand, bis er zuletzt in das wildeste Ungestüm ausartet: so ist der Uebergang des Wahnsinns in die Tollheit ausgemacht. Aber auch in Blödsinn kann sich der Wahnsinn endigen, wenn, nach erschöpfter Kraft, nur Abspannung und Stumpfheit zurückbleibt, die sich durch Mangel an lebhaften Empfindungen, Vorstellungen und Handlungen äußert.

c) Der Wahnwitz wird nicht selten durch einen einzigen glücklichen Einfall geheilt, der scharf auf die verkehrte Vorstellung des Kranken trifft und sie ihm in ihrer Verkehrtheit zeigt, oder durch eine glückliche Täuschung gehoben, die gerade nicht immer einen großen Apparat verlangt. In solchen Fällen kommen die Kranken, wie durch einen Blitz in der Dunkelheit, schnell wieder zum klaren Bewußtseyn und zu richtiger Ansicht der Gegenstände. Oder auch die Heilung geht zwar langsam, aber dennoch sicher von Statten, wenn z. B. die Kranken, zur

Arbeit angehalten, immer mehr Aufmerksamkeit und Thätigkeit zeigen. Es kündigt sich dann die Genesung durch seltnere Wiederkehr der fixen Ideen oder überhaupt der verkehrten Urtheile, durch natürlicheres, ruhigeres Betragen, durch Spuren des zurückkehrenden Ehrgefühls, der erneuerten Theilnahme an wirklichen Verhältnissen an. Die Lebensordnung der Kranken wird regelmäßiger, sie werden sorgfältiger in ihrer Kleidung, in ihrem Betragen, und kehren ja leichte Anfälle ihrer chimärischen Gedanken zurück, so suchen sie dieselben zu verbergen und sich lieber zu solchen Zeiten, aus einem gewissen Schamgefühl, der Gesellschaft zu entziehen. Bey weitem aber nicht immer tritt dieser glückliche Fall ein. Die Kranken, ohnedieß zu Aufwallungen, zu Streit- und Zanksucht geneigt, reizbar und leicht zu beleidigen, werden oft nach und nach heftiger, mürrisch, auffahrend, zu Thätlichkeiten aufgelegt, wild, ungestüm; und so bedarf es nur wiederholter mäßiger Anlässe, und die Krankheit geht in Tollheit über. Oder, auf der andern Seite, indem die Kranken, vermöge der sie verfolgenden fixen Ideen, zum Grübeln, zum Hinbrüten geneigt sind, nistet sich nach und nach ein Hang zum Tiefsinn bey ihnen ein, der, durch körperliche Umstände, welche Obstructionen, Congestionen u. s. w. begünstigen, immer tiefer wurzelt und zuletzt in wahre Melancholie übergeht; wovon das allmählige Stillerwerden, das sich Zurückziehen in die Einsamkeit, das scheinbare Nachsinnen, die Unachtsamkeit auf alles Aeußere, und die sich allmählich aus einer lebhaften in eine finstere umwandelnde Physiognomie, der nach und nach immer düsterer, zurückgezogener werdende Blick, die sprechendsten Beweise sind. Ein anderer Ausgang des Wahnwitzes ist, nachdem das übermäßige und anhaltende Verfolgen bestimmter Vorstellungen den Geist, und mit ihm alle übrigen psychischen Thätigkeiten abgestumpft hat, der Uebergang in gänzliche

Stumpfheit oder Blödsinn; wovon sich die Zeichen durch allmähliche Abnahme der verkehrten Aeußerungen, durch zunehmende Ruhe und Gleichgültigkeit, durch Verwandlung der lebendigen Beweglichkeit und des scharfen Ausdrucks in Blick und Physiognomie, in gleichsam maschinenmäßigem Stillstand und Stockung der, wenn auch widernatürlichen, Thätigkeit, in stumpfem Blick und leeren Gesichtszügen, zu erkennen geben. Ein hartnäckiger, lange dauernder Wahnwitz, der vielleicht nach körperlichen Störungen, nach Schlägen, Verwundungen des Kopfes, nach Metastasen von Ausschlägen, von veralteten Geschwüren u. s. w. entstanden ist, und organische Fehler des Gehirns theils vielleicht zu Quellen hat, theils durch seine Dauer und Beharrlichkeit erzeugt, endigt sich nicht selten, nachdem er zuletzt in Tollheit, oder Melancholie oder Blödsinn übergegangen, mit dem Tode; wovon aber das Prognostikon durch Zeichen zu stellen, wegen der verborgenen organischen Beschaffenheiten, sehr schwierig ist. Einiger Maßen kann man aber doch diesen Ausgang voraussagen, wenn convulsivische Zufälle und Lähmungen einzelner Theile, besonders der Sinnesorgane, vorzüglich derer des Gehörs und Gesichts, vorausgegangen sind.

d) Der Blödsinn, welcher selbst schon als Ausgang mehrerer Krankheiten zu betrachten ist, hat, wenn er nicht blos Maske einer versteckten Krankheit ist, gewöhnlich keinen andern Ausgang als den Tod, dem er sich durch folgende Zeichen nähert. Der Blödsinnige wird immer stumpfer, unempfindlicher, unthätiger, ja unfähiger zur Bewegung. Er ist nicht mehr über den Gebrauch seiner Glieder Herr, theils vor Schwäche, theils aus Mangel des Bewußtseyns. Schlafsüchtig liegt er da; kaum ist ihm die nothdürftigste Nahrung beyzubringen; das Auge erstorben, der Puls klein. Wiederholte Anfälle von Epilepsie machen meistentheils dem unglücklichen Leben ein Ende.

e) Die Tollheit ist an ihrem Ende, wenn die Kranken wieder ruhiger werden, zu sich kommen, Appetit und Schlaf erhalten. Doch könnten diese Zeichen täuschen, wenn die Manie periodisch ist. Hier pflegt gewöhnlich ein Anfall, der stärker und erschütternder ist als die vorigen, und der auch wohl mit einer rein körperlichen Krankheit, z. B. dem Typhus endigt, der letzte zu seyn. Oft aber raffen auch solche Anfälle und die darauf folgenden Krankheiten die Kranken hinweg. Außer der Genesung und dem Tode bleiben der Tollheit noch Uebergänge in andere Krankheiten übrig, welche sich durch folgende Zeichen verkündigen. Wird der Kranke still, in sich gekehrt, und bleibt in diesem Zustande: so endigt sich die Krankheit in Melancholie. Verschwinden die übrigen Zeichen seiner Krankheit, fängt er aber nach und nach an verwirrt zu sprechen, und sammeln sich seine verworrenen Vorstellungen zuletzt zu einer bestimmten schiefen Richtung: so geht die Krankheit in Wahnwitz über. Wird der Kranke, vielleicht Jahre lang nachdem er getobt hat, ganz stumpf, kraftlos, gefühllos, gleichgültig, besinnungslos: so ist die Krankheit in Blödsinn übergegangen und hat denselben Ausgang wie dieser; den gleichen hat auch die dem Blödsinn so nahe verwandte Scheu.

VII.

Zeichen der Heilbarkeit und Unheilbarkeit psychischer Krankheiten.

Zwey Zustände sind es, welche die Kennzeichen der Heilbarkeit oder Unheilbarkeit aller Krankheiten auf eine ziemlich evidente Weise hergeben: der Zustand der Organisation, und der der Lebenskraft. So weit wir diese Zustände richtig beurtheilen können, vermögen wir auch mit vieler Wahrscheinlichkeit über jene Punkte zu entscheiden.

Wenn wir daher bey psychisch-Kranken keine deutlichen Spuren von Verletzung derjenigen Organe wahrnehmen, welche bey Krankheiten solcher Individuen implicirt sind, und eben so wenig eine bis auf den Grund erschöpfte Lebenskraft bemerken: so haben wir einiges Recht zu einem guten, wo aber das Gegentheil Statt findet, noch mehreres Recht zu einem üblen Prognostikon.

Wir stellen jetzt, den angegebenen Kriterien zu Folge, so weit uns eine Uebersicht der Fälle vergönnt ist, die Zeichen der Heilbarkeit und Unheilbarkeit psychischer Krankheiten auf. Sie lassen sich unter mehrere Rubriken bringen, die sowohl auf Organisation als Lebenskraft Bezug haben.

1) Das Alter der Kranken ist zwar kein ganz zuverlässiges Zeichen der Heilbarkeit, wenigstens nicht für sich allein, wenn die Kranken noch jung oder doch noch nicht in hohen Jahren sind (s. Abschn. I. No. VII.): aber es ist ein sicheres Zeichen der Unheilbarkeit, wenn das letztere der Fall ist. Je jünger der Kranke, desto größer im Allgemeinen die Möglichkeit unverletzter Organisation und wirksamer Lebenskraft; je bejahrter der Kranke, desto mehr mögliche organische Zerrüttung und unheilbare Schwäche.

2) Die Bildung des Schädels, wiefern sie normal ist, läßt doch wenigstens nicht unmittelbar auf organische Abnormitäten des Gehirns und seiner Umgebungen schließen, und läßt also wenigstens negativer Weise die Hoffnung zur Heilung übrig; da hingegen eine abnorme Schädelbildung (s. Abschn. I. No. III. u. Abschn. I. No. III.) sogleich die organische Grundlage und folglich die Unheilbarkeit solcher Krankheiten verkündigt.

3) Die Constitution der Kranken, wiefern sie von Natur stark und durch Lebensart und Krankheiten

nicht geschwächt ist, deutet, wenn sonst keine unüberwindlichen Hindernisse im Wege liegen, auf Heilbarkeit der Uebel hin; wofern aber von allem diesen das Gegentheil Statt findet, wozu auch die erblichen Anlagen z. B. zur Epilepsie, zu rechnen sind, wird die Vermuthung der Unheilbarkeit um so wahrscheinlicher, je schwächer oder geschwächter die Constitution ist.

4) Die Erregbarkeit theils des Organismus überhaupt, theils und besonders des Gehirns, ist, je nachdem sie lebendig oder abgestumpft, eines der sichersten Zeichen von der Heilbarkeit entweder, oder der Unheilbarkeit psychischer Krankheiten. Denn das erste was zu jeder Kur vorausgesetzt wird, ist ja doch die Empfänglichkeit für ärztliche Einwirkungen. Je empfänglicher daher Magen, Darmkanal, Hautorgan u. s. w. für äußere Reize ist; besonders aber, je lebhafter und allgemeiner die Sinne zu rühren, das Gemüth, etwa durch freundliches Zureden, durch liebevolle Behandlung, durch Aufregung heilender Affecten, als Freude, Furcht, Hoffnung, durch Aufregung des Ehrgeizes, durch Erweckung religiöser Gefühle u. s. w. zu bewegen, je leichter der Geist durch äußere Gegenstände zu beschäftigen, zur Selbstthätigkeit aufzuregen ist: desto sicherer ist auch die Aussicht zur Herstellung der Kranken. Umgekehrt, je stumpfer, je abgestorbener die Erregbarkeit ist, je weniger auch die stärkste und anhaltendste Anwendung der mannigfaltigsten physischen und psychischen Reizmittel auf die Kranken einwirkt: desto größer ist die Gewißheit der Unheilbarkeit ihrer Uebel.

5) Das Wirkungsvermögen der somatischen und psychischen Organe und Kräfte, wiefern es entweder nach langer Abgestumpftheit oder Verwöhnung von neuem rege wird, an Lebendigkeit immer mehr zunimmt, und in

die normalen Verhältnisse zurücktritt, oder im Gegentheil durch keine Hülfe der Natur und der Kunst aus dem Zustande seiner Lähmung oder verkehrten Wirkungsart zurückgebracht werden kann, ist in eben dem Grade wie die Erregbarkeit ein sicheres Zeichen der Heilbarkeit oder Unheilbarkeit psychischer Uebel. Wenn die Absonderungen und Aussonderungen der Kranken natürlich werden, Appetit und Schlaf zurückkehren, der Kranke an Kräften und Fleisch zunimmt, sein Körper die gehörige Temperatur bekommt, die Haut weich, die Hautfarbe natürlicher, der Puls normal wird, wenn Haar- und Nägelwuchs ihre Abnormität verlieren, wenn die Natur selbst Krisen, Revolutionen, Metastasen macht, wo durch Affection niederer Organe die höheren befreyt werden; wenn der Kranke selbst anfängt zu fühlen, daß er psychisch-krank sey, daß seine Phantasie, sein Gemüth, sein Verstand u. s. w. leiden; wenn die Paroxysmen nach und nach kürzer, gelinder, die freyen Zwischenzeiten (lucida intervalla) länger werden, wenn der Kranke aus eigener Macht Gedanken-Reihen anknüpfen, sie verfolgen, nach seiner Willkühr reproduciren und mit andern vertauschen lernt, wenn das sich selbst in Gedanken-Verlieren, das dumpfe Hinbrüten, das Hinstarren auf Einen Punkt, wenn die dumpfe und rauchartige Umnebelung des Gehirns, die Dickheit vor den Ohren, das Hinschwinden der Sinne und aller geistigen Thätigkeit, oder umgekehrt, die unstäte und zwecklose Geschäftigkeit der Seele, die Reizbarkeit des inneren und äußeren Sinnes, die Gedankenjagd und das wilde Bilderschaffen nachläßt, wenn der Trieb zum Selbstmord, und überhaupt zum Morden, schwindet, wenn Blick und Physiognomie natürlich wird, der Mangel an Haltung in den Muskeln sich verliert *):

*) S. Reil, in den Beyträgen zur Organisation der Versorgungsanstalten für unheilbar Irrende, als An-

Bb

so ist durch Alles dieß die Heilbarkeit der Kranken so gut als erwiesen. Wenn aber von Allem diesen nichts Statt findet, auch nach langer Zeit und sorgfältiger Behandlung nicht: so ist das Prognostikon der Unheilbarkeit mit vieler Sicherheit zu stellen.

6) Die Art der Krankheit gibt auch ein, wiewohl weniger sicheres, Zeichen der Heilbarkeit oder Unheilbarkeit her. Der Blödsinn und die Tollheit läßt jene weniger, als andere psychische Krankheiten prognostiziren. (S. Abschn. I. No. VII).

7) Der Grad der Krankheit ist ein bestimmteres Zeichen. Wo nicht blos die Functionen der Seele, sondern auch die des Körpers in einem hohen Grade anomal sind, wo die Krankheit ohne Nachlaß ist; wo keine Spur von Vernunft vorhanden, und selbst die Geschäfte des vegetativen Lebens, Schlaf, Appetit, Erzeugung der Wärme, Secretionen, Excretionen, ganz und auf die Dauer von der Norm abgewichen sind, ist die Unheilbarkeit sehr wahrscheinlich *).

8) Die Dauer der Krankheit (S. Abschn. I. No. VII.) kann zwar, wenn sie kurz ist, nicht mit Gewißheit für ein Zeichen der Heilbarkeit angesehen werden, wiewohl in vielen Fällen die Hoffnung der Heilung um so größer ist, je frischer die Krankheit ist: allein die lange Dauer der Krankheit zeugt in den meisten Fällen für ihre Unheilbarkeit. Eine lange Dauer derselben setzt voraus, daß sie tief eingewurzelt, habituell sey und von unheilbaren Ursachen herrühre. Das Gehirn wird mit der Fort-

hang zu Cox'ens Bemerkungen über Geistes-Zerrüttung. S. 15 ff.

*) Reil, a. a. O. S. 10.

dauer immer mehr desorganisirt, die Krankheit im Orga=nischen immer mehr fixirt *). Doch ist das Prognostikon der Unheilbarkeit bey langer Dauer nicht unbedingt zu fällen, weil die Zeit und ihre Evolutionen einen weiten Spielraum im Organismus haben; weswegen auch Pinel aus langer Erfahrung so viel auf die erwar=tende Methode hält.

9) Vorausgegangene Krankheiten, je schwerer sie waren, je bestimmter und entschiedener sie auf das Gehirn und seine Umgebungen einwirken, als: Meta=stasen von Ausschlagskrankheiten, vertrockneten Geschwü=ren, der Gicht, bedeutende Störungen des Hämorrhoidal=flusses, der Menstruation, der Milchabsonderung, vor allen aber Kopfverletzungen durch schwere Fälle, Stöße, Wunden u. s. w.; alle diese Uebel, wenn ihre Folgen nicht bald entfernt werden können, lassen meistentheils sehr für Unheilbarkeit fürchten, um so gewisser, je höher der Grad, je länger die Dauer der psychischen Affectio=nen ist.

10) Die Complication psychischer Krankheiten mit schweren, oft unheilbaren körperlichen Affectionen, als: mit Epilepsie, Cacochymie, Cachexie, Wassersucht, Verletzungen der Eingeweide des Unterleibes läßt meist die Unheilbarkeit jener Krankheiten fürchten. Die Hoff=nung der Genesung ist um so geringer, je mehr die ganze Organisation angegriffen, und alle Functionen des ani=malischen und vegetativen Lebens von der Norm abgewi=chen sind **).

*) Reil, a. a. O. S. 11.

**) Reil, a. a. O. S. 11.

VIII.

Anhang.

Von den Zeichen fingirter, angedichteter, verheelter, und scheinbarer psychischer Krankheiten.

Da der Arzt bey seinen Untersuchungen sich auf alle Weise vor Täuschung und Einseitigkeit des Urtheils bewahren muß: so gehört zur Sicherstellung der Gränzen wahrer psychischer Semiotik, und zur Sichtung fremdartiger Merkmale, die in sie aufgenommen werden könnten, die Erörterung der in der Ueberschrift dieser Rubrik angegebenen Punkte allerdings hieher, aber nur als in einem Anhange, weil die Betrachtung dieser Materien außer dem Umfange der positiven Semiotik liegt. Wir stellen die Zeichen der oben bemerkten Zustände in der angegebenen Ordnung auf.

1) **Zeichen fingirter psychischer Krankheiten.** Die Furcht vor Strafen, vor gewissen Geschäften und Verhältnissen, zu denen man genöthigt werden könnte, z. B. dem Soldatenstande u. s. w., gibt oft der Bosheit oder Furchtsamkeit, die zugleich einen gewissen Grad von List und Verschlagenheit besitzt, die Erheuchelung psychischer Krankheiten als das Mittel an die Hand, ihre Zwecke zu erreichen. Es gibt Personen, die sich melancholisch, wahnwitzig, toll, blödsinnig u. s. w. **stellen.** Die Zeichen zur Enthüllung dieser Fictionen sind theils von den Verhältnissen und dem Zustande solcher Individuen **vor** ihrer angeblichen psychischen Krankheit, theils von ihrem körperlichen Befinden, theils von ihren Aeußerungen und ihrem Benehmen während dieser sogenannten Krankheit herzunehmen. Subjecte, die schon früherhin von Seiten ihres boshaften und verschmitzten

Charakters, ihres Hanges zu Betrügereyen, ihrer Abneigung vor gewissen Geschäften, bekannt sind, die gewisser Vergehungen oder Verbrechen überwiesen sind, deren gesunde physische und psychische Beschaffenheit vor dem Zustande, in dem sie sich gegenwärtig zeigen, ausgemacht ist, geben wenigstens einen sehr gegründeten Verdacht daß ihre Krankheit Verstellung ist. Kommt nun hinzu, daß sie sich auch jetzt vollkommen physisch wohl befinden, daß sie gegen Hitze, Kälte, Hunger, Durst, drastische Arzneyen, Muskelanstrengungen u. s. w. sehr empfindlich sind, daß sie auf angekündigte schmerzhafte Operationen in Angst gerathen, auf ekelerregende Mittel, blasenziehende Pflaster u. s. w. lebhafte Reizung verrathen, noch weit mehr aber, daß sie den Charakter der angenommenen Krankheit, den der Arzt besser kennt als sie ihn kennen, nicht durchzuführen wissen, daß überall durch ihre Blicke, Züge, Reden, durch ihr ganzes Benehmen die Verstellung durchscheint, daß sie sich in der Einsamkeit anders benehmen als wenn sie wissen daß sie beobachtet werden: so ist nicht mehr an ihrem Betruge zu zweifeln.

2) Zeichen angedichteter psychischer Krankheiten. Personen, die man aus ihren Verhältnissen entfernet, deren Vermögen man an sich reissen, deren Einfluß man aufheben will, werden nicht selten als psychisch-Kranke angekündigt. Allein theils die Wahrscheinlichkeit dieser Absicht, theils die Bekanntschaft mit der Person, der Lebensweise, dem Charakter solcher Angeschuldigten, wenn alles dieß nichts von psychischen Störungen verräth, hauptsächlich aber die Untersuchung ihres gegenwärtigen Zustandes selbst und ihres ganzen Benehmens, alles dieß kann sehr bestimmte Zeichen von der Falschheit der Anschuldigung hergeben. Sind die Denuncianten als boshafte, habsüchtige, intrigannte

Menschen bekannt, waren die seynsollenden psychisch-Kranken von jeher als rechtliche, ordentliche, verständige, mäßige Menschen anerkannt, wenn sie auch, wie Jeder, ihre schwachen Seiten und Eigenheiten hatten oder mitunter durch Kränklichkeiten verstimmt und durch unbilliges Benehmen zu Repressalien gereizt waren; und vor allen Dingen, zeigen sie sich bey der Untersuchung ihres psychischen Zustandes, auf alles was man sie fragt oder mit ihnen vornimmt, als durchaus verständig, oder wenigstens ihrer selbst bewußt und ihrer Handlungen Meister, kündigt sich in Blick und Miene, und überhaupt in ihrem ganzen Benehmen keine psychische Abnormität an, zeigen sie, auch bey längerer Beobachtung und bey wiederholt angestellter Untersuchung, keine Spur wahrer Freyheitslosigkeit, die, wie bekannt, den allgemeinen Charakter der psychischen Krankheiten ausmacht (S. Abschn. I. No. II.); zeigen sie sich demnach als ihrer Gedanken, ihrer Empfindungen, ihrer Willkühr Meister; kommt nicht dann und wann eine absurde Meinung oder Handlung, ein Hang zum Tiefsinn, zu phantastischen Ideen, ein Ausbruch von heftiger Thätlichkeit, eine allgemeine Abspannung und Erschlaffung, eine vorübergehende wahre Geistesabwesenheit u. s. w. zum Vorschein; kurz, fehlen alle Symptome der früher geschilderten psychischen Krankheitsformen: so ist nichts gewisser als daß ihnen eine solche Krankheit angedichtet ist.

3) Zeichen verheelter psychischer Krankheiten. Es gibt Fälle, wo psychisch-Kranke, die entweder bey angehender Krankheit noch so viel Besonnenheit haben, daß sie die Gefahr ahnen, in der sie sich befinden, oder die nach fast vorübergegangener Krankheit die Verkehrtheit des Zustandes wissen, in dem sie sich befunden haben, wo demnach solche Kranke, um

nicht in Verwahrungs- oder Heil-Anstalten gebracht zu werden, weil sich ihr Schamgefühl dagegen sträubt, oder um sich aus denselben zu entfernen, weil Ueberdruß, üble Behandlung, Sehnsucht nach der Freyheit u. s. w. diesen Wunsch in ihnen rege gemacht hat, ihre Krankheit so viel als möglich zu verstecken suchen. Sie sind nicht, wenigstens nicht zu allen Zeiten und unter allen Umständen ihrer selbst Meister, aber sie bemühen sich doch es zu seyn. Sie halten sich ruhig, benehmen sich verständig, sind freundlich und höflich gegen Jedermann, suchen auf alle Weise thätig zu seyn. Es ist leicht, sich hier täuschen zu lassen. Aber das ungewisse, verstörte Ansehen, der unsichere Blick, das hastige Wesen in ihren Reden und im ganzen Benehmen, von Zeit zu Zeit die Anklänge gereizter Phantasie, fixer Vorstellungen oder einer eigenen Zerstreutheit, des Tiefsinns, ja einer gewissen wilden Heftigkeit: alles dieß sind Zeichen, welche dem Beobachter den wahren Zustand dieser Kranken und die künstliche Verheelung desselben zu erkennen geben. Die List, die Verschlagenheit, die Versteckheit nicht zu erwähnen, deren sich oft Verrückte, Wahnsinnige, Tolle, ja Melancholische bedienen, um ihre Zwecke zu erreichen.

4) Zeichen scheinbarer psychischer Krankheiten. Nicht selten bemerken wir an gewissen Individuen Aeußerungen und Beschaffenheiten, die wir auf den ersten Blick und ohne genauere Untersuchung für Spuren wahrer psychischer Krankheiten halten können, da sie es doch nicht sind. Fast alle Symptome der Manie, des Wahnwitzes, des Wahnsinns, der Melancholie, des Blödsinns können Folgen zufälliger Veranlassungen, und vorübergehend seyn, und einige derselben so an den Individuen haften, daß sie sich derselben, ihrer

Freyheit unbeschadet, nicht entschlagen können. In fieberhaften Krankheiten, namentlich in Ausschlags-Entzündungs- Nerven- und Faulfiebern finden wir bald heftiges Rasen, bald leises Irrereden, bald fixe Ideen, bald wilde Phantasien, bald endlich die höchste Niedergeschlagenheit und Verzweiflung. Aber die offenbaren Zeichen körperlicher Affection bey allen diesen Zufällen, und das Verschwinden dieser nach Beseitigung jener, sind die sichersten Beweise daß jene psychischen Störungen keine wahrhaft psychischen Krankheiten sind, sondern nur den Schein derselben an sich tragen. Nach schweren Krankheiten, welche besonders die Nerven sehr angegriffen haben, bleibt oft eine Zeitlang eine Schwäche des Gedächtnisses und Verstandes, eine Stimmung von Kleinmuth und Verzagtheit, ein Hang zur Traurigkeit zurück; Zufälle die man leicht für Spuren von Blödsinn und Melancholie halten könnte. Allein die körperliche Krafterschöpfung, mit deren allmählichem Verschwinden sich auch jene Zufälle verlieren, ist das sicherste Zeichen, daß hier nicht psychische Krankheit sondern physische Schwäche vorhanden ist. Der Mensch in der Trunkenheit, nach genossenen narcotischen Giften spielt alle Scenen psychischer Krankheiten von der Tollheit bis zum Blödsinn; aber die einwirkenden Ursachen und das Vorübergehen der widernatürlichen Zustände sind deutliche Zeichen daß diese letztern bloßer psychischer Schein sind. Manche Menschen sind von so tiefsinniger, andere wieder von so zerstreuter Natur, daß man jene in den Momenten ihres Tiefsinns für melancholisch, diese in denen ihrer Zerstreuung für närrisch halten sollte; aber gleichwohl zeigt ihre Besonnenheit, wenn sie wieder zu sich kommen, und der freye Gebrauch ihrer Vernunft, daß sie nichts weniger als psychisch-krank, ja vielleicht gerade umgekehrt sehr vorzügliche Menschen am Geiste, große Tonkünstler, Mahler, Dichter, Mathematiker sind. Ja nennt man nicht die Begeisterung des Dichters selbst den furor poeticus? Dieser erscheint, wie der Wahnsinnige, gleichsam der wirklichen Welt entrückt, sieht, hört in seiner Entzückung nicht was um ihn vorgeht; aber er unterscheidet sich vom Wahnsinnigen dadurch, daß dieser in einem unfreyen Zustande ist, in dem er bleiben muß, der Dichter aber sich seiner selbst bewußt und frey. Manche sehr kluge und einsichtsvolle Menschen haben von Natur ein sehr einfältiges Ansehen, so daß man sie ihren Blicken, Gesichtszügen und ihrer Haltung nach fast für blödsinnig halten sollte; aber der Glanz ihrer Talente ist das Zeichen, daß ihr Aeußeres gänzlich trügt, welches vielleicht eine Folge vom Mangel der ersten Erziehung ist. Dieselbe Quelle, aus welcher böse Gewohnheiten, verdorbenes moralisches Gefühl, Gewalt der Leidenschaften entsteht, bringt oft Handlungen hervor, die ganz den Anstrich der Tollheit und des Wahnsinns haben, und doch nicht selten, nach dem eigenen Geständnisse solcher Menschen, die Folge freyer Neigung und besonnener Vorsätze sind. Der nach Begriffen frey-handelnde Wille aber, wenn er auch ein moralisch-schlechter Wille ist, spricht Individuen dieser Art von ärztlich-psychischen Krankheiten los.

Verbesserungen und Zusätze.

S. 45. Zu No. 1.): Nicht Melancholiker sind die Spanier und Italiäner, sondern, da in sehr heißen Himmelsstrichen die Galle leicht in Bewegung geräth: Choleriker. So auch die Neger. In West-Indien sind die Creolischen Weiber mehr phlegmatisch.

S. 81. unten. st.: „sie ist den Kakerlaken eigen", l. Auch die Kakerlaken haben eine kreideweiße Hautfarbe. Sodann ist weisse Hautfarbe bey Kindern ein Zeichen der Krankheit, welche unter dem Namen: Verhärtung des Zellgewebes bekannt ist.

S. 85. Oben: Rothe Regenbogenhaut ist den Kakerlaken eigen.

S. 87. Z. 19. einzuschalten: Die gelbe Farbe der Haut bey Neugebornen ist, nach der Meinung erfahrner Aerzte, nicht blos Folge des Hautkrampfes, wie P. Frank will, sondern sie hängt mit den Veränderungen des Blutumlaufs in der Leber zusammen.

S. 93. Z. 11. setze zu: Oertliche Spannung, mit Gefühl von Fluctuation beym bloßen Druck, deutet auf Eiteransammlung, mit Gefühl einer wellenförmigen Bewegung, wenn auf der einen Seite der Geschwulst (des Unterleibs) geklopft, auf der entgegengesetzten die flache Hand angehalten wird, deutet auf Wasseransammlung.

S. 100. Zu Ende des §. 82. zuzusetzen: Die Windsucht (tympanitis) gibt sich durch einen hohlen Schall beym Anschlagen des Unterleibes zu erkennen.

S. 105. Zu Ende des §. 84. zuzusetzen: Aufstoßen ist ein Zeichen von organischen Krankheiten des Magens und Pförtners, besonders von Verengerung Es ist nach dem Sitz und der Natur der Verengerung sauer oder faulicht.

S. 111. Zu Ende des §. 97. hinzuzusetzen: Hohes Athemholen findet sich auch, wenn Wasser oder organische Fehler im Unterleibe das Herabsteigen des Zwerchfelles verhindern.

S. 115. Unten hinzuzusetzen: Niesen ist bey manchen Reizungen in dem obern Theile des Darmkanals heilsam. Der Reiz verschwindet wenn man nieset.

S. 130. Zu Ende des §. 123. hinzuzusetzen: Verliert sich die Intermission des Pulses, sobald ein Fieber, oder eine durch eine andere Ursache beschleunigte Bewegung des Blutes eintritt, kehrt sie aber, nachdem der Kranke sich wieder in einem gesunden Zustande befindet, zurück: so sind Verknöcherungen in den Valveln des Herzens und an den Oeffnungen der großen, an ihm liegenden, Gefäße vorhanden.

S. 146. Zu Ende des §. 153. hinzuzusetzen: Ein weißer Abgang findet sich auch im fluxu coeliaco; bey Schleimhämorrhoiden; wo er zugleich schaumig ist.

S. 152. zu 6). hinzuzufügen: der Gordius gehört nicht zu den Würmern des Darmkanals, sondern steckt im Fleische. 7) Die Finnen befinden sich in den Muskeln; die Blasenwürmer im Gehirn, der Bauchhöhle, und in den Eingeweiden.

S. 161. Zu Ende des §. 174. hinzuzusetzen: Manche Arten der Schwämmchen sind keine Absonderung der Oberhaut, sondern die in die Höhe gehobene Oberhaut selbst; z. B. diejenigen chronischen, die bey Personen, welche viel Säure in den ersten Wegen haben, entstehen.

S. 172. zu urina lateritia, hinzuzusetzen: Er findet sich auch bey Verstopfung der Eingeweide im Unterleibe, bey chronischen, verborgenen Entzündungen.

S. 174. Zu Ende des §. 185. hinzuzusetzen. Ein stark ammoniakalisch riechender Urin findet sich bey Blasenkrankheiten.

S. 179. Zu Ende des §. 187. hinzuzusetzen: Macht ein Urin bald einen weißen, chylösen Bodensatz, so zeigt dieß einen gereizten, geschwächten Zustand der Nieren bey gestörter Verdauung, zu der Zeit wo der Chylus in das Blut übergeht, an. Ein gallertartiger, in einem Klumpen zusammenhängender Bodensatz findet sich bey Blasencatarrhen; ein weißer Bodensatz bey Gichtkranken; ein rother Bodensatz von Harnsäure, bey Hämorrhoiden. Crystallinische Fäden im Urin finden sich bey ehemaligen Tripperkranken, auch zuweilen bey Lungensüchtigen.

S. 182. Zu Ende des §. 188. hinzuzusetzen: Ist das Blut dick, grumös und von dunkler Farbe, so kommt es aus der Harnblase; ist es aber dünn und hellroth: aus den Nieren.

S. 187. Zu Ende des §. 193. hinzuzusetzen: Starker Auswurf von Speichel findet sich bey hypochondrischen Krämpfen. Hält er an, und ist er schaumig, so ist er ein Zeichen einer Aufschwellung und eines gereizten Zustandes des Pankreas.

S. 199. §. 202. bey: Krampfaderbruch, l. statt cirsocele: varicocele.

S. 201. Zu Ende des §. 203. hinzuzufügen. Von dem Samenabgange ist der Abgang einer hellen, eyweißartigen, sich in Fäden ziehenden Feuchtigkeit aus der Harnröhre, zu unterscheiden. Sie kommt aus der Prostata, bey geschwächten Personen; bey der Geilheit; schon bey Thieren.

S. 203. Oben zuzusetzen: Blutsturz in den ersten Monaten der Schwangerschaft, ist gefährlich, wenn er nicht aus den Gefäßen der Scheide kommt.

S. 204. Zu §. 205. zuzusetzen: Heller Abgang aus der Scheide ist ein Zeichen der Wassersucht des Eyerstockes. Der weisse Fluß hat seinen Ursprung auch von Flechten.

S. 224. §. 221. zu cubitus supinus hinzuzusetzen: Auch bey Brustfehlern liegt der Kranke oft auf dem Rücken, wenn Wasser oder Geschwülste im Unterleibe sich finden, die das Herabsteigen des Zwerchfelles erschweren.

S. 234. Zu. §. 225. hinzuzusetzen: Schmerzen im Hinterhaupt deuten auf Hämorrhoiden.

S. 236. Zu §. 227. f): Schmerz in der Spitze der Schulter deutet auf Leberentzündung.

S. 253. Zu §. 237. hinzuzusetzen: eine brennende Wärme in den Bauchdecken findet sich bey den Hämorrhoiden.

S. 259. bey: bitterer Geschmack, hinzuzusetzen: bey einigen Gallenkrankheiten macht nicht der Speichel den bittern Geschmack, sondern die aus den Gefäßen des innern Mundes hervorkommende Flüssigkeit ist äusserst bitter. (Ferner, zu Ende des §.): Blutgeschmack, auch kupferartiger Geschmack verkündigt Blutspeyen, Blutbrechen.

S. 273. zu Auffahren, hinzuzusetzen: plötzliches Auffahren im Schlafe mit Aengstlichkeit und Erstickung ist ein Zeichen von Brustwassersucht und Herzfehlern. (Ferner:) Aufwachen mit Unruhe um Mitternacht, ist ein Zeichen der Hämorrhoiden.

Ver-

Verzeichniß einiger chemischen und medizinischen Bücher, so in allen Buchhandlungen zu haben sind:

Apothekerbuch, Londner, nach der neuesten Originalausgabe übersetzt, und mit einigen Zusätzen und Anmerkungen herausgegeben von D. Chr. Eschenbach, 8. 1789. 20 gr.
— neues deutsches, nach der letzten Ausgabe der Preußischen Pharmacopöa, zum gemeinnützigen Gebrauche bearbeitet von A. F. L. Dörffurt, 1r u. 2r Bd. 1. 2. u. 3te Abth. 14 thlr. 18 gr.
— — 3r Theil, welcher ein dreyfaches Register über das ganze Werk und beym ersten die vorzüglichsten neuen Entdeckungen des letzten Decenniums in der Roharzneywaaren- und Heilmittelfertigungskunde nachträglich in angeh. Noten enthält. 1812. 3 thl. 12 gr.
Ausmittelung, über die, eines Medizinalfonds in einem Staate. gr. 8. 1811. 6 gr.
Bichats, X., allgemeine Anatomie, angewandt auf Physiologie und Arzneywissenschaft. Mit einigen Abkürzungen übersetzt und mit Anmerkungen versehen von D. H. Pfaff, 2 Bde. in 4 Abth. gr. 8. 1802. 1803. 4 thl. 16 gr.
Campers, Pet., sämmtliche kleinere Schriften, die Arzney- Wundarzneykunst und Naturgeschichte betreffend, aus dem Holländ. übersetzt, mit neuen Zusätzen des Verfassers bereichert und mit Anmerkungen herausgegeben von G. F. M. Herbell, 1r - 3r Bd. in 6 Stücken, mit 25 Kupf. gr. 8. 1782 — 790. jedes St. 16 gr. 4 thl.
Demachy's, Hr., Laborant im Großen, oder die Kunst die chemischen Produkte fabrikmäßig zu verfertigen, in 3 Theilen, mit Hrn. D. Struves Anmerkungen und einem Anhange einiger Abhandlungen Hrn. Apotheker Wieglebs, als der 4te Theil. Aus dem Franz. übersetzt und mit Zusätzen versehen von D. Sam. Hahnemann, 2 Bände in 4 Theilen, mit 8 Kupf. gr. 8. 1801. 1 thl. 20 gr.
— u. Dubuissons Liqueurfabrikant aus dem Franz. mit einigen Anmerk. des Hrn. D. Struve übersetzt u. mit Zusätzen bereichert von D. Sam. Hahnemann, 2 Bde, m. 4 Kpf. gr. 8. 1785. 1 thl. 12 gr.
— Kunst des Essigfabrikanten mit einigen Anm. Hrn. D. Struve's herausgegeben, mit Bemerk. und einem Anhange von D. Sam. Hahnemann, mit 1 Kupf. gr. 8. 1787. 12 gr.
Hahnemanns, D. Sam., Anleitung, alte Schäden und faule Geschwüre gründlich zu heilen, nebst einem Anhange über eine zweckmäßigere Behandlung der Fisteln, der Knochenfäule, des Winddorns, des Krebses, des Gliedschwamms und der Lungensucht 8. 1784. 8 gr.
— über die Arsenikvergiftung, ihre Hülfe und gerichtliche Ausmittelung, 8. 1786. 14 gr.
— Unterricht für Wundärzte über die venerischen Krankheiten, nebst einem neuen Quecksilberpräparate, gr. 8. 1789. 18 gr.
— Apothekerlexikon, 2 Bände in 4 Abtheil., mit 3 Kupf. gr. 8. 1793 — 799. 4 thl.
Hedwigs, D. J., Sammlung seiner zerstreuten Abhandlungen u. Beobachtungen über botanisch-ökonomische Gegenstände, 2 Bde, mit 6 illumin. Kupf. gr. 8. 1793 — 797. 2 thl. 8 gr.

Lentins, D. Lebr. Fr. Benj., Beyträge zur ausübenden Arzneywissenschaft, 3 Bde mit 5 Kupf. und Supplementband. gr. 8. 1797 — 808. 5 thl. 5 gr.

Oberreichs, D. C. F., Umriß einer Arzneymittellehre nach den Grundsätzen der Erregungstheorie, 1r Th. gr. 8. 1803. 1 thl.

Pfaff, D. C. H., System der Materia medika, nach chemischen Prinzipien, mit Hinsicht auf die sinnlichen Merkmale und die Verhältnisse der Arzneymittel, 1r Theil, Arzneymittel aus dem organischen Reiche, 1e Abtheil. Indifferente Mittel, gr. 8. 1808.
— 2te Abtheil. Arzneymittel mit potenzirten Grundstoffen fixerer Natur. gr. 8. 1811. 2 thl. 8 gr.

Platners, D. Ernst, neue Anthropologie für Aerzte u. Weltweise, 1r Th. gr. 8. 1790. Druckpap. 1 thl. 20 gr.
Schreibpap. 2 thl. 8 gr.

Schrebers, J. C. D., Beschreibung der Gräser, nebst ihren Abbildungen nach der Natur, 2 Bände, in Fol. mit 54 illum. Kupf. 1769 — 810. 19 thl. 8 gr.
schwarz. 11 thl. 14 gr.
Druckpap. schwarz. 8 thl. 12 gr.

Trommsdorff, J. B., Journal der Pharmacie für Aerzte und Apotheker, 1r — 21r Band, 1s St., jeder Band in 2 Stücken, mit 30 Kupf. 8. 1793 — 812. 44 thl. 17 gr.

Wilsons, Alex. Phil., über die Erkenntniß und Kur der Fieber, aus dem Engl. übersetzt und mit Anmerk. begleitet von D. G. W. Töpelmann, 3 Theile, mit 1 Kupfer, gr. 8. 1804. 1805. 6 thl. 8 gr.

Zieglers, C. J. A., Beobachtungen aus der Arzneywissenschaft, Chirurgie und gerichtlichen Arzneykunde, nebst einer Untersuchung und Beschreibung des Quedlinburgischen Gesundbrunnens, gr. 8. 1787. 16 gr.

Dzondi, C. H., Supplementa ad Anatomiam et Physiologiam potissimum comparatam. Cum tab. 3. aeneis color. fasc. I. 4. 1806. 1 thl. 12 gr.

Fischeri, Ioh. Leonh., Descriptio anatomica Nervorum lumbalium, sacralium et extremitatum inferiorum, cum IV. tabulis linearibus et IV. adumbratis, Fol. maj. 1791. 8 thl.

Hedwigii, Ioan., Fundamentum historiae naturalis muscorum frondosorum, concernens eorum flores, fructus, seminalem propagationem, adjecta generum dispositione methodica iconibus illustrat. II. Tom. 4 maj. 1782. illum. 7 thl.
schwarz. 4 thl. 12 gr.

Hoffmanni, Georg. Franc., historia salicum iconibus illustrata, fasc. I — V. cum 24 fig. Fol. maj. 1785 — 791. illum. 10 thl.
schwarz 5 thl. 8 gr.
— plantae lichenosae delineatae et descriptae, 3 Vol. cum XLVIII. fig. coloratis. Fol. maj. 1789 — 794. 42 thl.

Retzii, Andr. Ioannis, Observationes botanicae, VI Fasciculi, cum 20 fig. cum fig. vol. Fol. maj. 1778 — 791. 8 thl. 16 gr.
— Florae Scandinaviae prodromus, editio altera et emend. 8 maj. 1795. 1 thl. 4 gr.

Schraderi, Henr. Adolphi, nova genera plantarum Pars I. cum 6 tab. aen. coloratis, Fol. 1797. 3 thl. 12 gr

FSC
www.fsc.org
MIX
Papier aus verantwortungsvollen Quellen
Paper from responsible sources
FSC® C141904

Druck:
Customized Business Services GmbH
im Auftrag der KNV-Gruppe
Ferdinand-Jühlke-Str. 7
99095 Erfurt